BROER

Eveneens van Heather Gudenkauf:

In stilte gehuld
Voor mijn zusje

HEATHER GUDENKAUF

Broer

 DE KERN

Oorspronkelijke titel: *One Breath Away*
Oorspronkelijke uitgever: Harlequin MIRA, Canada
This edition published by arrangement with the author
Copyright © 2012 by Heather Gudenkauf
Copyright © 2012 voor deze uitgave:
De Kern, een imprint van Uitgeverij De Fontein, Utrecht
Vertaling: Jan Smit
Omslagontwerp: Marry van Baar
Omslagillustratie: Yolande de Kort / Trevillion Images
Auteursfoto omslag: © Weber Portrait Design
Opmaak binnenwerk: Hans Gordijn, Baarn
ISBN 978 90 325 1332 0
ISBN e-book 978 90 325 1333 7
NUR 305

www.dekern.nl

Alle personen en gebeurtenissen in dit boek zijn door de auteur bedacht.
Enige gelijkenis met bestaande – overleden of nog in leven zijnde – personen
berust op puur toeval.

Voor Alex, Anna en Grace
Drie wensen mocht ik doen, ze kwamen uit

Holly

Ik zweef in dat heerlijke gebied tussen waken en slapen. Pijn heb ik niet, dankzij de morfinepomp, en ik kan bijna geloven dat de spieren, pezen en huid van mijn linkerarm weer keurig zijn aangegroeid tot een bleek, glad velletje. Mijn krullende bruine haar valt weer losjes over mijn rug, mijn favoriete oorbellen bungelen aan mijn oren en ik kan allebei mijn mondhoeken optrekken tot een brede lach, zonder veel pijn, bij de gedachte aan mijn kinderen. Ja, medicijnen zijn een geweldige uitvinding. Maar hoewel deze verantwoord voorgeschreven en door de zusters zorgvuldig toegediende narcotica de scherpe randjes van de nachtmerrie verzachten, weet ik dat dit heerlijke, soezerige gevoel niet lang kan duren. Straks zal ik weer moeten vechten tegen de pijn en de wetenschap dat Augie en P.J. duizenden kilometers bij me vandaan zijn, terug naar de plek waar ik zelf ben opgegroeid, de stad waar ik nooit meer naar wilde terugkeren, het huis waar ik nooit meer een voet zou willen zetten, de man die ze nooit hadden mogen ontmoeten.

Het blikkerige melodietje dat Augie, mijn dochter van dertien, in mijn mobiel heeft geprogrammeerd, wekt me uit mijn slaap. Ik open het oog dat niet onder de dikke zalf zit en niet met een korst is dichtgeplakt en roep mijn moeder, die even de kamer uit is. Dan steek ik mijn hand uit naar de telefoon op het tafeltje naast mijn bed. De zenuwen in mijn verbonden linkerarm krijsen van verontwaardiging. Voorzichtig beweeg ik mijn bovenlichaam om met mijn goede hand de telefoon te pakken en ik druk het toestel tegen mijn overgebleven oor.

'Hallo?' Het klinkt vervormd, hijgend en hees, alsof mijn longen nog vol zitten met rook.

'Mam?' Augies stem, bevend en onzeker, heel anders dan ik gewend ben van mijn dochter. Augie is een slimme, zelfverzekerde meid, vol initiatief, iemand die niet over zich heen laat lopen.

'Augie? Wat is er?' Ik knipper met mijn ogen om het waas van de morfine kwijt te raken. Mijn tong voelt droog en plakt tegen mijn gehemelte. Ik wil een slok water nemen uit het glas op mijn blad, maar mijn enige functionerende hand houdt de telefoon al vast. De andere ligt hulpeloos op de deken. 'Alles oké? Waar ben je?'

Het blijft een paar seconden stil. 'Ik hou van je, mam,' fluistert Augie dan, en plotseling begint ze zacht te snikken.

Ik schiet overeind in bed, opeens klaarwakker. Een felle pijn slaat door mijn verbonden arm naar mijn hals en mijn gezicht. 'Augie, wat is er aan de hand?'

'Ik ben op school.' Ze huilt zoals ze doet wanneer ze zich daar uit alle macht tegen verzet. Ik zie haar voor me, met gebogen hoofd, de lange haren rond haar gezicht gevallen, ogen stijf dichtgeknepen tegen de tranen. Ik hoor haar hijgende, oppervlakkige ademhaling in mijn oor. 'Hij heeft een revolver. Hij heeft P.J. en hij heeft een revolver.'

'Wie heeft P.J.?' Angst knijpt mijn keel bijna dicht. 'Augie, waar zit je? En wie heeft er een revolver?'

'Ik zit in een kast. Hij heeft me in een kast opgesloten.'

De gedachten tollen door mijn hoofd. Wie kan ze bedoelen? Wie zou mijn kinderen zoiets aandoen? 'Hang nu op,' zeg ik tegen haar. 'Hang op en bel de politie. Nu meteen, Augie! En bel me dan terug. Kun je dat doen?' Ik hoor haar snotteren. 'Augie,' zeg ik nog eens, wat scherper nu. 'Kun je dat?'

'Ja,' zegt ze eindelijk. 'Ik hou van je, mam,' voegt ze er zachtjes aan toe.

'Ik hou ook van jou.' Mijn ogen vullen zich met tranen en ik voel dat het vocht zich verzamelt onder het verband over mijn gewonde oog.

Ik wacht tot Augie de verbinding verbreekt als ik drie snelle schoten hoor, gevolgd door nog twee en Augies doordringende gil.

Het verband over de linkerkant van mijn gezicht begint weg te glijden; door mijn eigen geschreeuw raken de pleisters los die het op zijn plaats houden. De kwetsbare, pas aangebrachte huid dreigt los te laten. Ik ben me nauwelijks bewust van de verpleegsters en mijn moeder, die naar mijn bed komen rennen en de telefoon uit mijn hand rukken.

Augie

Mijn broek is nog vochtig van het moment waarop we vanochtend uit de schoolbus stapten en Noah Plum me van de schoongeveegde stoep in een sneeuwhoop duwde, op weg naar school. Noah Plum is de grootste eikel uit de achtste klas, maar om een of andere reden ben ik de enige die dat ziet, terwijl ik hier pas acht weken ben en de anderen hier al hun hele leven wonen. Behalve misschien Milana Nevara, met haar Mexicaanse vader, de dierenarts van de stad. Maar zij was pas twee toen ze hiernaartoe kwam en had hier dus net zo goed geboren kunnen zijn.

Het is ijskoud in de klas en mijn vingers voelen verdoofd. Meneer Ellery zegt dat het eind maart niet meer hoort te vriezen en dat daarom de verwarming is uitgeschakeld. Meneer Ellery, mijn meester en een van de weinige goede dingen aan deze school, zit aan zijn bureau werkstukken na te kijken. Iedereen, behalve Noah natuurlijk, schrijft in zijn schrift. Elke dag na de middagpauze beginnen we met ons dagboek en mogen we de eerste tien minuten van de les schrijven wat we maar willen – ook hetzelfde woord, steeds opnieuw, als we dat leuk vinden, zei meneer Ellery.

'En als het nou een vies woord is?' vroeg Noah.

'Je doet je best maar,' zei meneer Ellery, en iedereen moest lachen. Daarna geeft meneer Ellery je de kans om hardop voor te lezen wat je hebt geschreven, als je daar zin in hebt. Ik heb het nog nooit gedaan. Ik ga die idioten echt niet vertellen wat ik denk. Ik heb *Harriet the Spy* gelezen en ik hou mijn schrift altijd bij me, zonder het uit het oog te verliezen.

Op mijn oude school in Arizona hadden we meer dan tweehonderd kinderen in de achtste klas en verschillende leraren voor elk vak. In Broken Branch zijn we maar met tweeëntwintig en geeft meneer Ellery bijna alle vakken zelf. Hij is niet alleen leuk, maar ook de allerbeste leraar die ik ooit heb gehad. Hij is grappig, maar hij maakt nooit grapjes ten koste van iemand anders en hij doet niet sarcastisch, wat sommige leraren zo geestig vinden. Hij accepteert het ook niet als mensen een ander zitten te pesten. Dan hoeft hij ze alleen maar aan te kijken en houden ze vanzelf hun mond. Zelfs Noah Plum.

Meneer Ellery schrijft altijd een onderwerp voor het dagboek op het bord voor het geval we zelf niets kunnen bedenken. Vandaag heeft hij geschreven: 'In de voorjaarsvakantie ga ik...'

Zelfs meneer Ellery's vermanende blik helpt vandaag niet, want iedereen zit te fluisteren en te lachen omdat we zin hebben in vakantie. 'Nou, jongens,' zegt meneer Ellery, 'nu weer aan het werk. En als er tijd overblijft, kunnen we nog Pictionary spelen.'

'Jaaa!' hoor ik de kinderen om me heen fluisteren. Geweldig. Ik open mijn schrift bij de volgende lege pagina en begin te schrijven.

'In de voorjaarsvakantie vliegen we terug naar Arizona, naar onze moeder.' De enige geluiden in de klas zijn het krassen van potloden over papier en Erika's irritante gesnotter. Ze heeft altijd een loopneus en staat wel twintig keer per dag op om een papieren zakdoekje te pakken. 'Het kan me niet schelen als ik nooit meer sneeuw of koeien zie. Of mijn opa.' Ik hoop vurig dat mijn moeder zo ver is opgeknapt dat we na de voorjaarsvakantie niet meer terug hoeven naar Broken Branch. Maar mijn opa gelooft daar niets van. Mijn moeder komt voorlopig niet uit het ziekenhuis, zegt hij. Ze zal in Arizona moeten blijven tot ze voldoende is hersteld om in het vliegtuig te stappen en hiernaartoe te komen, zodat oma en opa, die ik een paar maanden geleden pas voor het eerst heb ontmoet, voor ons allemaal kunnen zorgen. Maar het kan me niet schelen wat mijn opa zegt. Na de voorjaarsvakantie ga ik echt niet meer terug naar Broken Branch.

Ik kijk op van mijn schrift als ik een harde knal hoor, als van een tak die afbreekt in een sneeuwstorm. Meneer Ellery heeft het ook gehoord. Hij staat op van achter zijn tafel, loopt naar de deur van de klas en stapt de gang in. Even later komt hij terug en haalt zijn schouders op. 'Zo te zien heeft iemand een ruit gebroken aan het einde van de gang. Ik ga wel even kijken. Jullie gaan gewoon door met je werk. Ik ben zo terug.'

Maar voordat hij het lokaal uit is, klinkt de bevende stem van mevrouw Lowell, de secretaresse van de school, door de intercom. 'Docenten, dit is een *lockdown*, Code Rood. Ga allemaal naar uw schuilplaats en vergrendel de deuren.'

Noah snuift. 'Ga allemaal naar uw schuilplaats,' bauwt hij mevrouw Lowell na. Niemand anders zegt iets. We kijken allemaal naar meneer Ellery, wachtend op zijn instructies. Ik ben hier nog niet lang genoeg om te weten wat Code Rood is, maar het belooft niet veel goeds.

Mevrouw Oliver

De ochtend waarop de man met de revolver Evelyn Olivers klas binnen stapte, droeg ze twee dingen die ze had gezworen in haar drieenveertigjarige loopbaan als lerares nooit te zullen dragen: denim en kraaltjes. Mevrouw Oliver was er vast van overtuigd dat een lerares er als een lerares behoorde uit te zien: goed verzorgd, bloesjes met een kraag, rokken en broekpakken keurig gestreken, pumps glimmend gepoetst. Niet die rommel die de jongere leraressen tegenwoordig droegen: minirokken, tennisschoenen, diep uitgesneden shirts. Tatoeages, onvoorstelbaar! Meneer Ellery bijvoorbeeld, die jonge leraar van de achtste klas, had een tatoeage op zijn rechterarm: een combinatie van zwarte flitsen en krullen die mevrouw Oliver als Aziatisch meende te herkennen. 'Het betekent "leraar" in het Chinees,' had meneer Ellery haar een keer verteld toen hij een mouwloos T-shirt droeg en haar pijnlijk genoeg betrapte toen ze naar zijn bovenarm staarde. Het was een snikhete augustusmiddag in de week voor het begin van het nieuwe schooljaar, toen alle docenten bezig waren hun lokalen gereed te maken. Mevrouw Oliver snoof afkeurend, maar onwillekeurig vroeg ze zich af hoe pijnlijk het moest zijn om zo nauwkeurig en systematisch een inktpatroon in je huid te laten injecteren.

Het ergst was *casual friday*, als de docenten, zelfs de oudere, op school verschenen in jeans en sweatshirts met de naam en het logo van de school: de Broken Branch Consolidated School Hornets.

Maar op deze ongebruikelijk koude dag in maart, de laatste dag voor de voorjaarsvakantie, droeg mevrouw Oliver de denim jurk waarvan ze nu wist dat ze erin zou sterven. Schandalig, dacht ze, na al die jaren van vlijmscherp gestreken plooirokken en kriebelende steunkousen.

De vorige week, nadat alle kinderen van de derde klas waren vertrokken, had mevrouw Oliver voorzichtig de gekreukte, roze en geel gestreepte cadeautas opengemaakt die ze had gekregen van Charlotte, een mager, slonzig meisje van acht, met schouderlang, glanzend zwart haar waarin permanent een volhardende familie luizen huisde.

'Wat is dat nou, Charlotte?' vroeg mevrouw Oliver verbaasd. 'Ik ben van de zomer pas jarig.'

'Dat weet ik,' antwoordde Charlotte en ze grijnsde, met een spleetje tussen haar tanden, 'maar mijn moeder en ik dachten dat u er meer aan zou hebben als ik het u nu vast gaf.'

Mevrouw Oliver verwachtte een geurkaars met een appelluchtje, zelfgebakken koekjes of een handbeschilderd vogelhuisje, maar in plaats daarvan kwam er een denim stonewashed jurk tevoorschijn, geborduurd met kraaltjes, die met zorg in het patroon van een twinkelende regenboog waren gerangschikt. Charlotte keek haar vol verwachting aan door de pony die over haar anders zo ondeugende grijze ogen hing.

'Ik heb de kraaltjes zelf geborduurd. Nou ja, voor het grootste deel,' verklaarde Charlotte. 'Mijn moeder heeft geholpen met de regenboog.' Ze legde een groezelig vingertje op de kleurige boog. 'Rood, oranje, geel, violet, blauw, indigo en groen. Precies zoals u ons hebt geleerd.' Charlotte lachte stralend met haar kleine, gelijkmatige melkgebit nog helemaal intact.

Mevrouw Oliver was allang blij dat Charlotte de juiste kleuren van de regenboog had onthouden. Ze had het hart niet haar te vertellen dat ze zich in de volgorde had vergist. 'Hij is prachtig, Charlotte,' zei ze, en ze hield de jurk voor zich. 'Daar heb je hard aan gewerkt, dat zie ik wel.'

'Ja,' beaamde Charlotte plechtig. 'Twee weken. Eerst wilde ik een verjaardagstaart op de voorkant borduren, maar mama zei dat u de jurk vaker zou dragen als hij niet alleen bij een verjaardag paste. Ik had bijna geen kralen genoeg. Mijn kleine broertje dacht dat het snoepjes waren.'

'Ik zal hem zeker vaak dragen. Heel erg bedankt, Charlotte.' Mevrouw Oliver stak een hand uit om Charlotte op haar schouder te kloppen. Het meisje leunde onmiddellijk tegen haar aan, sloeg haar armen om het stevige middel van haar lerares en drukte haar gezicht tegen de knoopjes van haar gesteven witte blouse. Mevrouw Oliver voelde iets kriebelen onder haar staalgrijze haar en weerstond de neiging om te krabben.

Het was haar man, Cal, die mevrouw Oliver had overgehaald de jurk te dragen. 'Wat kan het voor kwaad?' had hij die ochtend nog gevraagd toen hij haar voor de open kleerkast zag staan, starend naar de felgekleurde overgooier.

'Ik heb nooit denim gedragen naar school, en daar ga ik zeker niet mee beginnen nu ik vlak voor mijn pensioen sta,' antwoordde ze zonder hem aan te kijken. Ze herinnerde zich dat Charlotte aan het begin van de week vol verwachting de klas was binnen gestormd om te zien of ze de jurk aanhad.

'Ze heeft er twee weken aan gewerkt,' zei Cal nog eens, aan de ontbijttafel.

'Het is niet professioneel!' snauwde ze, met het beeld voor ogen hoe Charlotte's houding in de loop van de week steeds moedelozer was geworden als ze weer de klas binnen kwam en haar lerares zag staan, in haar gebruikelijke halfwollen pantalon, met blouse en vest.

'Haar vingers bloedden ervan,' zei Cal met zijn mond vol havermout.

'Het gaat vandaag flink vriezen. Het is veel te koud voor zo'n overgooier,' antwoordde mevrouw Oliver een beetje triest. De vorige dag had Charlotte haar niet eens willen aankijken. Ze had uitdagend haar lippen op elkaar geknepen en geweigerd antwoord te geven als haar lerares haar iets vroeg.

'Dan trek je een warme onderbroek en een coltrui eronder aan,' opperde haar man zacht, terwijl hij achter haar kwam staan en haar in haar nek zoende, op een manier die haar zelfs na vijfenveertig jaar huwelijk nog een heerlijke huivering bezorgde.

Omdat hij gelijk had – Cal had altijd gelijk – had ze zich geïrriteerd van hem losgemaakt en gezegd dat ze te laat op school zou komen als ze zich niet snel ging aankleden. Ze trok de overgooier aan en liet Cal met zijn havermout aan de keukentafel achter, waar hij nog een kop koffie dronk en de krant las. Ze had hem niet gezegd dat ze van hem hield en hem geen afscheidskus gegeven op zijn rimpelige wang. 'Vergeet niet de Crock-Pot aan te zetten,' riep ze nog toen ze de lichtgrijze ochtend in stapte. De zon was nog niet op, maar warmer zou het die dag niet worden. De temperatuur leek met het uur te zakken. Toen ze in haar auto stapte voor het ritje van vijfentwintig minuten van haar huis in Dalsing naar de school in Broken Branch besefte ze niet dat het misschien de laatste keer zou zijn.

Het was de moeite waard, dacht ze, toen ze zag dat er op Charlotte's gezichtje na een week van doffe teleurstelling opeens een lach van pure blijdschap doorbrak nu mevrouw Oliver toch de overgooier droeg. Natuurlijk had Cal gelijk gehad. Wat kon het voor kwaad om dat onpraktische, opzichtige ding een dagje aan te trekken? Goed, in de lerarenkamer trokken sommige mensen hun wenkbrauwen op, maar dat was niets nieuws. En het betekende veel voor Charlotte, die nu weggedoken achter haar tafeltje zat, net als de vijftien andere derdeklassers, starend naar de man met de revolver. In elk geval, dacht mevrouw Oliver, een beetje beschaamd over zo'n ongepaste gedachte, zouden ze haar niet in die vervloekte jurk kunnen begraven als de man haar een kogel in haar borst zou schieten.

Meg

Ik probeer te bedenken wat ik de komende vier dagen met al mijn vrije tijd moet doen als ik een beetje doelloos in mijn patrouillewagen door Broken Branch rij. Dit wordt het eerste jaar dat ik Maria niet bij me heb in de voorjaarsvakantie. En zo te zien laat het voorjaar op zich wachten, al is het officieel twee dagen geleden begonnen.

Tim heeft alle recht op Maria, deze keer. De afgelopen twee vakanties is ze bij mij geweest. Maar ik had het allemaal gepland voor morgen, mijn vrije dag. We zouden banketletters bakken, bladerdeeg met amandelspijs, de enige familietraditie die ik uit mijn jeugd heb overgehouden. Daarna zouden we een tent opzetten om ouderwets te kamperen in de huiskamer. En als het echt ging sneeuwen, zoals voorspeld, zouden we op sneeuwschoenen naar de voet van Ox-eye Bluff skiën en warme chocola, marshmallows en oestersoep eten als we terugkwamen. Ik had zelfs Kevin Jarrow, de parttimer op ons politiebureau, gevraagd mijn zaterdagdienst over te nemen, zodat ik alle tijd had voor Maria. Maar Tim hield voet bij stuk. Eindelijk had hij vijf volle dagen vrij van zijn werk als ambulanceverpleger in Waterloo, waar we allebei zijn opgegroeid.

'Hoor eens, Meg,' zei hij toen hij me eergisteren belde, 'ik vraag niet veel, maar ik wil graag Maria, deze vakantie...'

'Ze is geen artikel op je boodschappenlijstje,' zei ik kwaad. 'We hadden dit toch al besproken?'

'Nee, jíj had het besproken,' zei hij. En zo was het ook. 'Ik wil graag een paar dagen met haar doorbrengen. Dat lijkt me niet onredelijk.'

'Waar komt dat opeens vandaan?' vroeg ik.

'Hé, elke minuut met Maria is welkom, dat weet je best. Bovendien is ze de vorige twee vakanties bij jou geweest.' Hij begon kwaad te worden. Ik stelde me hem voor in de duplex waar we ooit samen hadden gewoond, terwijl hij zijn voorhoofd masseerde, zoals hij altijd deed als hij zich gefrustreerd voelde.

'Ik weet het,' zei ik zacht. 'Maar ik had alles al gepland.'

'Je kunt ook een tijdje bij ons logeren,' zei hij voorzichtig.

Ik zuchtte. Ik was te moe voor een gesprek als dit.

'Meg, je weet dat ik nooit heb gedaan wat jij van me dacht.'

Daar gaan we weer, dacht ik. Om de paar maanden beweert Tim dat hij geen verhouding zou hebben gehad met zijn collega, dat ze een onbetrouwbare leugenaarster was die iets meer wilde, maar dat hij haar had afgewezen. Soms heb ik bijna de neiging hem te geloven, maar nu niet.

'Je kunt haar woensdag komen ophalen, na school,' zei ik tegen hem.

'Ik hoopte eigenlijk morgen, als ik klaar ben met mijn werk. Om een uur of twaalf.'

'Dan mist ze haar laatste schooldag voor de vakantie, als ze juist leuke dingen doen.' Het klonk wat flauw, dat weet ik, maar ik kon niets anders verzinnen.

'Meg,' zei hij, op die toon van hem. 'Meg, toe nou...'

'Mij best!' snauwde ik.

Dus moest ik gisteren afscheid nemen van mijn mooie, grappige, lieve, volmaakte dochter van zeven. 'Ik zal je elke dag bellen,' beloofde ik haar, alsof het een afscheid voor eeuwig was. 'Twee keer!'

'Dag, mam,' zei ze, en ze drukte een snelle kus op mijn wang voordat ze bij Tim in de auto stapte.

'Als het nog niet heeft gedooid wanneer je terugkomt, binden we onze sneeuwschoenen weer onder,' riep ik haar nog na.

'Morgenavond eten we bij mijn ouders en op zondag bij mijn zus.' Hij trok een ernstig gezicht. 'Vorige week liep ik je moeder tegen het lijf.'

'O,' zei ik, alsof het me niet interesseerde.

'Ja. Ze willen Maria heel graag zien.'

'Dat zal wel.'

'Is het goed als ik met Maria naar ze toe ga?'

Ik haalde mijn schouders op. 'Je doet maar.' Mijn ouders waren geen slechte mensen, maar ze deugden ook niet echt. 'Als je haar maar niet in die stacaravan achterlaat. Dat ding is een doodskist. En let erop dat Travis niet in de buurt rondhangt als je op bezoek komt.' Mijn broer Travis is een van de belangrijkste redenen waarom ik bij de politie ben gegaan. Toen we opgroeiden verziekte hij het leven van mijn ouders en maakte mijn jeugd tot een hel. Het leek wel of de politie elke week op de deur van de caravan klopte, als ze Travis weer in zijn kraag hadden gevat. Ze gaven hem genoeg kansen om zijn leven te beteren, maar het ging steeds weer mis. In de zomer toen ik dertien was en Travis zestien, bedreigde hij mijn vader met een keukenmes, sloeg mijn moeder in haar gezicht en rukte mij een pluk haar uit mijn hoofd toen ik hem wilde wegtrekken. Dat was het moment waarop de politie de zaak eindelijk serieus nam.

'Wat wil je dat ik doe?' vroeg agent Stepanich, die regelmatig bij ons langskwam, vermoeid. Zijn jonge vrouwelijke collega, agente Demelo, stond er zwijgend bij en keek naar het gebroken glas, de omgevallen stoelen en de kale plek op mijn hoofd. Welkom in ons gezellige huis, wilde ik zeggen, maar in plaats daarvan staarde ik naar de grond met een rode kop van schaamte.

Ik verwachtte dat mijn ouders zouden antwoorden dat het nu genoeg was en dat ze Travis maar moesten oppakken wegens zware mishandeling, maar weer wilden ze geen aanklacht indienen.

'Wat wil je dat ik doe?' vroeg agente Demelo, en ik keek verbaasd op toen ik besefte dat ze het alleen aan mij vroeg.

'Eh, nou...' zei agent Stepanich, 'dit is een beslissing van de ouders.'

'Ik kan me niet voorstellen dat die pluk haar daar vanzelf op de grond terecht is gekomen of dat Meg die zelf uit haar hoofd heeft gerukt,' zei agente Demelo, terwijl ze me strak aankeek. Ik was verbaasd dat ze zich mijn naam herinnerde, en ze maakte vooral indruk omdat ze zo duidelijk het advies van haar meerdere negeerde. 'Laat eens horen wat zíj wil dat we doen,' drong ze aan.

Travis trok een grimas. Hij was bijna een kop groter en vijfendertig kilo zwaarder dan ik, maar op dat moment voelde ik me sterker en machtiger, in de wetenschap dat alleen een onnozele lafaard op zo'n manier zijn eigen familie zou aftuigen. Hij voelde zich onoverwinnelijk, maar in die ene seconde besefte ik dat er een uitweg was voor ons gezin.

'Ik wil een aanklacht indienen,' zei ik, en daarbij richtte ik me uitsluitend tegen agente Demelo, die niet veel ouder leek dan ikzelf maar een zelfvertrouwen uitstraalde waar ik jaloers op was.

'Weet je dat wel zeker?' vroeg agent Stepanich.

'Ja,' verklaarde ik ferm. 'Dat weet ik zeker.' Agent Stepanich draaide zich om naar mijn ouders, die verbijsterd toekeken, maar toch knikten. Travis werd in de handboeien geslagen en afgevoerd. Een paar dagen later kwam hij terug. Ik dacht dat hij wraak op me zou nemen, maar hij bleef op afstand en raakte me met geen vinger aan. Maar problemen kreeg hij toch. In de loop van de jaren kwam hij regelmatig in de gevangenis terecht, de laatste tijd steeds voor drugsbezit. Die arrestatie van twintig jaar geleden had Travis' karakter niet veranderd, maar voor mijn gevoel wel mijn leven gered.

'Travis komt niet in de buurt van Maria,' beloofde Tim. Hij keek alsof hij nog iets wilde zeggen, maar beperkte zich tot: 'Ik spreek je nog wel, Meg.' En hij reed weg met Maria, die nog vrolijk naar me zwaaide.

Mijn ruitenwissers kunnen nauwelijks de dichte sneeuw bijhouden die nu valt. Geweldig. Als ik straks thuiskom, na een dienst van tien uur, kan ik ook nog een paar uurtjes sneeuwruimen. Ik vraag me af of ik morgen nog wel banketletters moet bakken en besluit ervan af te zien. Ik heb eigenlijk meer zin in uitslapen, tv-kijken, een pizza bij Casey's halen en zwelgen in zelfmedelijden.

Mijn telefoon trilt in mijn jaszak en ik werp een blik op de display. Misschien is het Maria. Nee, Stuart. Verdomme. Ik prop de mobiel weer in mijn zak. Stuart is journalist en schrijft voor de *Des Moines Observer*. Hij woont anderhalf uur rijden van Broken Branch en ik heb een maand geleden een streep onder onze relatie gezet toen ik ontdekte dat hij toch niet echt van zijn vrouw af was, zoals hij beweerde. Nee, ze wonen nog onder hetzelfde dak en volgens haar zijn ze zelfs gelukkig getrouwd. De ironie ontgaat me niet. Ik ben zelf van mijn ex gescheiden omdat hij vreemdging, en nu ben ik zelf die 'ander' in de nachtmerrie van een bedrogen echtgenote. Stuart kwam met de bekende smoesjes: dat hij van me hield, dat zijn huwelijk niets meer voorstelde, dat hij van haar zou scheiden, enzovoort. En dan was er nog een andere kwestie. Stuart had me gebruikt voor de grootste primeur uit zijn carrière. Als hij zijn kop niet hield, beet ik hem toe, zou ik hem neerknallen met mijn Glock. Het was maar half een grapje.

Ten slotte neem ik toch op. 'Stuart, ik ben aan het werk,' snauw ik tegen hem.

'Wacht nou even!' zegt hij. 'Dit is zakelijk.'

'Des te meer reden om op te hangen,' zeg ik kortaf.

'Ik hoor net dat er een indringer is op jullie school,' zegt hij op die luchtige, zelfverzekerde toon van hem. De klootzak.

'Waar heb je dat gehoord?' vraag ik voorzichtig, zonder te laten blijken dat het nieuws voor me is.

'Iedereen weet het al, Meg. De telefoon op onze redactie staat roodgloeiend. De kinderen zetten het op Facebook en Twitter. Wat gebeurt daar allemaal?'

'Ik doe geen mededelingen over een lopend onderzoek,' antwoord ik beslist, maar het duizelt me. Een indringer op school? Als er iets aan de hand was, zou ik het toch moeten weten.

'Maria... Is alles goed met haar?'

'Dat gaat je niets aan,' zeg ik zacht. Ik ben niet de enige die door Stuart is gekwetst.

'Wacht,' zegt hij voordat ik kan ophangen. 'Misschien kan ik je helpen.'

'Hoe dan?' vraag ik achterdochtig.

'Ik zou de media kunnen bijhouden, en dat soort dingen, om je op de hoogte te houden van wat wij allemaal horen. Dan weet je het meteen als er iets belangrijks is.'

'Stuart,' zeg ik hoofdschuddend, 'geloof me nou. Niets wat jij te zeggen hebt is nog van enig belang voor mij.'

Will

Die ochtend, toen Will Thwaite zijn kleinkinderen in de schoolbus zag stappen, terwijl de horizon nog niet eens roze was gekleurd door de naderende zonsopgang, besefte hij, zoals zo vaak op een donkere ochtend, hoezeer hij zijn vrouw miste. Hij was er zo aan gewend om Marlys naast zich te hebben bij het werk op de boerderij. Zij was degene die hem iedere morgen om vijf uur wakker schudde, hem een thermoskan met hete koffie in zijn handen drukte en hem de deur uit stuurde met de belofte van een warm ontbijt als hij terugkwam van het voederen van de dieren. Hij voelde haar afwezigheid als het gemis van een arm of een been. Komende herfst zouden ze vijftig jaar getrouwd zijn. Hij probeerde zich te herinneren wanneer ze voor het laatst een nachtje van huis was geweest. Elf jaar geleden, bedacht hij, toen ze ging logeren bij hun vierde zoon, Jeffery, zijn vrouw en hun pasgeboren baby in Omaha. Ze had een tas ingepakt voor vier dagen, was in de Cadillac gestapt en had nog door het raampje tegen hem geroepen dat er in de vriezer eten klaarlag dat hij alleen maar in de magnetron hoefde te zetten. Daarna was ze weggereden in een wolk van diepbruin Iowa-stof.

Hij nam een slok van zijn koffie, trok een grimas bij de bittere smaak – heel anders dan Marlys' koffie – en begreep waarom Marlys deze keer zo veel langer weg moest blijven. Het was nu al twee maanden, en nog altijd kon ze hem niet zeggen wanneer ze terug zou komen. Hun jongste kind en enige dochter had zo veel zorg nodig en was er zo slecht aan toe na het ongeluk, dat het wel april kon worden voordat zijn vrouw weer thuis zou zijn. Jarenlang had Will gedacht dat hij Holly nooit meer zou zien, omdat ze zich zo fel tegen hem had verzet. Als hij Holly zonder omhaal zou vragen waarom ze hem zo haatte, vermoedde hij, zou ze moeite hebben met een antwoord. Maar ze had wel zijn kleinkinderen tegen hem opgezet. De jongen, P.J., een stil kind met bruine ogen, dikke ronde brillenglazen en de ziel van een oude man, was algauw ontdooid tegenover hem. Maar het meisje, Augustine – Augie – was een ander verhaal. Op het moment dat Will het ziekenhuis binnen kwam, blij met de koele, zakelijke lucht na de meedogenloze, droge hitte van Arizona, had zijn hart in zijn keel gebonsd toen hij de hoek omsloeg naar de brandwondenafdeling. Half onderuitgezakt in een ongemakkelijke stoel zat zijn dochter. Nee, natuurlijk kon dat Holly niet zijn. Holly lag in een ziekenhuisbed om te herstellen van haar derdegraads verbrandingen. Bovendien was dat hulpeloze schepsel tegenover hem veel te jong om Holly te kunnen zijn. Toch had ze Holly's bleke huid, haar bruine haar en haar mollige, ronde vormen; niet dik, maar stevig, als een boerendochter. Hij onderdrukte een glimlach bij die gedachte. Dit was zijn kleindochter, en heel even dacht Will dat dit zijn kans was, de juiste gelegenheid, om zijn lastige dochter terug te winnen nadat ze hem de afgelopen vijftien jaar had gemeden om redenen die hij niet goed kon peilen.

Maar zijn hoop werd onmiddellijk de bodem in geslagen toen Marlys, altijd emotioneel en luidruchtig in de meest ongepaste situaties, een kreet van vreugde slaakte nu ze voor het eerst haar kleinkinderen ontmoette.

'Augustine? P.J.?' riep ze, zo luid dat ook de andere bezoekers opkeken. Vol verwachting stak ze haar armen uit naar de kinderen. Waarschijnlijk dacht ze dat Augie en P.J. van hun stoelen zouden springen om naar hen toe te rennen. In plaats daarvan staarde het tweetal met grote ogen naar hun grootmoeder – die er niet op haar best uitzag, zoals Will moest toegeven. Door haar zorgen om Holly, hun overhaaste vertrek en het gedoe om de boerderij in goede handen achter te laten was Marlys al doodmoe geweest nog voordat ze uit Broken Branch waren vertrokken. En dan het vliegtuig – de eerste keer dat Marlys ooit had gevlogen, zonder enig idee wat er ging gebeuren. Het waren omstandigheden waarin ze zich nietig en onnozel voelde. Toen ze eindelijk in Revelation aankwam en haar kleinkinderen zag, had Marlys zich niet meer kunnen beheersen. Ze klemde de verbouwereerde kinderen in haar armen, hield hen even op afstand om hen goed te kunnen bekijken, en drukte hen weer tegen zich aan.

'Wij zijn jullie opa en oma,' riep ze door haar tranen heen. 'O, wat ben jij een prachtige meid,' zei ze tegen Augie, die een beetje bleek glimlachte. 'Net je moeder, op die leeftijd. En jij...' Marlys draaide zich naar P.J. toe en tilde met een eeltige vinger zijn kin omhoog. 'Ook al zo'n knappe jongen.' Tranen gleden over haar gerimpelde wangen en drupten op P.J.'s opgeheven gezicht. De jongen rukte zich niet los of veegde de tranen van zijn voorhoofd, maar hij staarde zijn grootmoeder vol ontzag aan en wierp toen een onzekere blik naar zijn opa, die zijn schouders ophaalde alsof hij wilde zeggen: *ik weet ook niet wat haar bezielt.* Toen Will naar Augie keek om haar een knipoog te geven, stuitte hij op een beschuldigende, achterdochtige blik. Holly had zijn kleindochter al geïndoctrineerd met verhalen over haar jeugd: het zware werk, de eenzaamheid van de boerderij, de ruzies over hoe laat ze thuis moest zijn, hoe oneerlijk het allemaal was geweest. Terwijl Marlys nog tegen de kinderen stond te koeren, die zich koesterden in alle aandacht, draaide Will zich om en probeerde een verpleegster te vinden die hem iets zou kunnen vertellen over de toestand van zijn dochter.

Nu, twee maanden later, had hij nog altijd geen bres kunnen slaan in de muur waarachter zijn kleindochter zich verschool. En God wist dat hij zijn best had gedaan. Hij begreep hoe moeilijk het voor Augie moest zijn om haar moeder te missen, en hij probeerde haar alle ruimte te geven. Hij had een volle week gewacht voordat hij haar de taken had uitgelegd die bij het boerenleven hoorden en waarvan zij ook haar deel moest doen. Het was geen probleem geweest met P.J., die geïnteresseerd was in het werk van zijn opa. Maar Augie vluchtte na schooltijd meteen naar haar kamer, Holly's oude slaapkamer, en liet zich tot de volgende morgen niet meer zien. Ze antwoordde kortaf en weigerde samen met hen te eten. Ze beweerde nijdig dat ze vegetariër was en dat haar grootvader niet deugde omdat hij dieren fokte om op te eten. Will was zo verstandig daar niet op in te gaan en probeerde zijn geduld te bewaren. Hoewel hij soms vreesde dat hij uit frustratie tegen haar zou uitvallen, nam hij zich heilig voor haar heel geleidelijk tot andere gedachten te brengen, rustig maar streng. Augie maakte het hem niet gemakkelijk. Ze wierp hem minachtende blikken toe en greep elke gelegenheid aan om kritiek te hebben op wat hij zei. Het was net alsof hij Holly weer moest grootbrengen, helemaal opnieuw. Maar in de loop van de jaren, toen de relatie met zijn dochter verbrokkelde tot een verre herinnering aan de tijd dat ze nog klein was en dacht dat hij de maan voor haar had opgehangen, had hij gezworen het anders te doen als hij ooit nog eens de kans zou krijgen. Die kans had hij nu met Augie, een kopie van zijn dochter, en deze keer zou hij het niet verprutsen.

Holly

En weer word ik wakker in het ziekenhuis, voor de zoveelste ochtend achtereen. Ik begin al te denken dat ik hier nooit meer vandaan zal komen. Ik wil het infuus uit mijn arm rukken en gillend wegrennen. Mijn hele leven heb ik geprobeerd me te bevrijden, eerst van mijn familie en Broken Branch met zijn bekrompen sfeer, daarna uit mijn huwelijk met David en de manier waarop zo'n relatie je kan verstikken. Of misschien lag het gewoon aan hem. Dus eerst heb ik alle banden met mijn familie in Iowa verbroken en hen achtergelaten zonder een kus of een omhelzing. Als ik daar maar weg was! Anders zou het mijn dood zijn geworden. Ik heb niet één keer omgekeken en ben naar Colorado gevlucht met een jongen met wie ik was opgegroeid. Al na een jaar kregen we genoeg van elkaar en trok ik naar Arizona, waar ik een opleiding volgde voor schoonheidsspecialiste. Daar kwam ik David tegen. We trouwden en we kregen Augie. Dat fiasco heeft maar liefst zeven jaar geduurd. Hij probeerde me bij zich te houden, zei dat hij nog een kind wilde en samen oud wilde worden. Maar ik kon zo niet meer leven. Het zou mijn dood worden als ik nog één ochtend wakker moest worden tegenover hetzelfde afgrijselijke veloursbehang of naar de buurvrouw moest luisteren met haar verhalen hoe de buurt naar de verdommenis ging.

'We halen het behang wel weg,' beloofde David. 'En we gaan verhuizen.' Dus stoomden we het behang van de muren, en ik werd zwanger. Maar hij wist het. Hij begreep dat het niet aan het behang of aan de buren lag. Het lag aan ons, of eigenlijk aan mij, omdat ik het niet volhield om getrouwd te zijn, gevangen in een buitenwijk die niet zo veel verschilde van een klein stadje in Iowa. David keek zo gekwetst, zo gewond, als hij naar P.J. keek. Mensen keken zo ook naar mij als ze een tijdje met me waren omgegaan. Eerst mijn vader en moeder. Vooral mijn vader. Ik schepte er een heimelijk genoegen in om zijn gezicht te zien als ik tegen hem zei dat ik het leven op een boerderij de hel op aarde vond en dat elke minuut in Broken Branch verspilde tijd was die je nooit meer terug kon krijgen. Mijn oudere broers noemden me egoïstisch en ondankbaar. Mijn vader hielp me zelfs mijn koffer naar de oude Plymouth Arrow te dragen die ik bij elkaar had gespaard door sinds mijn dertiende elke zomer maïs te pellen.

'Je bent zeventien, Holly,' zei mijn vader, 'en je denkt dat je alles weet, maar wat je je moeder aandoet is echt onvergeeflijk.'

'Ik hou het hier geen dag meer uit,' antwoordde ik, maar zonder hem aan te kijken. In plaats daarvan staarde ik over zijn schouder naar die eindeloze hectaren van enkelhoge, ingezaaide maïs. 'Ik kan het niet uitleggen.'

Mijn vader zweeg een tijdje, met zijn groene John Deere-pet diep over zijn ogen getrokken, die daardoor in de schaduw lagen. Maar ik wist dat hij afkeurend naar me keek. Hij leunde tegen de achterklep van de Plymouth en sloeg zijn gebruinde armen over elkaar. 'Schaam je je om de dochter van een boer te zijn? Vind je jezelf te goed voor dit leven? Is dat het?'

Ik schudde mijn hoofd, diep gekwetst. 'Nee! Dat heeft er niets mee te maken.'

'Nou, het lijkt er anders sterk op. Ik begrijp best dat je wilt reizen en iets van de wereld wilt zien, maar er is geen enkele reden om op zo'n manier te vertrekken, alsof je je hele leven hebt gewacht om eindelijk verlost te zijn van je moeder en mij.'

Toch was dat zo, maar dat zei ik hem niet. 'Ik zit gewoon niet goed in mijn vel zolang ik hier blijf,' probeerde ik uit te leggen. Tevergeefs, dat wist ik ook wel.

'En dat zal veranderen als je hier vertrekt? Denk je dat je dan beter in je vel zult zitten?'

'Ja, eigenlijk wel,' zei ik, geschokt dat hij mijn zwakke punt gevonden had. Ik was doodsbang dat ik me ergens anders precies zo zou voelen als hier en nu. Dat ik daar ook weer weg zou willen.

'Je komt wel terug,' zei mijn vader met een overtuiging die me woedend maakte. 'Jij komt terug, en dan ben je je moeder een excuus schuldig.'

'Ik kom hier niet terug,' snauwde ik. 'Nooit meer.'

Mijn vader schudde zijn hoofd en lachte een beetje – nee, hij grinnikte. 'O, jawel.' Hij stak zijn armen uit om me te omhelzen, maar ik liep langs hem heen. 'Nou ja, je hebt zowat alle jongens en mannen in de wijde omgeving gehad, dus is er geen reden meer om te blijven.'

Ik stapte in mijn auto zonder hem zelfs gedag te zeggen. Toen ik bij de boerderij wegreed keek ik in mijn spiegeltje en zag hem staan, met zijn rug al naar me toe, in een stofwolk van zand en grind, opgeworpen door mijn banden. Hij liep terug naar zijn koeien, die hem nooit leken teleur te stellen en hem in elk geval nooit tegenspraken.

Ik hield woord. Ik ben nooit teruggegaan naar Broken Branch, niet één keer in de achttien jaar sinds mijn vertrek. Maar ik vraag me wel af of ik de op een na grootste stommiteit van mijn leven heb begaan door mijn kinderen daarheen te sturen.

Mevrouw Oliver

Mevrouw Oliver durfde nauwelijks haar blik af te wenden van de onbekende die voor haar stond, maar het geroep van haar leerlingen leidde haar aandacht af van de man, die haar vaag bekend voorkwam. Zestien van de zeventien kinderen staarden haar hulpeloos aan, sommige met tranen in hun ogen, wachtend op haar instructies. De maandelijkse tornado- en brandoefeningen waren hier niet voor bedoeld. Zelfs het alarm had hen niet kunnen voorbereiden op deze verrassend kalme, maar enigszins maniakale man die een revolver aan zijn vinger liet bungelen. Maar één kind, P.J. Thwaite, de zoon van een van haar oud-leerlingen, Holly Thwaite, nam de man met grote interesse op en bestudeerde zijn gezicht, niet alsof hij hem kende, maar alsof hij hem weleens eerder had gezien. De man staarde terug naar P.J., neutraal en effen, zonder enige uitdrukking op zijn gezicht, wat mevrouw Oliver nog angstiger maakte.

Als lerares kon mevrouw Oliver onmogelijk het aantal keren tellen dat ze rustig en beheerst had moeten blijven. Ze herinnerde zich die keer, het eerste jaar dat ze voor de klas stond, toen de zevenjarige Bert Gorse als weddenschap naar de top van de hoge stalen glijbaan was geklommen en probeerde naar de tak van een naburige esdoorn te springen. Mevrouw Oliver had ontzet toegekeken vanaf de overkant van het schoolplein. Bert kneep zijn ogen dicht, nam een sprong en deed een greep naar de tak, klauwend met zijn vingers naar de ruwe bast. 'Godallemachtig!' riep mevrouw Oliver, voordat ze zich kon inhouden. 'Doe je ogen open!' Bert miste de tak en viel vier meter naar beneden op de harde, aangestampte aarde van het speelplein. Rustig gaf mevrouw Oliver het meisje dat naast haar stond opdracht om zo snel mogelijk hulp te gaan halen.

'U vloekte!' hijgde het meisje ongelovig.

Mevrouw Oliver bukte zich, met haar gezicht zo dicht bij dat van het kind dat ze de boterham met pindakaas kon ruiken die het meisje als lunch naar binnen had gewerkt. Op de zachte, effen toon waarvan kinderen in de daaropvolgende veertig jaar wisten dat ze die serieus moesten nemen, voegde ze haar toe: 'Rennen.' Balancerend op haar nieuwe hoge hakken liep mevrouw Oliver zo snel mogelijk naar Bert toe, die roerloos op zijn buik lag. Het groepje jongens om hem heen maakte ruimte toen ze dichterbij kwam.

'Ga terug naar de school,' beval ze, en de jongens gehoorzaamden onmiddellijk. Mevrouw Oliver knielde met haar gloednieuwe polyester broekpak in het zand. Bert had zijn ogen open, maar ze stonden glazig van pijn of shock. 'Hij is niet dood!' zei mevrouw Oliver blij, en achter haar steeg er een zachte zucht van opluchting op onder de kinderen. 'Gaat het een beetje, Bert?' vroeg ze, maar Berts mond ging geluidloos open en dicht, als de bek van een vis op het droge. 'Geen lucht meer?' zei ze op de zachte, kalmerende toon die de kinderen zo geruststellend vonden. Mevrouw Oliver strekte zich uit en kwam zelf op haar buik naast Bert liggen, zodat ze zijn bleke, verwrongen gezicht beter kon zien. Hij staarde naar haar ronde, rustige hoofd. 'Het komt wel goed, Bert. Blijf maar stil liggen totdat er hulp komt,' zei ze troostend.

Bert kwam er weer bovenop, hoewel hij twee gebroken armen en een klaplong had opgelopen. Zodra hij zijn handen weer kon gebruiken, schreef hij zijn lerares een lieve brief in een houterig, schuin handschrift, om haar te bedanken dat ze bij hem had liggen wachten totdat de ziekenwagen was gekomen. Mevrouw Oliver had die brief nog steeds. Hij hing nu ingelijst in de kamer die haar volwassen dochter Georgiana het Altaar noemde. Bert Gorse was inmiddels een bankier van vijftig, die in Des Moines woonde met zijn vrouw en drie kinderen. In de loop van de jaren was mevrouw Oliver er vast van overtuigd gebleven dat een docent in alle omstandigheden kalm en beheerst moest zijn. Heel anders dan Gretchen Small, de jonge lerares van de vijfde, die al begon te hyperventileren als het brandalarm een keer per ongeluk afging.

Mevrouw Oliver rechtte haar rug en schraapte haar keel. 'Wat wilt u?' vroeg ze met krachtige, heldere stem, en ze stapte tussen P.J. en de man met het wapen in.

Meg

Zal ik de meldkamer bellen? Ik zit nog te aarzelen of ik geloof moet hechten aan Stuarts bewering dat er een schutter de school is binnen gedrongen als mijn radio tot leven komt.

Het is Randall Diehl, onze centralist. 'Kom onmiddellijk naar de school. Er is een gijzeling aan de gang.'

Maria's school. Verdomme, dus Stuart had gelijk.

'Wat is er gebeurd?' vraag ik. Sinds ik hier woon heb ik pas twee lockdown-situaties meegemaakt op de school, die onderdak biedt aan leerlingen vanaf de kleuterklas tot aan klas twaalf. Het is een van de laatste in zijn soort. Aan het einde van dit schooljaar zal de enige school van Broken Branch zijn deuren sluiten; te duur en te ouderwets. De onderwijsinspectie en het bestuur hebben besloten tot een fusie met drie andere, naburige stadjes. Volgend jaar gaat Maria naar de plaatselijke vestiging van de Dalsing-Conway-Bohr-Broken Branch Consolidated Schools.

De eerste lockdown die ik hier meemaakte was twee jaar geleden, toen er twee gevangenen uit de Anamosa State Penitentiary waren ontsnapt, die zich vermoedelijk in onze buurt ophielden. Dat bleek niet zo te zijn. De tweede keer was het een valse bommelding van twee onnozele scholieren. Ze hadden niet voor hun toets geleerd en zagen dit als een handige manier om van hun tentamen af te komen. Nou, dat lukte. Ze werden meteen van school gestuurd.

'We hebben een mogelijke overvaller in de school. Rij er maar heen,' antwoordt Randall ongeduldig, helemaal tegen zijn gewoonte in. 'De chief wacht al op je. Hij heeft meer informatie. De communicatie is een ramp. De alarmlijnen zijn overbelast omdat iedereen probeert te bellen – leerlingen, docenten en angstige ouders.'

'Oké,' zeg ik, terwijl ik de ruitenwissers aanzet tegen de sneeuw. Interessant dat chief McKinney al ter plaatse is. Ik kijk op de klok. Een paar minuten over twaalf. Het zal wel een misverstand zijn, een flauwe grap van een paar kinderen aan het begin van de voorjaarsvakantie. Jammer voor Maria, nu mist ze alle opwinding.

Ik draai de wagen en rij door Hickory Street in de richting van de school, dankbaar dat ik iets heb om me bezig te houden behalve het vooruitzicht van vier hele dagen zonder Maria – een leeg gevoel, alsof al mijn organen uit mijn lichaam zijn gesneden. Tim zei altijd dat hij zich mij niet kon voorstellen als kind. Op de paar foto's die ik nog bezit van mezelf als klein meisje kijk ik ernstig en strak in de camera, met warrig haar en gekleed in een oude spijkerbroek van mijn broer Travis.

'Heb je ooit weleens lol gemaakt?' plaagde Tim toen hij die foto's voor het eerst zag.

'O, genoeg,' protesteerde ik, maar dat was eigenlijk gelogen. Mijn jeugd bestond uit de zorg om mijn ouders – die om een of andere reden het leven niet aankonden – en het ontwijken van mijn onberekenbare broer. Toen Tim en ik Maria kregen was ik vastbesloten haar een zorgeloze, blije jeugd te geven, heel anders dan de mijne. Dat lukte ons heel aardig, geloof ik, in elk geval tot aan de scheiding, en zelfs daarna deden Tim en ik ons uiterste best om Maria te sparen. We maakten nooit ruzie waar zij bij was en we spraken geen kwaad van elkaar, maar toch wist ze het. Natuurlijk. Ook al maakten we geen drama van het einde van ons huwelijk, toch moet ze mijn rode, gezwollen ogen hebben gezien, en Tims strakke, geforceerde lachje.

Binnen een paar minuten stop ik voor de school en zie chief McKinney met Aaron Gritz – vreemd, omdat hij vandaag geen dienst heeft – die proberen een kleine, boze groep bij de ingang van de school vandaan te houden. McKinneys diepe bariton schalt over het plein: 'Terug naar jullie auto's, anders vriezen jullie hier dood. We moeten eerst uitzoeken wat er precies aan de hand is, en dat gaat niet lukken als we ons steeds met jullie –'

Een vrouw stapt naar voren, zwaaiend met haar mobiel. Met bevende stem valt ze de chief in de rede: 'Mijn zoon belde me vanuit de school en zei dat er een man was met een revolver. Kunt u de kinderen daar niet vandaan halen?'

'Op basis van onze informatie,' zegt chief McKinney geduldig, 'lijkt het de beste strategie om het gebied af te grendelen en voorlopig geen agenten naar binnen te sturen.'

'Maar mijn zoon uit de zevende belde om te zeggen dat er twéé mannen waren,' meldt een andere vrouw.

Een man in een net overhemd met stropdas, zonder jasje aan, stormt naar voren. 'Ik hoorde dat er een bommelding was. Wordt de school geëvacueerd?'

'Dat is dus het probleem,' zegt chief McKinney zachtjes tegen mij, wijzend naar de school en de menigte. Sneeuwvlokken verzamelen zich op zijn grijze borstelsnor. 'We komen er nooit achter wat daarbinnen gebeurt als we alle geruchten hier moeten geloven.' Hij draait de mensen zijn rug toe en fluistert: 'Meg, de meldkamer heeft een telefoontje gekregen van een man die zegt dat hij in de school is met een wapen. Er mag niemand naar binnen, anders begint hij te schieten. Ik wil hekken en linten rond het hele terrein van de school.' Hij draait zich om naar Gritz. 'Aaron, zorg dat die toeschouwers op honderd meter afstand blijven.'

'Oké, mensen,' zegt de chief ferm maar niet onvriendelijk. 'Volg alsjeblieft de aanwijzingen van agent Gritz. Wij moeten aan het werk hier. Als er nieuws is, zullen we het onmiddellijk melden, dat beloof ik jullie.'

Ik weet waar ieder van die ouders nu aan denkt: de schietpartij op Columbine High School. Dat ging ook even door mijn gedachten. Het bloedbad van Columbine heeft de reactie van de politie op dit soort situaties totaal veranderd. Als we enig bewijs hadden dat de overvaller in de school was gaan schieten, zou de chief onmiddellijk een commandoteam naar binnen hebben gestuurd om in te grijpen. Gelukkig is dat niet gebeurd. Nog niet. Omdat de verdachte de meldkamer heeft gebeld en gedreigd het vuur te openen op de leerlingen en iedereen die het gebouw probeert binnen te komen benaderen we dit als een gijzeling. Dat betekent dat we zullen proberen contact te krijgen met de indringer om te horen wat hij wil en om met onderhandelingen de situatie op te lossen. Zodra er wordt geschoten, bestormen we de school. Maar voorlopig hebben we meer informatie nodig.

'Zal er geen paniek uitbreken als we de ouders terugdringen tot achter de hekken?' vraag ik aan Aaron, zo zacht dat de mensen het niet kunnen horen.

'Volgens mij zijn ze al in paniek,' antwoordt Aaron. Hij draagt zijn leren vliegeniershelm met konijnenbont en oorkleppen, en zijn neus is rood van de kou.

Kort nadat mijn scheiding was uitgesproken kreeg ik deze baan bij de politie van Broken Branch. Aaron was een van degenen die de sollicitatiegesprekken leidden. Hij is rond de veertig, gescheiden, heeft twee kinderen en is erg knap. Tijdens die gesprekken vroeg Aaron me wat ik in zo'n kleine gemeenschap als Broken Branch te zoeken had, terwijl ik zelf uit Waterloo kom, een grotere stad waar veel meer te doen is.

'Juist omdat Broken Branch zo klein en landelijk is wil ik hier komen wonen. Het is een ideale omgeving om een dochter groot te brengen.' Wat ik er niet bij vertelde was dat ik meer afstand wilde tot Tim en onze scheiding. Zo groot is Waterloo nu ook weer niet. Steeds als ik een hoek om kwam liep ik iemand tegen het lijf die mijn ex kende, of mijn ouders, of problemen had gehad met mijn broer. Bovendien was het dienstrooster bij de politie in Waterloo een regelrechte ramp voor een alleenstaande moeder. Broken Branch ligt maar een uurtje rijden van Waterloo, dichtbij genoeg voor Tim om Maria te kunnen zien.

Jaren geleden was ik al verliefd geworden op Broken Branch, toen Tim en ik er een keer doorheen reden op weg naar Des Moines. We hielden halt om honing te kopen bij een oude man die de potjes met de ambergele lekkernij vanuit een pick-uptruck verkocht.

'Hoe komt Broken Branch eigenlijk aan zijn naam?' vroeg ik de man.

'Dat is een mooi verhaal,' zei hij, terwijl hij een grote glazen pot met klaverhoning, dunne honingstokjes en zelfgemaakte bijenwaskaarsen voorzichtig in een plastic tas deed, die hij aan Tim gaf.

'Het verhaal luidt dat de arme mensen die zich hier voor het eerst vestigden een grote omgevallen boom ontdekten van meer dan vijftien meter lang, met een reusachtige bijenkorf tussen de takken. Duizenden en duizenden bijen zoemden in en om de boom. Omdat de mensen de honing wilden, riepen ze de hulp in van een oude vrouw van wie bekend was dat ze iets van bijen wist. Volgens het verhaal liep ze naar die uitgeholde boom en begon een vreemd lied te zingen, waarop alle bijen zwegen en haar volgden. Ze had bijen in haar haar en op haar armen, maar ze bleef zingen en ze liep door. Geen enkele bij stak haar. Ze nam het hele bijenvolk mee naar een andere omgehakte boom bij de kreek, waar de bijen een nieuw nest maakten. De arme kolonisten, die honger hadden, verzamelden de honing uit de afgebroken tak en konden daar een hele winter van leven. Ze waren de oude vrouw zo dankbaar dat ze het stadje naar haar wilden noemen, maar zij vond dat ze de bijen moesten bedanken, en de boom met de korf. Dat deden ze, en de stad werd Broken Branch genoemd.'

Ik vond het een betoverend verhaal, en toen ik met Tim door de vredige straten met bescheiden huizen en hoge bomen wandelde, wist ik dat ik ooit zou terugkeren naar Broken Branch – al kon ik toen niet vermoeden dat ik er ooit zou wonen.

Gelukkig maakte ik voldoende indruk op chief McKinney, Aaron en de rest van het team om de baan te krijgen.

Een paar maanden later zat ik alleen met Aaron in een plaatselijke bar na het softbaltoernooi van de stad, waarbij ik eerste honkvrouw was. Ik had te lang in de zon gestaan, te weinig gegeten en twee lauwe biertjes gedronken. Het was een van de gênantste momenten van mijn leven, maar ik deed een halfslachtige poging om Aaron te versieren. Hij duwde me zachtjes van zich af en zei dat hij niet geïnteresseerd was.

'Ik ben zeker te saai, te serieus?' vroeg ik.

Hij keek me een hele tijd aan. 'Nee, Meg, je bent helemaal niet saai. Ik vind je geweldig. Maar het is gewoon geen goed idee,' zei hij, en met die woorden liet hij me daar staan. Inmiddels zijn er al een paar jaar verstreken sinds dat pijnlijke incident en Aaron is er nooit meer op teruggekomen, maar ik krijg nog altijd het schaamrood op de kaken als ik terugdenk aan die avond.

Als ik naar mijn auto terugloop om een rol politielint te pakken, voel ik mijn telefoon weer trillen. Stuart. Hij weet nooit van ophouden. Nu is het een sms'je. Ik besluit het te negeren en begin het lint uit te rollen.

Ik heb Stuart afgelopen januari ontmoet, toen Maria en ik aan het langlaufen waren in Ox-eye Bluff. Maria, die nog geen ervaring had, viel één keer te vaak. De laatste druppel was dat haar ski's verstrikt raakten in de takken van een doornstruik langs de route. Tegen de tijd dat ik haar had bevrijd, had Maria er schoon genoeg van en weigerde ze nog haar ski's onder te binden of zelfs maar lopend het dal te verlaten. We zaten daar twintig minuten, terwijl Maria's tranen op haar wangen bevroren, totdat er een skiër het pad af kwam. Met een zwierige beweging hield hij voor ons halt. 'Alles in orde?' vroeg hij.

'Ja, hoor,' antwoordde ik. 'Materiaalpech, dat is alles. We zitten even uit te rusten.'

'Je moeder kan je niet bijhouden, zeker?' zei de man tegen Maria, waarmee hij haar het eerste lachje van die middag ontlokte. 'Dat krijg je als je ouder wordt.' Hij wierp haar een samenzweerderige glimlach toe. 'Die oudjes kunnen het moordende tempo niet meer volgen van fitte, jonge sporters zoals wij.'

'Hoe oud denk je eigenlijk dat ik ben?' vroeg ik hem met half toegeknepen ogen.

'Het is niet beleefd om daar antwoord op te geven.' Hij snoof even en grijnsde toen ondeugend. 'Help me even om haar overeind te trekken,' zei hij tegen Maria. 'Als we haar hier nog langer laten zitten, komen de wolven op haar af.'

Ik wilde hem net zeggen dat ik vijftien jaar jonger was dan hij en een wild dier vanaf tweehonderd meter afstand kon neerleggen met mijn ogen dicht, maar tot mijn verbazing krabbelde Maria haastig op de been en stak een hand uit om mij overeind te helpen. 'Kom mee, mam,' zei ze. 'Ik hoor ze al huilen.'

'Er zijn helemaal geen wolven in Ox-eye Bluff,' zei ik, terwijl ik mijn handen uitstak om me door de man en Maria omhoog te laten trekken. 'In heel Iowa niet, volgens mij. Coyotes wel. Maar wolven? Nee.' De man was lang, minstens een meter tachtig, en in goede conditie, met een mager gezicht en kortgeknipt bruin haar dat hier en daar wat grijs werd.

Hij zag dat ik keek en was zo fatsoenlijk om te blozen. 'Misschien praatte ik dan voor mijn beurt.'

'Ja, vast,' zei ik, en ik trok mijn wenkbrauwen op. Samen skieden we naar het einde van de route en liepen toen het dal uit naar de plek waar ik mijn auto had geparkeerd. We zeiden niet veel, maar hij vertelde wel dat hij Stuart Moore heette en journalist was bij de *Des Moines Observer*, de grootste krant van de staat. Ook vermeldde hij terloops dat hij drie volwassen kinderen had, maar dat zijn vrouw en hij uit elkaar waren. Zij hield de scheiding nog tegen.

'Je lijkt me niet oud genoeg om drie grote kinderen te hebben,' zei ik zogenaamd ongelovig.

'We zijn héél jong getrouwd,' antwoordde hij, terwijl ik mijn ski's op het dak van mijn auto vastmaakte.

'Hoe jong? Een jaar of twaalf?' speelde ik het spelletje mee.

'Zoiets.' Hij lachte.

'Wat brengt jou hier?' vroeg ik. 'Des Moines is anderhalf uur rijden.'

'Ik woon een eindje ten noorden van Des Moines, dus het is niet zo ver. Ik heb al overal geskied in Iowa, Minnesota en Wisconsin. Ox-eye heeft goede paden, die maar heel weinig mensen kennen. Meestal heb ik de hele route voor mij alleen,' legde hij uit.

'Tot nu toe,' merkte Maria op.

'Tot nu toe,' beaamde Stuart.

Stuart en ik deden het rustig aan. In het begin, tenminste. Ik moest nog bijkomen van mijn scheiding en Aarons gênante afwijzing, en natuurlijk moest ik om Maria denken. Die winter kwamen we elkaar regelmatig in Ox-eye tegen voor langlaufen of *snowshoeing*. En in het voorjaar en de zomer troffen we elkaar op stilzwijgende afspraak in dezelfde omgeving voor lange trektochten, soms met Maria, soms zonder.

De eerste keer dat ik met hem sliep was ongeveer twee maanden geleden. Maria was het weekend bij Tim, en er lag niet meer genoeg sneeuw om te gaan skiën, dus nodigde ik hem voor het eerst bij mij thuis uit. Stuarts gezelschap, de manier waarop hij me aanraakte en een lok van mijn haar achter mijn oor wegstreek, gaf me het gevoel dat ik veilig bij hem was en dat hij me nodig had. Hij vertrouwde me toe dat zijn bijna-ex een affaire had gehad met een van zijn collega's. Dat was een geweldige klap voor hem geweest, en voor het hele gezin, maar de echtscheiding kon nu elk moment worden uitgesproken. Ik vertelde hem over mijn werk bij de politie van een kleine stad, en over Tim, en hoe ons huwelijk langzaam was uitgeblust. We dronken te veel wijn, en drie uur lang dacht ik niet meer aan dronken weggebruikers, meth-labs of burenruzies over erfscheidingen. Ik dacht niet meer aan Tim en zelfs niet aan Maria. Ik nam Stuart mee naar mijn slaapkamer en sloot de rest van de wereld buiten. Even, heel misschien, dacht ik dat Stuart en ik met elkaar verder zouden gaan. Daar vergiste ik me dus in. Een paar dagen later had ik twee belangrijke dingen over Stuart ontdekt: dat hij nog stevig getrouwd was, en dat hij alles deed voor een goed verhaal. Ik geloof niet dat hij me met voorbedachten rade voor zijn grote primeur gebruikte, maar de kans deed zich voor en Stuart greep die.

Ik ben klaar met het spannen van het lint. De felgele kleur lijkt bijna vrolijk tegen de witte achtergrond van de sneeuw, als er niet die zwarte letters op hadden gestaan: POLITIE. NIET BETREDEN.

Will

Die ochtend had Will zijn warmste overall aangetrokken, onder luid protest van zijn zeventigjarige gewrichten. Zijn bruine leren werkschoenen reeg hij strak dicht, hij zette de geel-zwarte wintermuts op die Marlys jaren geleden voor hem had gebreid en wrong zijn dikke, ruwe handen in zijn isolerende varkensleren handschoenen. Toen stapte hij naar buiten, langs de stalen tonnen met maïs en sojabonen, en voorbij de betonnen silo. Het was een stille, rustige ochtend. De opkomende zon hing als een koude, doffe bol tegen de grijze lucht en verspreidde een zwak schijnsel. Will liep naar de voederopslag en de koeienstal, met bonzend hart en een beetje buiten adem door de inspanning. Als Marlys weer thuis was, zou ze hem aansporen naar de dokter te gaan, en hij zou dat weigeren. De angus-koeien kwamen naar hem toe en keken hem vol verwachting aan met hun grote, zachte ogen. Toen Will zich bukte om de voedertroggen te controleren, zag hij dat ze schoon leeg waren. De meiden hadden honger. Hij vond dezelfde lege troggen bij de stieren en keek eens op zijn horloge. Ja, hij was weer laat. Moeizaam sjokte hij naar de schuur, waar hij systematisch het veevoer mengde, een mix van hooi, maïs, stengels en gluten. Gelukkig had hij Daniel, de boerenknecht, die de boxen al had schoongemaakt en vers stro over de bevroren grond gespreid.

Het was niets voor hem om zijn taken zo te verwaarlozen, maar zonder Marlys was hij zijn routine, zijn richting kwijt.

Inmiddels liep het tegen één uur en Will deed zijn ronde om de koeien te inspecteren die op kalveren stonden. Dat kon hij niet uitstellen, anders zat hij straks met een paar dode koeien en kalfjes.

De dagelijkse telefoontjes, altijd om halfacht 's avonds Iowa-tijd en halfzes in Arizona, waren het ergst. Eerst greep P.J. de telefoon om te vertellen hoe hij genoot van de boerderij, de sneeuw, het sleetje rijden en zijn nieuwe school, totdat Will voorzichtig het toestel uit zijn vingers wrikte en het doorgaf aan Augie, die zenuwachtig op haar nagels stond te bijten.

'Hoi, mam,' zei ze, haar stem verstikt door tranen en nog iets anders; spijt, of schuldgevoel misschien. Dan volgde een hele serie van ja, nee en oké. Geen details over haar nieuwe leven in Broken Branch, maar korte, afgemeten antwoorden. Ten slotte gaf ze de telefoon weer terug aan Will en rende naar buiten, veel te dun gekleed in een capuchontrui en op gympen. Will wist niet waar ze naartoe ging. Waarschijnlijk naar de oude hooizolder van de zuidelijke schuur. Daar had haar moeder zich ook altijd verborgen als ze van streek was.

Tot slot was het Wills beurt om te proberen een gesprek te voeren. 'Hoe gaat het?' vroeg hij. 'Voel je je al wat beter?'

'Ja hoor, goed,' antwoordde Holly dan moeizaam, alsof ze een dikke tong had of zwaar onder de medicijnen zat – vermoedelijk allebei.

'P.J. is echt enthousiast over het boerenleven. Wie had dat kunnen denken? Hij helpt me geweldig en hij wil van alles weten.'

'O, dat is fijn.'

'Augie is een echte stadsmeid. Ze doet me erg aan jou denken.' Will grinnikte. Er kwam geen reactie. 'Ze missen je, maar ik zorg goed voor ze. Breek daar je hoofd maar niet over, oké?'

'Goed.'

'Word maar snel beter, Hol. Ik hou van je.'

'Dag.'

Hij was geen extraverte man, niet iemand die snel zoende of omhelsde. Maar zolang zijn kinderen onder zijn dak waren, ging er geen dag voorbij zonder dat hij hun zei dat hij van hen hield. In Vietnam, waar hij als luitenant had gediend, had hij heel wat kameraden verloren, jongens die alles zouden hebben gegeven voor de kans om hun vrouw, hun kinderen, hun familie nog ooit te kunnen zeggen dat ze van hen hielden. Elke avond ging Will naar de slaapkamers van zijn kinderen en vertelde hun een voor een dat hij van hen hield. Toen ze nog klein waren wierpen ze zich in zijn armen, zelfs Holly, drukten hun frisgewassen gezichtjes tegen zijn hals en snoven de rijke, aardse geuren van de boerderij op, die uit zijn poriën wasemden. Toen de jongens ouder werden reageerden ze met een nonchalant 'Ik ook van jou, pa,' en daar was Will tevreden mee. Als dat maar eenmaal was gezegd, kon hij die nacht weer slapen. Maar Holly, zijn jongste, was een ander verhaal. Toen zij een jaar of twaalf was veranderde er iets. Ze zag hem niet langer met de blik van een klein meisje dat haar vader adoreerde, maar ze keek hem tersluiks aan, met kritisch toegeknepen ogen. 'Ik hou van je, Hol,' zei hij vanuit de deuropening van haar slaapkamer, zonder haar heiligdom van flesjes nagellak en stapels kleren te betreden.

'Welterusten,' zei ze dan zonder hem aan te kijken, terwijl ze geïrriteerd de bladzijden van een modeblad omsloeg.

'Ik hou van je, Holly,' herhaalde hij wat luider.

'Mmm,' antwoordde ze verstrooid, en Will voelde een vonk van woede achter zijn borstbeen.

Ten slotte deed hij niet eens meer haar deur open om haar goedenacht te wensen. Hij klopte twee keer aan. 'Welterusten, Holly. Ik hou van je,' riep hij door de dichte deur en liep dan ferm weer door. Hij kon de minachting op haar gezicht niet verdragen, haar weigering om die paar lieve woordjes terug te zeggen. En nu, achttien jaar later, door de telefoon, zei hij nog steeds 'ik hou van je' tegen een dochter die nog altijd geen reden scheen te zien om zijn liefde te beantwoorden.

Toen hij de koeien had gevoederd liep hij naar de grote stal waar Daniel en hij eerder die week vier drachtige koeien hadden ondergebracht. Half mei moesten er meer dan honderd kalfjes geboren zijn. Ondanks de beschutting van de muren was het koud in de stal en Will maakte zich zorgen dat sommige kalfjes niet bestand zouden zijn tegen dit grimmige weer.

Will klopte een van de koeien op haar gladde flank. Hij zou haar de hele dag in de gaten moeten houden. Vanavond verwachtte hij het kalf. Hij keek op toen hij iemand hoorde roepen. Door de brede deuropening zag hij Daniel zwaaien en naar hem toe rennen. Daniel Tucker was een flegmatieke, gestructureerde man van een jaar of dertig, ongetrouwd en volledig toegewijd aan de dieren en het land. Hij was een grote hulp voor Will, heel betrouwbaar en een harde werker, die rustig en zachtaardig met de koeien omging. Niet alleen hielp hij Will op de boerderij, maar hij pachtte ook een deel van Wills land om gewassen te verbouwen. Ooit hoopte hij zelf een stukje van Iowa te kunnen kopen. Toen hij dichterbij kwam zag Will een bezorgde frons op zijn altijd zo kalme gezicht. Er moest iets zijn gebeurd.

'De school,' zei Daniel buiten adem, met rode wangen en een loopneus van de bijtende kou. 'Er is iets aan de hand op de school,' herhaalde hij, terwijl hij met een arm over zijn neus veegde.

'Wat dan?' Will voelde zijn hart overslaan en schuldbewust besefte hij dat hij eerst aan P.J. dacht en pas een seconde later ook aan Augie.

'Iets met een man en een revolver,' zei Daniel en hij trok zijn gebreide muts van zijn hoofd. 'Mijn zus belde me net. Mijn neefje en nichtje zitten ook op die school. Ze was in paniek. Er schijnt al een hele groep ouders bij de school te staan om te zien wat er aan de hand is.'

'Mijn schoondochter geeft les aan de vierde,' zei Will, die ook zijn muts afzette. 'Ik moet mijn zoon bellen. Wil jij naar je zus toe?' vroeg Will en hij beet op zijn lip.

'Ik dacht dat jij bij P.J. en Augie zou willen zijn,' antwoordde Daniel, terwijl hij een zakdoek uit zijn zak haalde en vochtig zijn neus snoot. 'En bij Todds vrouw, natuurlijk.'

'Dat zou ik op prijs stellen, Dan,' antwoordde Will dankbaar. 'Nummer 87 en 134 moeten vandaag kalveren, denk ik. Blijf jij in de buurt?' vroeg Will, wijzend naar een breedgeschouderde black baldie, waarvan de gezwollen flank en uiers op het punt leken te exploderen.

'Reken maar,' zei Daniel, en hij sloeg zijn baas op de schouder. 'Zodra je iets weet, bel dan even.'

Zwijgend en snel liep het tweetal naar het huis terug. De enige geluiden waren de wind die tussen de schuren floot en het zachte loeien van het vee, inmiddels voldaan en bij elkaar gekropen om warm te blijven.

'Wie doet nou zoiets?' vroeg Daniel ten slotte, terwijl hij zijn gebreide muts weer over zijn oren trok.

Will schudde verbijsterd zijn hoofd. Hij kende bijna iedereen in Broken Branch, en hoewel daar een paar agressieve gekken tussen zaten, kon hij niemand bedenken die met een revolver de school zou binnen dringen. 'Ik weet het niet, Daniel. Ik zal zien wat ik te weten kan komen,' verzekerde hij hem voordat hij naar binnen stapte. Hij nam niet de moeite om zijn overall of zijn bemodderde laarzen uit te trekken, maar pakte wel de mobiel die hij zelden gebruikte. Toen, zich niet bewust van de mest en modder die hij op Marlys' kleed achterliet, liep hij naar zijn kantoortje. Hij draaide aan het slot van zijn Browning-wapenkluis, opende het deurtje en haalde zijn Mossberg 500 pump action-geweer tevoorschijn. Een doos munitie verdween in zijn zak. Voor alle zekerheid.

Augie

Meneer Ellery loopt de klas uit, op de voet gevolgd door Noah en Justin. Maar de jongens komen niet verder dan de deur. 'Ga zitten. Nu!' beveelt meneer Ellery op zo'n ernstige toon dat zelfs Noah zich geen twee keer bedenkt.

'Wat gebeurt er nou?' vraagt Beth Cragg nerveus. Ze zit op haar nagels te bijten. Beth is een soort vriendin van me, hier in Broken Branch. Onze grootmoeders zijn bevriend en hebben tevergeefs geprobeerd onze moeders tot beste vriendinnen te maken toen zij onze leeftijd hadden. Dit zien ze als een tweede kans, neem ik aan, want tien minuten nadat P.J. en ik op de boerderij waren aangekomen verschenen Beth en haar oma al met een schaal citroencake. Maar ik keek zelf alsof ik in een citroen gebeten had toen ik Beth voor het eerst ontmoette. We leken zó verschillend. Beth is een echte boerendochter. Ze draagt niets anders dan Levi's en John Deere-sweatshirts of t-shirts van McGee Feed Store. Beth is zo'n meisje dat van nature heel mooi is, maar het zelf niet weet. Ze heeft sproetjes en draagt haar glanzende bruine haar in een paardenstaart of een vlecht die als een dik touw over haar schouder ligt. Als ik mijn haar probeer te vlechten, lijkt het meer op een anorectische rattenstaart. De jongens in de achtste zijn dol op haar omdat ze het nog steeds leuk vindt om achter padden aan te zitten of stenen over de beek te laten scheren, en omdat ze lid is van de jonge boeren en elke zomer op de jaarmarkt de kalfjes tentoonstelt die ze heeft grootgebracht. Ze kan meepraten over de oogst en over wapens, en ze gaat met haar vader op fazanten- en hertenjacht. Behalve dit jaar, want haar ouders zijn gescheiden. Toch zijn we de afgelopen twee maanden vriendinnen geworden. Beth is aardig en kan goed luisteren. Bovendien was ze de enige, mijn opa en P.J. meegerekend, die me niet uitlachte toen ik mijn haar rood had geverfd. Dat is een echte vriendin. En we hebben toch iets gemeen: onze ouders. De mijne zijn al gescheiden, die van Beth bijna. Ze luistert naar me als ik foeter omdat ik uit Arizona weg moest om bij mijn opa te gaan wonen, en zij klaagt zelf over hoe verdrietig haar moeder is en over hoe haar vader probeert haar een schuldcomplex aan te praten omdat ze de kant van haar moeder kiest.

'Wat gebeurt er?' vraagt Beth nog eens, met trillende stem. Mijn maag krimpt samen van angst als ik aan P.J. denk, en dan aan mijn moeder, in het ziekenhuis van Revelation. Ik zou er alles voor geven om nu met haar te kunnen praten. Maar mijn mobiel zit in mijn boekentas, die in mijn kastje op de gang ligt. Ik vraag me af of ik hem zal mogen halen van meneer Ellery.

'Dit is een serieus alarm,' zegt meneer Ellery ernstig als hij terugkomt. 'Geen oefening.' Hij strijkt met een hand door zijn zwarte haar en trekt aan zijn baardje. Dan doet hij de deur van de klas weer dicht en drukt op de ronde knop, waardoor we ingesloten zitten. Mijn telefoon kan ik dus wel vergeten.

'Hé, wat doet u nou?' vraagt Noah verbaasd.

'Sst, ik denk na.' Meneer Ellery bijt op zijn lip en kijkt uit het kleine raampje van de deur. Dan draait hij zich om naar ons. 'Laten we ons allemaal terugtrekken in die hoek daar.' Hij wijst naar de ruimte achter zijn bureau, zo ver mogelijk bij de deur en de ramen vandaan.

'Is het iemand met een revolver?' vraagt Felicia met grote ogen.

'O god,' hoor ik iemand achter me fluisteren.

'Dat weten we niet,' zegt meneer Ellery snel.

'We kunnen hier niet blijven wachten tot er iemand binnenkomt om ons neer te knallen,' zegt Noah nijdig en ik besef weer eens wat een eikel hij toch is.

'Nee, we blijven hier,' verklaart meneer Ellery beslist. 'Totdat we het sein krijgen dat alles veilig is.'

Noah kijkt alsof hij wil protesteren, maar als de anderen een voor een opstaan en naar de hoek van het lokaal lopen om zich in de kleine ruimte tussen de tafel van de leraar en de muur te wringen, besluit hij ons toch te volgen.

'De jongens moeten aan de buitenkant zitten,' zegt Savannah.

'Stomme trut.' Noah kijkt haar woedend aan. 'Zeker als levend schild voor de rest? Nou, mooi niet. Ik blijf zo dicht mogelijk bij het raam. Als ik de kans krijg, ga ik ervandoor.'

'Noah, rustig aan,' zegt meneer Ellery op een toon alsof hij zelf ook liever uit het raam zou klimmen. 'Niemand dient als schild voor iemand anders. Wie vindt het niet erg om aan de buitenkant te zitten?' Vijf handen gaan de lucht in, ook die van Beth en Drew. Langzaam steek ik de mijne op. 'Goed, mensen, bedankt.' Meneer Ellery knikt naar ons. 'Ga maar zitten, allemaal. En hou je mond.' Hij doet het licht uit en het wordt grijs in het lokaal, net als buiten.

Ik laat me op het harde linoleum zakken, met mijn rug tegen de zijkant van meneer Ellery's bureau. Beth komt naast me zitten, Drew aan mijn andere kant. Meneer Ellery loopt naar het raam, laat de zonwering zakken, pakt dan de telefoon op zijn tafel, luistert even en legt hem weer neer. Hij hijst zich op zijn bureau en zijn lange benen raken net niet de grond. 'De telefoon doet het niet,' zegt hij. Even later haalt hij zijn mobiel uit zijn jas en toetst drie cijfers in. Na een paar pogingen zegt hij eindelijk: 'Dit is Jason Ellery vanuit de school. Er schijnt hier iets aan de hand te zijn.' Hij luistert even. 'Ja, al mijn leerlingen zijn hier nog, en veilig.' Hij luistert weer, pakt dan zijn cijferboekje van zijn tafel en leest al onze namen op, in alfabetische volgorde. Mijn naam is de laatste, waarschijnlijk omdat ik pas halverwege het jaar erbij gekomen ben.

'Augustine Baker,' zegt hij, en ik hoor Noah snuivend lachen. 'De kleindochter van Will Thwaite.' Weer een stilte als hij luistert. 'De telefoons in de lokalen werken niet meer en mijn mobiel is half opgeladen.' Hij neemt de telefoon bij zijn mond weg en fluistert luid: 'Heeft iemand van jullie zijn mobieltje bij zich?' Niemand zegt iets. We horen onze telefoons in onze kastjes achter te laten en niet mee te nemen naar de klas. Er waren kinderen die hun mobiel gebruikten om antwoorden van proefwerken op internet op te zoeken, of te sms-en tijdens de les. Daarom zijn telefoons in de klas verboden. 'Vooruit,' zegt hij, wat luider nu, 'hier hebben we geen tijd voor. Heeft iemand op dit moment zijn mobieltje bij zich?' Drie handen gaan langzaam de lucht in, waaronder die van Noah Plum. Dat verbaast me niets. 'Schakel ze uit en breng ze hier.'

'Echt niet,' snuift Noah. 'Het is míjn telefoon.'

'Noah, ik maak geen geintje,' zegt meneer Ellery scherp. 'We weten niet hoelang we hier nog opgesloten zullen zitten. De telefoons in de lokalen werken niet en we moeten de batterijen sparen van de mobieltjes die we hier hebben.'

'Ik wil mijn moeder bellen,' roept Beth zacht. 'Mag ik mijn moeder bellen?'

'Ik ook,' zegt iemand anders, en opeens klinkt er een heel koor van kinderen die willen bellen. Ik doe er zelf ook aan mee. Ik wil niets liever dan met mijn moeder praten, op dit moment – en niet zo ongeïnteresseerd als ik de afgelopen twee maanden heb gedaan, met korte, onverschillige antwoorden op al haar vragen: *Oké. Het zal wel. Ik weet het niet. Ja.*

'Ik kan jullie niet tegenhouden, maar we zouden hier nog heel lang kunnen zitten. Bij de alarmcentrale weten ze dat jullie niets mankeren. Zij zullen jullie ouders bellen. En als er meer nieuws is, worden wij hier gebeld.' Meneer Ellery haalt zijn schouders op en wacht.

Noah begint onmiddellijk een nummer in te toetsen op zijn mobiel. 'Stomme zak,' fluister ik luid. Het is eruit voordat ik het weet.

'Hou je kop, Augustine,' snauwt hij, maar hij klapt wel zijn telefoon dicht en legt hem naast meneer Ellery neer. De anderen met een mobieltje doen hetzelfde.

'Bedankt, allemaal,' zegt meneer Ellery. 'Jullie kunnen ze terugkrijgen wanneer je maar wilt. Voorlopig wachten we af.' Hij schuift wat naar achteren op zijn tafel, met de lange, dunne houten stok in zijn hand die hij gebruikt om ons de hoofdsteden aan te wijzen van landen waar niemand van ons waarschijnlijk ooit zal komen. Ik vraag me af of hij denkt dat hij ons met die aanwijsstok kan beschermen tegen het gevaar dat ons bedreigt. Toch ben ik blij dat hij er is. Meneer Ellery zal niet toestaan dat ons iets overkomt.

Meg

Als ik terugloop naar het parkeerterrein zie ik Dorothy Jones, eigenares van de handwerkwinkel Knitting and Notions en voorzitter van het schoolbestuur, naar me toe komen.

'Hallo, Dorothy. Ik heb nog geen nieuws. Je zult achter het lint moeten wachten.'

'Toe, Meg,' zegt ze dringend, 'kan ik heel even met je praten? Het is belangrijk.' Ik wijs naar de patrouillewagen. Ze loopt om de auto heen naar de andere kant, opent het portier en stapt in.

Dorothy is een jaar of vijftig en heeft gitzwart haar dat in een strenge bob is geknipt tot aan haar kin. Ze is aantrekkelijk op een eigenzinnige, trendy manier. Normaal draagt ze felrode lipstick, modieus gescheurde jeans en Chuck Taylor-gympen, maar vandaag heeft ze zich niet opgemaakt en loopt ze in een joggingbroek en een dunne voorjaarsjas. Ze woont pas ruim twee jaar in Broken Branch, maar in die korte tijd heeft ze al heel wat voor elkaar gekregen. Als alleenstaande moeder van twee tieners, die hier op school zitten, heeft ze haar handwerkwinkel geopend, een oude boerderij ten zuiden van de stad verbouwd en zich laten kiezen tot voorzitter van het plaatselijke schoolbestuur, ten koste van Clement Heitzman, die de afgelopen twaalf jaar die functie had bekleed. Dorothy heeft ook een belangrijke rol gespeeld bij de integratie van de verschillende scholen uit de omgeving, waardoor de school in Broken Branch nu zal worden gesloten. Het voortgezet onderwijs gaat straks naar het naburige stadje Conway, de middelbare school naar Bohr en de leerlingen van de basisschool kunnen kiezen tussen Dalsing en Broken Branch, afhankelijk van hun woonplaats. De bouw van de nieuwe basisschool in Broken Branch moet in juli gereed zijn, zodat de school eind augustus open kan. Veel mensen in de stad zijn boos op Dorothy omdat ze hun geliefde school heeft laten sluiten. Tot nu toe konden de mensen hier hun hele schooltijd, tot en met het voortgezet onderwijs, binnen de muren van hetzelfde gebouw blijven. Als betrekkelijke buitenstaander kan ik de redenen voor de sluiting van de school wel begrijpen. Het is een gedrocht, onmogelijk te verwarmen in de winter en verstikkend heet in de zomermaanden. De cv-ketel is sterk verouderd en ik weet zeker dat de muren vol asbest zitten. Dorothy en de inspecteur van het onderwijs hebben de rest van het bestuur ervan overtuigd dat het in het belang van het onderwijs en de veiligheid van de kinderen is om hen te verdelen over de scholen in de vier stadjes.

Dorothy trekt haar dunne jack wat strakker om zich heen. 'Ik had nooit mijn winterjas moeten opbergen. Dat voorproefje van de lente, vorige week, heeft me op het verkeerde been gezet.' Dorothy glimlacht pijnlijk. Ik probeer mijn ongeduld te bedwingen, maar ik heb nu echt geen tijd om over het weer te praten met de voorzitter van het schoolbestuur. Ik glimlach terug, maar geef geen antwoord. Dorothy haalt diep adem en kijkt me recht aan. 'Ik weet het niet zeker, maar ik wilde je toch waarschuwen voor een paar zaken die spelen op school – en die misschien iets te maken hebben met wat er nu gebeurt.'

'Wat voor zaken?' vraag ik.

'Officieel mag ik er niets over zeggen. Het zijn discussies uit een besloten vergadering van het schoolbestuur.'

Ik begin nu echt mijn geduld te verliezen. 'Dorothy,' zeg ik, 'als je informatie hebt die ons kan helpen deze situatie op te lossen, moet je het me vertellen.'

'Ik kan hier grote problemen mee krijgen. Juridische kwesties, advocaten.'

'Dorothy,' zeg ik vermanend.

'Ik weet het, ik weet het.' Ze bijt op haar lip. 'Vorig jaar was er een persoonlijke kwestie met een docent. Hij werd ervan beschuldigd dat hij een leerling had geslagen.'

'Ja, Rick Wilbreicht,' herinner ik me. 'Dat weet ik nog. Ik dacht dat hij naar Sioux City was verhuisd, maar dat zullen we laten uitzoeken. Dank je.' Ik klop haar op haar schouder en wacht tot ze uit de auto zal stappen, maar ze blijft zitten.

'Dorothy, ik moet echt verder.'

'Oké.' Dorothy zucht diep. 'Ik ben gestuit op een situatie met een van de leerlingen hier. Een ernstig geval van pesten. Schelden, duwen, slaan.'

'Heus?' vraag ik verbaasd. Niet dat ik zo naïef ben om te denken dat er hier op school niet wordt gepest, maar ik dacht dat de leiding van de school ons wel zou hebben ingelicht als er echt lichamelijk geweld aan te pas kwam. Hoe dan ook, ik heb hier geen tijd voor, tenzij het rechtstreeks met deze zaak te maken heeft. 'Dorothy, bedoel je hier iets mee?'

'De leerling heeft het aan zijn docenten gemeld. Vaak genoeg. Maar het hield niet op.'

'Dus jij denkt dat die leerling in zijn woede een wapen heeft gegrepen en de school is binnen gedrongen om wraak te nemen? Was het zo'n ernstig geval van pesten?'

'Hij zei dat het maar doorging. Er werd van alles op internet gezet over zijn seksuele voorkeur. Er is ook ergens een filmpje te vinden waarin hij voor gek wordt gezet, getreiterd en geduwd.' Er staan nu tranen in haar blauwe ogen en ze begint te rillen, hoewel het warm genoeg is in de auto door de hete lucht vanuit de blazers. Een elektrische schok gaat door me heen. Eindelijk hebben we misschien een aanknopingspunt in deze zaak.

'Dorothy, wie is die jongen? Kan hij over een vuurwapen beschikken?'

Ze schudt droevig haar hoofd. 'Maar daar is altijd aan te komen. Elk huis in de omgeving heeft minstens één wapenkluis.'

'Dorothy, wil je me zijn naam vertellen?' zeg ik scherp.

Ze kijkt me wanhopig aan, terwijl de tranen over haar wangen stromen. 'Ik denk dat het mijn eigen zoon kan zijn. Vanochtend werd ik gebeld door de school. Blake was niet komen opdagen. En ik kan hem nergens vinden.'

Holly

Ik weet wanneer het elf uur is, omdat mijn moeder dan voor de tweede keer in de deuropening van mijn ziekenhuiskamer verschijnt. Elke dag. Ze komt 's ochtends meteen om acht uur en gaat om tien uur weer weg voor een kop koffie in de cafetaria. Om elf uur is ze terug, klopt tegen de deurpost, steekt haar hoofd door de kier van de deur en roept vrolijk: 'Is dit een geschikt moment om op bezoek te komen?' De eerste week gaf ik niet eens antwoord. Elke beweging, zelfs praten, was een kwelling. Maar mijn moeder kwam toch binnen en trok een stoel bij mijn bed. Ze had tijdschriften en een breiwerkje bij zich, en zo bleef ze drie uur zitten, zonder een woord te zeggen, tenzij ik mijn ene goede oog opende. Zodra ik dat deed daalde die vertrouwde stem uit mijn jeugd over me neer als een fris, zonverwarmd laken, net van de waslijn.

'Weet je nog,' begint mijn moeder vandaag, 'toen je een keer alleen thuis was en de koeien ergens van schrokken, waardoor ze op een of andere manier langs het hek wisten te komen?' Ik probeer niet te glimlachen, want de spieren van mijn gezicht protesteren heftig bij elk trekje. Ik voel de infectie onder mijn huid borrelen en vraag me af wat voor nieuw antibioticum ze nu weer zullen proberen om deze tegenslag te bestrijden.

Tot dat moment was ik die vochtige augustusdag waarop het vee ontsnapte totaal vergeten. Mijn ouders en mijn broers, Wayne, Pete, Jeff en Todd, waren die dag naar een boerenveiling in Linden Falls. Ik had geen zin om een hele dag tussen tweedehands landbouwgereedschap rond te lopen, dus deed ik alsof ik ziek was en bleef achter.

Ik was heerlijk lang in bed blijven liggen, nog lang nadat ze waren vertrokken, toen ik opeens een paar koeien hoorde loeien, recht onder mijn raam. Aan dat loeien was ik wel gewend, maar dit klonk veel te dichtbij. Ik klauterde uit bed, worstelde me uit de lakens los en trok mijn witlinnen gordijnen opzij die zwaar en roerloos in de vochtige lucht hingen. Beneden me slenterden vijfentwintig of nog meer witkoppige black baldies lui over het erf. Ik trok mijn laarzen aan en was vier uur bezig om het vee weer terug in de wei te krijgen. Ik riep, duwde, trok en smeekte de dieren om weer achter het hek te verdwijnen. Onze zes maanden oude blauwgevlekte Australische herder Roo probeerde me te helpen, maar na een halfuur zakte ze uitgeput in elkaar onder de eenzame wilde appelboom in onze voortuin.

'O!' Mijn moeder lacht als ze terugdenkt aan die dag. 'Toen we thuiskwamen was je roodverbrand door de zon en zat je onder de blauwe plekken van je gevecht met het vee, maar alle koeien waren wel weer terug waar ze hoorden.' Mijn moeder stopt even met breien. 'Ik herinner me nog dat je vader aan iedereen vertelde hoe verantwoordelijk je je had gedragen die dag. "Een echte cowgirl," zei hij. Hij was zo trots op je.'

Zelf herinner ik me nog elke pijnlijke spier, de hitte van mijn verbrande huid en het ijsje dat mijn vader speciaal met mij ging kopen in Broken Branch. Hoe heerlijk koud en glad het door mijn keel gleed. Ik voel de hand van mijn moeder op mijn ongedeerde wang. 'Wat wil je vandaag als lunch, Holly?' vraagt ze. 'Een ijsje klinkt wel lekker, vind je niet?'

Ik knik en geniet van haar koele huid tegen de mijne. Dan denk ik aan Augie en P.J., zo ver weg, en hoewel ik weet dat het de genezing zal vertragen, begin ik toch te huilen. Ik mis hen zo – ik, degene die bij iedereen kon weglopen zonder zelfs maar om te kijken. 'Thuis,' mompel ik moeizaam.

Mijn moeder kijkt verbaasd en heel even denkt ze dat ik terug wil naar Broken Branch, maar dan klaart haar blik weer op. 'Je huis heeft te veel brand- en rookschade. Als je hier weg mag, kun je een paar dagen in het hotel logeren en daarna ga je een tijdje met mij mee naar de boerderij, totdat je er helemaal bovenop bent. Dan zoeken we een nieuw huis voor je. Ik kijk al in de kranten.' Ze begrijpt niet echt wat ik bedoel, maar ik ben te moe en de koorts heeft mijn concentratie zo aangetast dat ik niet de woorden kan vinden om het uit te leggen. Hoewel de meeste brandwonden nu langzaam genezen, weet ik dat ik niet echt beter word. De artsen praten al niet meer over de dag dat ik hier weg kan. Soms is thuis niet hetzelfde als je huis, wil ik haar zeggen, maar de mensen die bij je horen. Augie en P.J. zijn mijn thuis, en ik mis hen zo.

Mevrouw Oliver

'Ga zitten,' beval de man. 'Daar.' Hij wees naar een vrij tafeltje op de eerste rij, het tafeltje van Lily Reese, een van de absenten. Ze had waterpokken.

'Hoeveel leerlingen zijn afwezig?' vroeg de man.

Mevrouw Oliver had het jammer gevonden dat Lily en Maria Barrett de laatste dag voor de vakantie moesten missen, maar nu was ze daar dankbaar om. Een epidemie zou welkom zijn geweest: waterpokken, griep, mond- en klauwzeer, wat dan ook. Alles beter dan dit. Ze zweeg, omdat ze geen enkele informatie over haar leerlingen wilde prijsgeven.

'Hoeveel?' snauwde hij haar toe, en mevrouw Oliver kromp ineen.

'Rustig maar,' zei ze, terwijl ze verzoenend haar handen ophief naar de schutter. 'Twee. Er zijn twee leerlingen absent,' antwoordde ze haastig. Weer gleden de ogen van de man zoekend door het lokaal. 'Wat wilt u? Deze kinderen hebben toch niets te maken met –'

'Ga zitten, zei ik,' viel hij haar scherp in de rede. Mevrouw Oliver liet zich met een klap op Lily's stoel vallen, een beetje verbaasd. Ze dacht dat alleen leraren en footballcoaches zo'n toon konden aanslaan – een toon die duidelijk maakte dat er met hen niet te spotten viel.

'Als u rustig gaat zitten en doet wat ik zeg, zal niemand een haar worden gekrenkt.'

Mevrouw Oliver sloeg haar hand voor haar mond, in de hoop dat niemand haar glimlach zou zien. Ze kon er niets aan doen. Het was precies dezelfde tekst die de schurk in Cals favoriete politieserie de vorige avond op tv had uitgesproken. Ze vroeg zich af of deze man daar ook naar had gekeken. Misschien had hij voor de tv gezeten met een biertje, een bak popcorn en een blocnote, om op te schrijven wat hij de volgende dag moest zeggen. Onwillekeurig kreeg mevrouw Oliver in de meest ongepaste situaties altijd de neiging om te giechelen. Op de begrafenis van haar nicht Bette, toen de dominee heel raar moest niezen, was ze maar opgestaan en weggelopen, met een tissue voor haar rood aangelopen gezicht om haar slappe lach te verbergen. En ze herinnerde zich een nacht toen Cal haar tijdens het vrijen zijn Lekkerbekje had genoemd. Ze had zo moeten lachen dat Cal twee dagen lang geen woord meer tegen haar gezegd had.

Achteraf schaamde mevrouw Oliver zich altijd dood. Ze begreep er niets van. Normaal was ze toch altijd zo verantwoordelijk, serieus en respectvol. Cal zei dat ze niet kon omgaan met echt emotionele situaties en daarom zo spottend en lacherig reageerde. Zij had hem gevraagd of een paar jaar middelbare school en tweeënvijftig jaar ervaring bij de wasmachinefabriek hem het recht gaven zich psychiater te noemen. Daarna had hij vier dagen geen woord meer tegen haar gesproken. Het was niet haar bedoeling geweest de spot te drijven met zijn gebrekkige opleiding. In werkelijkheid was Cal een van de intelligentste mannen die ze ooit had ontmoet. Hij kon bijna alles. Hij was goed met geld en als de kinderen problemen hadden met hun relaties gingen ze naar Cal voor advies, niet naar haar. Met zijn baan bij de wasmachinefabriek had hij een groot deel van haar opleiding als lerares betaald, en bovendien had hij daar een uitstekende verzekering en een goed pensioen.

Hij had gelijk.

Om een of andere reden – ze wist niet precies waarom – had ze moeite met de echt emotionele momenten van het leven. Of misschien ging ze er juist té goed mee om. Cal was degene die had gehuild bij de geboorte en de huwelijken van hun kinderen, en toen Georgiana een miskraam kreeg. O, mevrouw Oliver huilde ook wel, maar als niemand het zag, opgesloten in de badkamer, met de kraan open en de ventilator aan.

Ze keek naar P.J. Thwaite, die nog steeds als gebiologeerd naar de onbekende staarde. De man leek het aantal kinderen in haar klas te tellen, of misschien was hij op zoek naar iemand in het bijzonder.

Zat hij soms achter een van haar leerlingen aan? Het enige huiselijke probleem dat ze kon bedenken was de scheiding van de ouders van Natalie Cragg. Ze had Natalies vader al jaren niet meer gezien en wist niet of ze hem zou herkennen. Natalie zat naar haar tafelblad te staren en huilde zacht. Toen mevrouw Oliver weer naar P.J. keek, had hij zijn blik nog steeds niet losgemaakt van het strenge gezicht van de man.

'P.J.,' fluisterde ze, om zijn aandacht te trekken. Maar nog altijd keek hij strak naar het gezicht van de overvaller – niet naar zijn wapen of zijn rugzak, waarin hij god-mocht-weten-wat bewaarde. Het was zijn gezicht dat P.J. in zijn geheugen probeerde te prenten, en juist dat maakte mevrouw Oliver zo angstig. Vroeg of laat moest de man zich bewust worden van P.J.'s merkwaardige fascinatie voor hem, en ze was bang dat hij als reactie zijn aandacht op P.J. zou richten.

'P.J.,' zei ze wat luider, en P.J. wendde zijn hoofd met tegenzin van de man af. P.J.'s zwarte haar, nog warrig van zijn gebreide muts, viel voor zijn ogen en hij keek zijn lerares wazig aan. Hij had haar een keer verteld dat alleen zijn moeder zijn haar mocht knippen en dat hij niet van plan was naar de kapper te gaan voordat zij hem weer kwam halen. 'P.J., zit niet zo te staren,' fluisterde ze dringend.

'Wat zegt u? Wat zegt u tegen hem?' vroeg de man. Hij bracht zijn revolver omhoog en richtte die op mevrouw Oliver.

'Ik zei dat hij niet bang hoeft te zijn,' loog mevrouw Oliver.

'Ik ben helemaal niet bang,' verklaarde P.J.

De man keek hem aan en mevrouw Oliver beefde. Dit was een kille, wrede man met dode ogen, stelde ze vast. Zonder zich te bedenken zou hij iedereen in deze klas kunnen neerschieten. 'Waarom ben je niet bang?' vroeg de man aan P.J.

P.J. aarzelde en beet op zijn lip voordat hij antwoord gaf. 'Omdat u zei dat u ons geen kwaad zou doen. Als we maar deden wat u zei.'

'Heel verstandig van je, jongen,' antwoordde hij met een bitter lachje.

Meg

Ik beloof Dorothy dat we zullen nagaan of Blake de indringer in de school kan zijn en stuur haar weg met de instructie om me te bellen zodra ze iets van haar zoon heeft gehoord. De frustratie slaat toe. We hebben niet genoeg mensen om alle aanwijzingen te volgen die nu opduiken, en het weer wordt met de minuut slechter. Mijn telefoon piept weer. Het volgende sms'je van Stuart. Ik lees zijn laatste bericht het eerst: *Toe nou, Meg. We waren toch vrienden? Eén commentaar?* Ik schud mijn hoofd en klap mijn telefoon dicht zonder zelfs zijn eerste bericht te lezen. Ik weet wel wat erin staat. Stuart is tot alles bereid voor een primeur, desnoods chantage, en deze overvaller in de school zou de grootste scoop van zijn carrière kunnen zijn. Tot aan de zaak-Merritt dreef Stuarts reputatie als onderzoeksjournalist op zijn werk in Afghanistan, waar hij een paar jaar geleden de oorlog versloeg en waarvoor hij de Pritchard-Say Prize voor onderzoeksjournalistiek had gekregen. Daarna volgde de kwestie-Merritt, die – afgezien van het feit dat hij nog gewoon getrouwd was – de nagel aan de doodskist van onze relatie werd. Nu is Stuart weer terug. Hij kan de kans op een belangrijk verhaal niet laten lopen. De spanning van deze impasse. Waarschijnlijk geniet hij al bij voorbaat van een scenario als Columbine of Virginia Tech, alleen om de roem die hij er zelf mee kan vergaren.

Tegen de tijd dat ik het politielint om de school heb aangebracht, heeft de chief alle verloven ingetrokken en de vrijwilligers opgeroepen – mensen uit de stad die tachtig uur training hebben gekregen en veertig uur stage, onder leiding van ons kleine politiekorps. De enige keer in mijn herinnering dat de vrijwilligers in actie kwamen was een paar jaar geleden, toen er een tornado over Parkersburg ging en wij om hulp werden gevraagd. Het feit dat de chief hen nu heeft opgeroepen bewijst in elk geval dat het menens is.

Op het parkeerterrein heeft zich een grote menigte verzameld. Ik breng chief McKinney op de hoogte van wat Dorothy me heeft verteld en hij hoort de informatie zwijgend aan.

'Hebt u nog nieuws?' vraag ik hem.

'Niets belangrijks, behalve een telefoontje van de man, die meldde dat hij met een wapen de school is binnen gegaan.' Hij schudt zijn hoofd om de sneeuwvlokken af te schudden die zich in zijn haar hebben genesteld. 'En verder een heleboel feiten die de zaak nog ingewikkelder maken. Verdomme, waarom laten ze mobieltjes toe op school? Je zou denken dat we op die manier nuttige feiten te horen zouden krijgen over wat zich daar afspeelt, maar het enige wat ze doen is de lijnen overbelasten en verstandige mensen tot waanzin drijven.'

'Heeft niemand dan iets gezien?' vraag ik ongelovig. 'Weten we niet eens waaróm hij in die school is en wat hij wil?'

'Uit de telefoontjes die we vanuit de school hebben gekregen, kunnen we van alles afleiden.' McKinney trekt een leren handschoen uit en telt de feiten af op zijn vingers. 'Er is maar één schutter. Er zijn drie schutters. Er is een man met een kapmes en iemand – een man of een vrouw – met een bom. Kortom... we weten helemaal niets.' McKinney veegt met zijn hand over zijn mond. Zijn bevroren snor knerpt onder zijn vingers.

'Dus wachten we maar af? We gaan niet naar binnen?' vraag ik hem, hoewel ik het antwoord al weet.

'We doen wat we nu al doen: het terrein bewaken en op afstand blijven. Als we in gesprek kunnen komen met de overvaller, lukt het misschien om de kinderen en leraren veilig naar buiten te krijgen. Maar ik maak me zorgen over het weer,' zegt McKinney, met een blik naar de loodgrijze hemel. Ik kijk ook omhoog, maar kan meteen niets meer zien door de sneeuwvlokken in mijn ogen. 'Alle snelwegen en provinciale wegen zijn afgesloten. Ik heb alle verloven ingetrokken en vrijwilligers opgeroepen, agenten en bureaupersoneel, en sheriff Hester gevraagd iedereen te sturen die geen dienst heeft. Zij bewaken nu alle hoeken van het gebouw.'

Ik kijk in de richting waarin hij wijst en zie de deputy's van de sheriff rondlopen met M4's over hun schouder geslingerd. 'Denkt u dat we een tactisch team nodig hebben?' vraag ik hem. Een tactisch team, of tac team zoals wij het noemen, is een groep politiemensen vanuit de hele staat, die speciaal zijn getraind om met dit soort situaties om te gaan.

'Daar ziet het wel naar uit,' zegt McKinney, 'maar als het zo blijft sneeuwen, komt er helemaal niemand. Dan zijn wij zelf het tac team.'

Ik zie iets bewegen achter een van de ramen van het kantoor en leg een hand op McKinneys arm. 'Kijk,' zeg ik, turend door het gordijn van sneeuw, met mijn andere hand op mijn wapen, alsof het een talisman is.

Augie

De kou van de grond dringt door mijn broek. Ik heb een gevoel alsof we hier al een eeuwigheid zitten, maar het is pas een halfuur.

Het enige waar ik aan kan denken is dat ik, na alles wat er is gebeurd, nu toch niet naar mijn moeder kan. We hadden morgen in het vliegtuig naar Arizona moeten stappen om daar een week te blijven. Ik vraag me af hoe ze er nu uitziet. De vorige keer dat ik haar zag, zaten haar handen helemaal in het verband, was haar haar geschroeid en haar gezicht felrood, alsof ze zonder hoed door de woestijn gelopen had. Haar wimpers waren weggebrand en de verpleegsters hadden een dikke, glimmende zalf over haar armen gesmeerd. P.J. en ik bellen elke avond met haar, maar meestal niet langer dan een minuut of twee. Ze is te moe of te versuft door de pijnstillers om erg lang te kunnen praten. Ze klinkt nogal verdrietig. Ik weet dat ze het vreselijk vond om P.J. en mij weg te sturen, zeker naar Broken Branch, waar ze de eerste zeventien jaar van haar leven zo graag vandaan wilde.

Van ergens buiten het lokaal horen we een paar luide klappen en ik weet zeker dat hij onze kant op komt. Naast me legt Beth haar handen over haar oren en begint heen en weer te wiegen. Ik leg een arm om haar schouder. Ze verbaast me wel. Beth is de stoere meid van de klas. Ze rijdt in terreinwagens en ze gaat jagen, maar nu lijkt ze een hoopje ellende.

'Ik ben weg,' verklaart Noah. Hij staat op en loopt naar het raam.

'Ga zitten, Noah,' zegt meneer Ellery streng.

'Vergeet het maar,' antwoordt Noah stoer, alsof hij bij een straatbende zit. Maar zijn stem klinkt zo benauwd dat ik bijna medelijden met hem krijg.

'Noah, ga zitten. Als er iemand op de gang is, zal hij ons lokaal voorbijlopen zolang we ons maar stil houden. De deur zit op slot, hij kan er niet in.'

'Alsof je het slot niet kapot zou kunnen schieten!' snauwt Noah terug en hij probeert het raam te openen, dat uitkomt op het parkeerterrein van de leraren. Weer klinkt er een zware klap door de gang, gevolgd door het geluid van brekend glas. Noah duikt naar de grond. Als ik niet net zo bang was geweest als hij zou ik hem hebben uitgelachen. Een minuut lang is er niets anders te horen dan het geluid van onze zware ademhaling en het klappertanden van Beth.

'Wie denk je dat het is?' fluistert Drew in mijn oor. Ik schud mijn hoofd en kan geen woord uitbrengen.

Beth trek me aan mijn mouw en ik kijk haar aan.

Mijn vader, articuleert ze geluidloos, en ze slaat haar handen voor haar gezicht.

Mevrouw Oliver

Mevrouw Oliver draaide wat op haar stoel om te zien hoe het met haar kinderen ging. De meesten leken wel oké en zaten rustig achter hun tafeltjes, maar ze maakte zich vooral zorgen om Lucy Shelton, die autistische trekjes vertoonde en niet goed reageerde op veranderingen in de dagelijkse gang van zaken. De bussen zouden voorrijden om tien voor halftwee, twee uur eerder dan gebruikelijk, als begin van de voorjaarsvakantie. Maar het zag er niet naar uit dat de overvaller dan met hen klaar was, en de tijd begon te dringen.

Ook was ze bezorgd om Wesley, die een blaas had ter grootte van een vingerhoed. De wc was niet ver van de klas, maar mevrouw Oliver betwijfelde of iemand het lokaal zou mogen verlaten. Steeds als ze zich weer opzij draaide op haar stoel om de kinderen in het oog te houden, snauwde de man dat ze voor zich moest kijken. Nu wist ze hoe Bobby Latham zich moest hebben gevoeld, dacht ze zuur. Bobby was het ernstigste geval van concentratiegebrek dat ze in drieënveertig jaar voor de klas was tegengekomen, en ze had op dat gebied toch heel wat meegemaakt. 'Bobby, kijk voor je,' had ze eindeloos herhaald, totdat ze de moed maar opgaf en hem een plaats achter in de klas had gegeven, waar hij kon opspringen en op zijn handen kon gaan staan als hij wilde, zolang hij de aandacht van de andere kinderen maar niet afleidde. Dat was lang voor de tijd dat ADHD-medicijnen als Ritalin en Strattera bijna als snoepjes werden voorgeschreven. O, ze had best waardering voor het effect van die middelen op leerlingen met gebrek aan concentratie, maar het beviel haar niet dat sommige leraren en ouders het als de ideale oplossing zagen. Geef het kind een pilletje en alles is weer in orde. Zo werkte dat niet. Leerlingen zoals Bobby moesten technieken leren om hen te helpen zich te concentreren en meer structuur in hun leven te brengen. De medicijnen vertraagden alleen hun hersens, lang genoeg voor hun leraren om hun die noodzakelijke levenslessen bij te brengen.

Mevrouw Oliver haalde diep adem en probeerde haar gedachten tot rust te brengen. Ze gebruikte die ontspanningstechnieken vaak met haar leerlingen voordat ze aan een spellingstest of de gevreesde basistoets begonnen. Maar nu kreeg ze toch twijfels over de doelmatigheid van de strategie die ze haar leerlingen had opgedrongen. De paniek sloeg toe en haar hart bonsde zo hevig in haar keel dat ze bang was dat de geborduurde kraaltjes van haar overgooier zouden springen. Ze probeerde diep adem te halen en aan Cal te denken. Cal had altijd een kalmerend effect op haar.

Verrassend genoeg was mevrouw Oliver niet altijd mevrouw Oliver geweest, zoals de meeste mensen dachten. De eerste zeventien jaar van haar leven heette ze Evelyn Schinckle, en daarna trouwde ze met George Ford.

George was net zo lang als zij, een knappe, geestige vent met prachtige groene ogen. Hij was de eerste jongen die Evelyn ooit had gekust en op het moment dat zijn lippen de hare raakten, besloot ze dat dit de man was met wie ze zou gaan trouwen. Dat gebeurde dan ook, het weekend na hun eindexamen, op een regenachtige middag in juni. Tijdens de receptie plaagde George haar dat ze alleen met hem was getrouwd om van haar achternaam af te komen. En hoewel ze moest toegeven dat Evelyn Ford veel beter klonk dan Evelyn Schinckle, was dat zeker niet de reden. Brutaal liet ze haar blik omlaag glijden, waardoor die arme George moest blozen.

Twee maanden nadat George en Evelyn waren getrouwd, werd George naar Vietnam gestuurd en trok Evelyn in bij George' ouders in Cedar Falls, waar ze zich inschreef aan de lerarenopleiding. Drie maanden later stonden er twee militairen in uniform op haar stoep met het bericht dat George was gesneuveld bij Plei Mei, samen met een derde deel van zijn bataljon. Bij het horen van dat nieuws braakte Evelyn over de glanzend zwarte schoenen van een van de militairen. Ze probeerde de troep schoon te maken met een sprei van haar

schoonmoeder. Na niet meer dan vijf maanden huwelijk, en pas achttien jaren jong, was Evelyn al weduwe. En zwanger.

Evelyn wist niet hoe ze weduwe moest zijn. Ze had niet eens de
tijd gekregen om het huwelijk te ontdekken. In een stil hoekje huilde
ze bittere tranen om de dood van George. 's Nachts kon ze niet slapen als ze eraan dacht hoe hij gestorven moest zijn, moederziel alleen in een klamme jungle. Haar schoonouders waren geroerd door
het duidelijke verdriet van hun schoondochter en deden hun best
haar te troosten. Ze mocht bij hen blijven wonen zolang als ze wilde,
zeiden ze haar. Maar dat was juist het probleem. Evelyn dacht dat ze
gek zou worden als ze langer bij de Fords moest blijven dan nodig
was. Ze voelde zich verstikt door de somberheid in het huis en – als
ze eerlijk was – doodsbang bij het vooruitzicht om moeder te worden.

Dat alles veranderde toen ze Cal Oliver ontmoette. Nu, vijfenveertig jaar later, vroeg ze zich af of het Cal zou zijn die nu bezoek
zou krijgen van een man in uniform, een agent, die hem kwam vertellen dat zijn vrouw dood was. Vermoord door een gek met een
revolver, op een dag in maart, in een sneeuwstorm in een klaslokaal
in een stadje in Iowa. Wie had kunnen dromen dat haar leven zo zou
eindigen? Ze had altijd gedacht dat ze aan een beroerte zou overlijden, net als haar vader, of aan borstkanker, net als haar tantes. Niet
door de hand van een gestoorde moordenaar. Ze vroeg zich af of Cal
zou huilen en ze snotterde even bij de gedachte dat hij met droge
ogen bij haar begrafenis zou staan. Nee, natuurlijk zou hij huilen.
Hij was veel emotioneler dan zij. En hoe zou hij het de kinderen
vertellen? Hij was niet op zijn best aan de telefoon. Als ze het toestel
in zijn hand drukte leek hij opeens zijn tong verloren. De man kon
uren kletsen met iemand in de kamer, maar niet door de telefoon. 'Ik
wil hun gezicht zien als ik met mensen praat,' zei hij altijd. Evelyn
klakte dan met haar tong en nam de telefoon weer terug. Daar had
ze nu spijt van – van hoe weinig geduld ze soms had met Cal. Dat
zou ze voortaan heel anders doen, als ze de kans nog kreeg. Ze zou
nooit meer tegen hem zeuren over de manier waarop hij de keuken
binnen kwam, een pak crackers of cornflakes uit een kastje haalde

en weer wegliep zonder het kastdeurtje dicht te doen, zodat iemand zijn hoofd kon stoten. Ze zou niet meer mopperen op de overdreven manier waarop hij de garage schoon en opgeruimd hield, maar nog geen papiertje kon weggooien zonder erover na te denken.

Nee, mevrouw Schinckle-Ford-Oliver zou vandaag niet sterven. Ze ging vanmiddag gewoon naar huis om haar man te zoenen, heel stevig, haar kinderen en kleinkinderen te bellen en deze jurk met regenboogkraaltjes uit te trekken.

Will

Toen Will in zijn pick-uptruck stapte, vroeg hij zich af of hij Marlys moest bellen om haar te zeggen dat er iets aan de hand was op de school van de kinderen. Maar meteen zette hij die gedachte weer uit zijn hoofd. Hij had geen idee wat er precies gebeurde, dus kon hij geen antwoord geven op alle vragen die Marlys op hem zou afvuren. Hij zou haar enkel met het probleem opzadelen wat ze aan Holly moest vertellen. En dat was niet eerlijk. Marlys kon toch niets aan de situatie veranderen daar in Revelation in Arizona. Zij moest voor Holly zorgen, die steeds maar pech leek te hebben. De laatste tegenslag was een infectie die op een of andere manier in haar bloedbaan was terechtgekomen, hoewel ze vanaf haar eerste minuut in het ziekenhuis met antibiotica was volgepompt. Nee, Will zou geen woord over de gebeurtenissen op school zeggen totdat hij alle feiten kende, en zelfs dan misschien niet eens. Marlys was doodmoe en Holly had al haar energie nodig om beter te worden. Extra zorgen om P.J. en Augie zouden daar niet bij helpen. In plaats daarvan belde hij zijn zoon Todd, wiens vrouw lerares was van de vierde klas op school.

'Ik ben er al,' antwoordde Todd toen Will zei dat hij op weg was en hem voor de school zou treffen.

De school van Broken Branch lag op twintig minuten rijden over grind- en landwegen, maar Will had er deze keer nog geen twaalf minuten voor nodig. Toen hij het parkeerterrein van de school op draaide, zag hij dat zich daar al een menigte had verzameld. Mensen stonden te schreeuwen, maar hun geroep verwaaide onverstaanbaar met de wind. Will keek naar zijn Mossberg die op de stoel naast hem lag en vroeg zich af of hij het wapen mee moest nemen. Zijn mobiel barstte uit in een afstompende explosie van rapmuziek die

Augie had ingesteld als haar ringtone. Ze vond het een geestig idee dat er opeens een serie op muziek gezette vloeken uit zijn telefoon zou opklinken, midden onder het eten of – nog erger – in het café of de supermarkt. 'Verdomme, Augie,' hoorde ze hem dan mompelen, als hij koortsachtig naar de toetsen tastte om de telefoon tot zwijgen te brengen.

'Wat?' vroeg Augie onschuldig. 'Jij zegt die dingen ook altijd.'

En P.J. knikte ernstig en instemmend. 'Dat is waar.'

'Hallo?' blafte Will in de telefoon.

'Will?' klonk het bedeesde antwoord, helemaal niet wat hij van Marlys gewend was. 'Is alles in orde daar?'

'Ja, hoor. En bij jullie? Hoe is het met Holly?' vroeg Will, terwijl hij door de voorruit naar vier agenten uit Broken Branch tuurde die de aangroeiende menigte in bedwang probeerden te houden.

'Ze heeft nog steeds koorts en ze eet niet,' zei Marlys met bevende stem. 'Alles goed met de kinderen?'

'Ja, hoor,' zei Will nog eens. 'P.J. heeft me goed geholpen bij het kalveren. Hij heeft aanleg om boer te worden.'

'En Augie?'

'Augie...' Will kon het niet over zijn hart verkrijgen iets negatiefs te zeggen over zijn kleindochter terwijl hij geen idee had of ze op dit moment wel in veiligheid was. 'Augie doet haar best,' voltooide hij de zin. En dat was ook zo. Een paar dagen geleden was ze zelfs met P.J. en hem naar de stal gekomen toen nummer 135, een prachtige hereford met een ruige rood-witte vacht, moest kalveren. Vol ontzag had ze toegekeken hoe het kalf uit de baarmoeder van de koe gleed, glibberig door de nageboorte, maar ontegenzeggelijk mooi.

'Ooo!' had ze uitgeroepen, vol opwinding, met glanzende ogen en een glimlach die vanuit het niets op haar anders zo verongelijkte gezicht verscheen.

Er stopte nog een pick-up naast de zijne en Will herkende zijn collega-boeren Neal en Ned Vinson. Hij stak zijn kin naar voren als groet en zag dat de broers ook met een heel wapenarsenaal waren gekomen.

'Will?' zei Marlys voorzichtig. 'Je klinkt zo raar. Wat is er?'

'Niks,' zei Will, maar meteen had hij spijt van zijn scherpe toon.

'Neem je je pillen wel?' vroeg ze, doelend op de medicijnen tegen hoge bloeddruk waaraan ze hem voortdurend moest herinneren.

'Ja, ja, ik slik de pillen.' Wills ogen volgden de Vinsons toen ze vastberaden naar de school liepen, met hun geweren schuin tegen de arm.

'Wat is er dan?' vroeg Marlys in tranen. 'Ik kan er niet meer tegen. Ik maak me al zo veel zorgen om Holly, en nu ook nog om jou en de kinderen. Dat hou ik niet vol.'

'Maak je nou niet druk.' Will probeerde een luchtige, opgewekte toon aan te slaan. 'Augie heeft haar haar rood geverfd. Ze lijkt wel een vuurtoren. Ik was even vergeten hoe het was om een puber in huis te hebben.'

'Ik weet dat er iets aan de hand is,' zei Marlys streng, 'maar ik ben te moe om te bekvechten en ik moet terug naar Holly. Ik bel je vanavond weer, en dan verwacht ik een eerlijk antwoord. Begrepen?'

'Oké,' zei Will ten slotte. Iets anders zou een leugen zijn geweest. Marlys zou er vroeg of laat toch achter komen wat zich op de school afspeelde. Dan kon ze het beter van hem horen. Maar nu nog niet.

'Het is allemaal zo zwaar,' zei ze snotterend.

'Dat weet ik, Marlys,' beaamde hij, hoewel ze het over twee heel verschillende dingen hadden.

Holly

'Wat voor dag is het?' vraag ik mijn moeder, die met haar vaardige vingers de breipennen snel laat tikken. Het begin van een trui, misschien. Grappig, omdat het buiten waarschijnlijk zonnig en dertig graden is, zoals meestal hier.

'Het is donderdag, 24 maart.'

Dan lig ik al bijna acht weken in het ziekenhuis. Aan de ene kant lijkt dat een eeuwigheid, maar de dagen hebben zich op een of andere manier aaneengeregen. Ze gaan naadloos in elkaar over. Pijn, medicijnen, therapie, operaties, een voortdurende cyclus van genezing.

Mijn moeder kijkt naar de klok aan de muur, zonder dat ze haar handen een moment stil houdt. Het tikken van de breipennen is een geruststellend geluid uit mijn jeugd. 'Ik heb net je vader gebeld. Het gaat goed met iedereen, zei hij. P.J. verheugt zich erop hem te helpen bij het kalveren.'

Als mijn moeder ging zitten breien, was dat een rustig moment voor haar, een tijd om te ontspannen. Nooit had ik iemand zo hard zien werken als mijn moeder. 's Ochtends was ze als eerste wakker. De geur van koffie en eieren met spek was onze wekker. Na het ontbijt en de afwas verdween mijn moeder om mijn vader te helpen om het vee te voederen en drinkwater te geven, en de hekken te controleren op losse draden of spijkers die verwondingen konden veroorzaken. Daarna kwam ze weer binnen om schoon te maken en de was te doen. Ze zette de lunch klaar, deed boodschappen en was de hele dag in de weer om te zorgen voor haar vijf veeleisende kinderen en haar al even veeleisende man. Ten slotte hielp ze ons met ons huiswerk voordat ze eindelijk een paar momenten voor zichzelf had om rustig te gaan zitten breien. Wij hielpen wel mee in huis, maar er was zo veel te doen dat er nooit genoeg tijd overbleef op een dag. Als ik zag hoe moe zij was, hoewel ze nooit klaagde, bezwoer ik mezelf dat dit geen leven voor mij was en dat ik Broken Branch zou ontvluchten zodra ik oud genoeg was.

'In Iowa is het nu één uur,' zeg ik. 'Ik vraag me af wat de kinderen doen.'

Mevrouw Oliver

Mevrouw Oliver nam de man onderzoekend op. Het was moeilijk een goed beeld van hem te krijgen. Hij had een grijs honkbalpetje diep over zijn voorhoofd getrokken. Rond zijn oren kwamen wat plukjes donkerbruin krullend haar tevoorschijn. Hij droeg gladde leren handschoenen en een zwart jack, dichtgeritst tot aan zijn kin. Aan de lijntjes bij zijn blauwe ogen te zien moest hij zeker begin veertig zijn. En het leek hem merkwaardig dwars te zitten dat er twee leerlingen absent waren: Lily en Maria. Was een van hen zijn doelwit? Als dat zo was, waarom verdween hij dan niet om hen te zoeken, in plaats van hier te blijven zitten? Of was hij al te ver gegaan en dacht hij dat hij niets meer te verliezen had?

P.J. staarde de man nog altijd aan, zo strak dat mevrouw Oliver het vermoeden kreeg dat hij de man misschien kende, hem al eerder had gezien.

Heel even vroeg ze zich af of dit Bobby Latham zou kunnen zijn, haar leerling van vroeger, die haar nu wilde dwingen om roerloos te blijven zitten, schijnbaar een eeuwigheid, zoals zij hem zoveel jaar geleden had gedwongen. Maar nee. Eigenlijk had ze Bobby wel gemogen, en omgekeerd. Stilzwijgend hadden ze het op een akkoordje gegooid. Mevrouw Oliver zou hem nooit meer dwingen zich om te draaien, zolang hij de pagina's van zijn rekenboek niet gebruikte om er met spuug kleine propjes van te maken die hij door de lege huls van zijn balpen tegen het achterhoofd van Kitty Rawlings blies. Nee, dit was niet Bobby Latham. Maar misschien wel een andere oud-leerling.

In gedachten liep ze de hele kaartenbak van leerlingen door die ze in de loop van de jaren had lesgegeven. Het was ook niet Walter Spanksi, de enige die ze ooit had laten zittenblijven. Met pijn in haar hart had ze besloten om Walter de derde klas te laten overdoen. Hoe ze hem ook had geholpen bij zijn vermenigvuldigingen en bij het lezen van zelfs de eenvoudigste zinnetjes, het was hem gewoon niet gelukt. En ze kon hem niet naar de vierde laten overgaan als hij geen zelfstandig naamwoord van een werkwoord kon onderscheiden en consequent zeventien van de twintig woorden verkeerd schreef bij de wekelijkse spellingstoets. Het was het tweede jaar dat ze voor de klas stond, en ze herinnerde zich nog levendig dat ze tegenover meneer en mevrouw Spanksi – die net drie maanden in verwachting was van haar tweede kind – had gezeten om hun te vertellen dat Walter een heel aardig joch was, maar niet met de anderen naar de vierde klas zou overgaan. Meneer Spanksi had zijn hoed in zijn grote, verweerde handen rondgedraaid en haar gesmeekt hem nog een kans te geven. Ze hadden nog de hele zomervakantie de tijd. Ze zouden elke dag met hem oefenen en bijlessen voor hem regelen. Mevrouw Spanksi zei niets en huilde geluidloos in haar zakdoek. 'Het spijt me, meneer en mevrouw Spanksi,' zei mevrouw Oliver, en ze schudde haar hoofd. 'Ik kan het niet verantwoorden om Walter met zijn huidige niveau naar de vierde klas te bevorderen. Nog een jaartje in de derde, en dan weet ik zeker dat hij eraan toe is,' besloot ze opgewekt. Nou, ze had Walter nog een jaar in de derde klas gehad, en aan het eind was hij geen steek opgeschoten. In die extra maanden dat ze hem meemaakte veranderde hij bovendien van een aardige jongen in een boze knaap, die opnieuw zakte voor al zijn toetsen in de derde. Maar de man met de revolver was niet Walter Spanksi, hoewel ze zich goed had kunnen voorstellen dat hij zou zijn teruggekeerd naar zijn oude klas, waar een onervaren lerares van drieëntwintig de gore moed had gehad hem te laten zakken, om haar nu een revolver tegen haar hoofd te drukken. Dat had hem veel voldoening kunnen geven. Maar Walter was te oud om deze indringer te kunnen zijn.

In de loop van de jaren had ze heel wat leerlingen betrapt bij spieken, vechten, roken, stelen en talloze andere vergrijpen, maar niemand had ooit een wrok tegen haar opgevat. Ze ging er prat op dat ze eerlijk en meelevend was, want ze had al gauw beseft dat een leerling heel wat meer was dan zijn of haar rapportcijfers alleen. Het waren jonge mensen, nog niet geheel gevormd, maar juist dat was haar voornaamste taak. Na dat akelige tweede jaar met Walter was ze tot de ontdekking gekomen dat ze het vermogen – nee, de macht – bezat om kinderen iets te leren, hun interesse te wekken. En na drieënveertig jaar voor de klas was er maar één kind, afgezien van Walter, voor wie ze geen positief verschil had kunnen maken. Mevrouw Oliver keek nog eens goed. Ze probeerde dwars door de pet, de handschoenen en de verstreken jaren heen te zien. Ja, het zou hem kunnen zijn, dacht ze. Het was niet onmogelijk.

Kenny Bingley. Hij was een spichtig kind geweest, een slungelige jongen met lange benen en verhoudingsgewijs korte armen. Net als die hanenpoten, zoals haar moeder het lange, saaie prairiegras noemde dat je overal zag in dit deel van het land. Ja, het zou zeker Kenny Bingley kunnen zijn: de juiste leeftijd, ergens rond de veertig, met bruin haar en gemene oogjes. Kenny Bingley was misschien wel de leerling die haar de meeste slapeloze nachten had bezorgd. Hij was elke dag te laat, áls hij al kwam, en er hing altijd een muffe, bedompte lucht om zijn bleke lijf, alsof zijn kleren in een hoek werden gegooid en vergeten totdat hij ze weer nodig had. In de ogen van ieder kind, waar het ook vandaan kwam of wat zijn achtergrond ook was, had mevrouw Oliver wel een sprankje verwondering kunnen vinden. Maar bij de achtjarige Kenny had ze boven de donkere wallen onder zijn ogen nooit enige interesse in de buitenwereld – of verbazing daarover – kunnen ontdekken. Helemaal niets. Alleen een onheilspellende rust. Hij was niet echt lastig in de klas, maar hij leek problemen aan te trekken, waar hij ook kwam. Footballwedstrijden eindigden met bloedneuzen, lunchgeld raakte zoek, dieren op school stierven onder verdachte omstandigheden. Toch had ze Kenny nooit ergens van kunnen beschuldigen. Ze vermoedde dat hij door zijn moeder werd geslagen, maar ook daar had ze geen bewijzen voor; geen blauwe plekken, alleen die afstandelijke, onverschillige houding van het kind.

Twee dingen gebeurden er in de week dat Kenny van school werd gestuurd. Op de trap van de school werd een strandleeuwerik gevonden met twee gebroken pootjes. Opnieuw had mevrouw Oliver geen enkel bewijs dat Kenny de prachtige vogel zo dodelijk had verwond. Maar zij was wel degene die het dier op de trap had gevonden, met zijn onnatuurlijk geknakte pootjes. Zij was de enige die het hoge, wanhopige gepiep had gehoord. Dat dacht ze, tenminste.

Het andere incident had te maken met een schaar en een mooi meisje uit de derde, Cornelia Patts. Ze was even de gang in gestapt, maar had het lokaal niet echt verlaten. Het hoofd, meneer Graczyk, wilde haar iets vragen en had haar naar de deur geroepen. Voordat iemand wist wat er gebeurde slaakte die arme Cornelia een kreet en greep naar haar bloedende hand. 'Hij heeft me gestoken!' riep ze ongelovig. Meneer Graczyk rende de klas binnen en sleurde Kenny uit zijn stoel. De bebloede schaar lag nog voor hem op zijn tafeltje. Terwijl mevrouw Oliver een schone zakdoek om de wond wikkelde, was het doodstil in de klas, afgezien van Cornelia's zachte snikken.

Kenny klemde zijn dunne, bleke lippen op elkaar toen meneer Graczyk hem naar de gang trok. Hij boog zijn schouders als een geknakte rietstengel en floot een hoog, vals liedje, dat mevrouw Oliver sterk deed denken aan het gepiep van de leeuwerik die ze stervend op de trap van de school had aangetroffen.

De man met het vuurwapen tegenover haar zou heel goed Kenny Bingley kunnen zijn. Hij was die dag meteen van school gestuurd en nooit meer teruggekomen. Mevrouw Oliver had zelfs niet gehoord hoe het hem was vergaan, hoewel ze regelmatig navraag had gedaan. Dus besloot ze haar theorie te testen en floot het lied van de stervende leeuwerik, eerst zacht en aarzelend, toen luider. De man, die op de hoge kruk voor in het lokaal zat met de revolver in zijn schoot, keek haar aan met zijn koude, uitdrukkingsloze ogen.

'Kenny Bingley,' zei mevrouw Oliver streng. 'Hou eens op met deze onzin. Nu meteen.'

Meg

Toeschouwers gillen als er opeens een stoel door een ruit wordt gegooid. Net als de andere politiemensen trek ik mijn wapen en zie tot mijn stomme verbazing een in het roze geklede gestalte uit het raam tuimelen. Onmiddellijk weet ik dat dit niet de overvaller kan zijn. Het is Gail Lowell, de oude secretaresse van de school. Ze draagt geen jas, alleen een helderroze sweater en grove sieraden, die glinsteren als metaal. Haar halsketting en armbanden rinkelen vrolijk als ze voorzichtig haar weg zoekt door de sneeuw, met haar handtas aan haar arm. Als ze dichterbij komt wordt ze bestookt met vragen vanuit de menigte: *Wat gebeurt daar? Gaat alles goed met de kinderen? Is er een schutter binnen?*

'Hoeveel overvallers zijn er?' vraag ik haar zachtjes als ze bij me is. Het lijkt of ze heeft gehuild, maar dat is moeilijk te zien vanwege de smeltende sneeuw op haar gezicht. 'Heb je iemand met een wapen gezien? Zijn er gewonden?'

Gail kijkt hulpeloos van mij naar chief McKinney en ze maakt een grimas. 'Het is allemaal mijn schuld,' brengt ze snikkend uit.

'Gail, dit is belangrijk. Vertel ons precies wat daarbinnen gebeurt,' zeg ik, scherper dan mijn bedoeling is.

'Rustig maar, Gail,' probeert McKinney haar te kalmeren. 'Ben je gewond?' Ik schuifel met mijn voeten en maak ongeduldige geluiden totdat McKinney me kwaad aankijkt.

Gail snottert luid. 'Nee, nee, ik mankeer niets.'

'Kom mee, dan kun je wat warmer worden en ons vertellen wat er aan de hand is.' Hij neemt haar mee naar een patrouillewagen met stationair draaiende motor, opent het portier en duwt haar voorzichtig op de rechterstoel. Dan schuift hij naast haar. Zelf stap ik achterin. Een paar seconden lang is er niets anders te horen dan Gails zachte snikken. Ze beeft over haar hele lichaam. Chief McKinney draait aan de knoppen op het dashboard en een golf van warme lucht slaat door de auto.

'Gail,' zeg ik door het schot dat de achterbank van de voorstoelen scheidt, 'ik weet dat dit heel moeilijk voor je is. Natuurlijk was je doodsbang.' Ik kijk naar de chief en hij geeft me een knikje om door te gaan. 'Maar we moeten nu drie dingen weten. Daarna kun je gaan. Oké?' Ze knikt even en drukt haar vingers tegen haar oogleden. 'Om te beginnen: zijn er gewonden in de school?'

Haar kin trilt. 'Dat weet ik niet,' zegt ze met een klein stemmetje. 'Echt niet. Hij liep de gang door en toen is hij weer verdwenen.'

'Eén overvaller maar, Gail? En ken je hem? Bedoel je dat? Is er maar één indringer? Jong of oud?' vraag ik haar, denkend aan Dorothy's zoon, Blake.

Gail sluit haar ogen en schudt haar hoofd alsof ze een beeld probeert op te roepen. 'Nee, ik kende hem niet. Het is een man, en hij is alleen. Een man van rond de veertig,' fluistert ze.

Chief McKinney en ik kijken elkaar opgelucht aan. In elk geval kunnen we Dorothy geruststellen dat de overvaller niet haar zoon is. Ze moet hem zo snel mogelijk zoeken om hem te helpen.

'Ik zag hem binnenkomen,' zegt Gail huilend. 'O god, hij liep langs het raam van het kantoor. Ik zag dat hij een gereedschapsgordel droeg en ik dacht dat hij de cv-ketel kwam repareren. Die valt altijd uit, en het is al zo koud vandaag. Ik dacht er nauwelijks over na. Hij liep gewoon voorbij en zwaaide nog even.' Weer barst ze in snikken uit en de chief klopt haar op haar knie. 'Ik had moeten zien dat hij geen overall droeg, zoals een monteur. Hij had nette schoenen aan, geen werkschoenen.' Ze neemt haar handen van haar ogen. Haar vingers zijn besmeurd met mascara. 'Mag ik mijn man bellen? Alsjeblieft?'

'Goed hoor, Gail. Je doet het geweldig. Nog maar één vraag, dan zijn we klaar.' Ik wacht tot ze knikt voordat ik verderga. 'Oké, dus het is maar één man. Kende je hem?'

Ze schudt haar hoofd.

'En had hij een wapen? Een revolver, een mes, wat dan ook?'

'Ik zag het pas toen hij terugkwam naar het kantoortje. Hij sloot ons op en zwaaide, alsof hij afscheid nam. En hij had een revolver, ja,' zegt ze, met een lange, trillende zucht. 'Hij had een revolver.'

Will

Will maakte een eind aan zijn telefoongesprek met Marlys zonder dat hij Holly had gesproken. Ze had koorts, hoorde hij, en ze had die nacht niet goed geslapen. Holly had al zo veel doorstaan: de brandwonden, de zware fysieke therapie. Toen Marlys op een avond in tranen de hele procedure beschreef, kwam dat zo hevig bij Will aan dat hij moest gaan zitten.

'Het is verschrikkelijk,' zei Marlys met bevende stem. 'Ze moet in een bubbelbad gaan zitten, zodat het water de verbrande huid losmaakt, die ze dan met een borstel wegvegen. Of schúren, eigenlijk.'

'Mag ik met mama praten?' had P.J. gevraagd, terwijl hij hem ongeduldig aan zijn mouw trok. 'Ik wil haar vertellen dat nummer 63 is ontsnapt en dat Daniel en ik hem weer naar binnen kregen.'

'Vanavond niet, P.J.,' zei Will tegen hem. 'Je moeder voelt zich niet goed.'

'Daarom wil ik het haar juist vertellen. Om haar een beetje op te vrolijken,' zei P.J. Hij sprong op en neer en probeerde zijn grootvader de telefoon te ontfutselen.

'Ik zei nee!' zei Will, scherper dan hij bedoelde. P.J. staarde hem aan, verwonderd en gekwetst, en sloop de kamer uit.

Die avond had Will aan de keukentafel gezeten, met zijn hoofd in zijn handen, huilend bij de gedachte dat zijn dochter zo veel pijn moest hebben. Als ze een betere relatie hadden gehad, dacht hij onwillekeurig, als hij wat geduldiger en begripvoller was geweest, zou Holly niet uit Broken Branch zijn vertrokken en was dit allemaal nooit gebeurd.

Het was Augie die de kamer binnen kwam en een hand op zijn schouder legde. 'Gaat het goed met mam?' vroeg ze angstig.

Bij die onverwachte aanraking kromp Will ineen. Augie deed met-een twee stappen naar achteren. Haastig veegde Will met de rug van zijn hand de tranen van zijn gezicht. 'Ze slaat zich er wel doorheen,' zei hij bruusk tegen het meisje, niet in staat haar aan te kijken.

'Oké,' antwoordde Augie met een klein, aarzelend stemmetje. En toen, alsof het haar grote moeite kostte, vroeg ze: 'Gaat het een beet-je, opa?'

'Ja, hoor. Geen probleem,' antwoordde Will kortaf en hij schoof zijn stoel bij de tafel vandaan. 'Ik moet bij de beesten kijken.' En met grote stappen liep hij naar de deur.

'Neem me niet kwalijk dat ik het vraag!' snauwde Augie tegen zijn rug. 'Ik wilde alleen maar aardig zijn. Heel dom van me.'

'Weet je, Augie, het gaat niet altijd om jou,' zei Will, zonder de moeite te nemen zich om te draaien.

Nu hij hier in zijn pick-up zat en zag hoe angstig de ouders zich bij de school verzamelden, bezorgd om hun kinderen, schaamde hij zich. Augie mocht dan koppig en vaak onredelijk zijn, ze had wel toe-nadering gezocht en was liefdevol tegen hem geweest, zonder dat hij daar fatsoenlijk op had gereageerd. Hoewel ze geen van beiden ooit op het incident waren teruggekomen, had het wel een nieuwe kloof tussen hen geslagen. Augie was niet echt onbeschoft tegen hem, maar hield haar antwoorden zo kort mogelijk, alsof ze had besloten dat hij de energie niet waard was. En Will vroeg zich af of ze daar niet gelijk in had.

Hij keek naar het geweer dat op de stoel naast hem lag en schudde beschaamd zijn hoofd. Hij gedroeg zich als een heethoofd, een rare oude man, door een wapen mee te nemen naar een plaats delict. De politie zou heus zijn hulp niet vragen, ook al was hij dan luitenant bij de mariniers geweest in Vietnam. Maar als hij eenmaal een helder beeld had van wat zich afspeelde in de school, zou hij genoeg ideeën hebben over de juiste tactiek. Hij zou de politie wel vertellen wat ze moest doen.

Augie

Ik heb de vader van Beth nog nooit gezien. Tegen de tijd dat P.J. en ik naar Broken Branch kwamen was Beth met haar moeder en zussen al van de boerderij vertrokken naar een klein huis op een paar straten van de school. Beth zei nooit veel over wat er tussen haar vader en moeder was gebeurd, maar ik wist dat het heftig moest zijn. Eén ding dat ik snel leerde over zo'n kleine stad was dat de mannen er net zo erg roddelden als de vrouwen. Behalve mijn opa. Zijn enige goede punt is misschien dat hij nooit negatief is over mensen. De tweede dag dat P.J. en ik in Broken Branch waren nam hij ons mee naar het benzinestation, waar die oude boeren elkaar 's ochtends treffen. Ze stonden koffie te drinken rond de chipsvitrine en hadden het over een man en een vrouw, Ray en Darlene.

'Ik hoorde dat ze een straatverbod tegen hem heeft geëist,' zei een oude man met een gerimpeld rood gezicht en een schilferig puntje aan zijn neus. 'En dat na alles wat Ray Cragg voor haar heeft gedaan.'

'Hij mag zijn eigen dochters niet eens meer zien,' voegde een man in een overall eraan toe. Ze schudden hun hoofd alsof dat het droevigste was wat ze ooit hadden gehoord, maar ik zag een lachje in hun ogen. Ze waren net zo erg als de meiden in mijn achtste klas thuis in Revelation toen Cleo Gavin zwanger bleek te zijn en zogenaamd niet wist wie de vader was.

'Nou, nou,' zei mijn opa, 'we weten niet precies hoe het zit, dus laten we het niet nog erger maken.' De andere mannen staarden schuldbewust naar hun bemodderde schoenen en iemand bracht het gesprek op het natte voorjaar dat voorspeld was. Op dat moment wist ik dat mijn opa een belangrijk iemand was in Broken Branch, hoewel ik daarom niet meer van hem ging houden.

'Het kan hem niet zijn,' fluister ik in Beths oor, al weet ik dat natuurlijk niet zeker. 'Jouw vader zou zoiets nooit doen.' Ze likt langs haar gebarsten lippen en kijkt om zich heen of er iemand luistert. 'Volgens mij wel,' zegt ze verdrietig. 'Ik denk dat hij het is.'

Mevrouw Oliver

Mevrouw Oliver wachtte hoe de man zou reageren. Ze boog zich naar voren op haar stoel en keek hem onderzoekend aan, speurend naar enig bewijs van haar gelijk.

'Wie is in godsnaam Kenny Bingley?' vroeg de man. 'Denkt u dat ik een van uw leerlingen was?' vroeg hij ongelovig. 'Het spijt me dat ik u teleur moet stellen, mevrouw, maar uw rol is zuiver toeval. Dit heeft helemaal niets met u te maken.'

Mevrouw Oliver liet zich moedeloos terugzakken en besefte dat haar vijfenzestigjarige derrière niet geschikt was voor de stoel van een derdeklasser. Inmiddels had ze twee aanwijzingen over de identiteit van de indringer. Om te beginnen was hij waarschijnlijk geen oud-leerling van haar; die suggestie vond hij belachelijk. En in de tweede plaats was hij duidelijk geïnteresseerd in de kinderen in de klas. Steeds opnieuw bestudeerde hij hun gezichten, alsof hij iemand zocht. Ja, een van de kinderen moest de sleutel zijn. Die conclusie gaf haar nieuwe moed. 'Zeg me dan wat u wilt,' drong ze aan. 'Waarom gijzelt u een klas met kinderen van acht? Wat schiet u daarmee op?'

De man keek op zijn horloge. 'Dat zult u wel merken,' antwoordde hij. 'En gauw genoeg.'

'Mag ik raden?' vroeg mevrouw Oliver, die opeens een idee kreeg.

'Raden? Waarnaar?' vroeg de man, terwijl hij afwezig een blik wierp op een mobieltje met allerlei opties – net zo'n toestel als mevrouw Oliver wilde, maar Cal was nog steeds niet overstag gegaan.

'Als ik kan raden waarom u hier bent, laat u de kinderen dan gaan? U hebt toch geen achttien gijzelaars nodig? Eentje lijkt me wel genoeg.'

Dit was geen nieuw spelletje voor mevrouw Oliver. Veertien jaar lang had niemand van haar leerlingen zelfs maar geweten dat haar voornaam Evelyn was. Bij toeval was het een soort uitdaging geworden voor de kinderen. In de loop van de jaren hadden ze geprobeerd haar naam te raden, als een moderne variant van Repelsteeltje, maar zonder de mooie prinses of het grappige kleine kereltje, als je Russell Franco niet meetelde, die vastbesloten was geweest het mysterie te ontsluieren.

'Gertrude?' opperde Russell als hij de klas binnen kwam. 'Shirley? Margaret, Sally, Diana, Inger, Raquel?' Dan schudde mevrouw Oliver haar hoofd en wees Russell naar zijn plaats.

Op een avond, tegen het einde van het schooljaar – meer dan dertig jaar geleden, niet te geloven – was Russell stoer het lokaal binnen gestapt, nog voor de anderen, en had hooghartig gezegd: 'Goedemorgen, *Evelyn*.' Maar mevrouw Oliver had geweten dat die dag zou komen, dus ze was voorbereid. Niet dat het haar zo veel kon schelen of haar leerlingen haar voornaam kenden. Ze wilde gewoon niet verliezen.

'Goedemorgen, Russell *Hubert*,' antwoordde ze luchtig. Russell verstijfde en keek haar aan alsof hij wilde zeggen: *dat zou u toch niet durven?*

Mevrouw Oliver glimlachte om hem te laten weten dat ze geen moment zou aarzelen. En dus ging Russell die laatste weken van het schooljaar gewoon door met het spelletje, alsof er niets gebeurd was.

'Goedemorgen, Dolores, Lorraine, Ramona?' En mevrouw Oliver glimlachte mysterieus.

Daarom was ze nu meer dan bereid zo'n spelletje te spelen met de overvaller, zeker als ze op die manier haar leerlingen vrij kon krijgen, veilig naar huis. Ze had een geheugen als een pot. Als ze goed nadacht zou ze zich al haar oud-leerlingen en hun ouders kunnen herinneren. Dit was niet zomaar een gijzeling, daar was ze van overtuigd.

'U mag raden wat u wilt,' zei de schutter en hij keek haar met zijn dode ogen aan.

'Als ik gelijk heb, laat u de kinderen gaan?' vroeg ze hoopvol.

'Ja. En voor elk fout antwoord schiet ik er een neer.'

Meg

Iemand klopt op het raampje van de patrouillewagen en het dunne laagje sneeuw wordt weggeveegd. Een gerimpeld, bezorgd gezicht tuurt naar binnen en Gail begint weer te huilen. 'Mag ik nu weg?' vraagt ze, en ze steekt haar hand al naar de portierkruk uit. Haar man, Merle, minstens vijftien jaar ouder dan zij, staat naast de auto op haar te wachten.

Ik kijk naar de chief, die zijn hoofd schudt. 'Nog niet, Gail, maar we zullen jou en Merle naar het bureau laten brengen. Eerst hebben we nog een signalement nodig van de man die jij hebt gezien. Dan mag je naar huis.'

'Ik voel me zo schuldig,' zegt Gail met een snik in haar stem. 'Ik zou nog binnen moeten zijn, met de anderen, maar mevrouw Brightman vond dat ik moest vluchten terwijl het nog kon.'

'Heeft mevrouw Brightman gezegd dat je moest vluchten?' vraagt chief McKinney. Margaret Brightman is het hoofd van de school. 'Wat deed zij dan, terwijl jij ervandoor ging?'

'Zij gooide die stoel door het raam. We konden niet uit het kantoortje komen, want hij had de deur geblokkeerd of op de ketting gedaan.'

Ik trek mijn wenkbrauwen op naar de chief. Margaret Brightman is geen type om met stoelen te gaan gooien.

'Toen ik uit het raam klom,' vervolgt Gail, nog altijd snotterend, 'wilde ze niet met me mee. Ze probeerde nog steeds het alarmnummer te bereiken. De telefoons in de school werken niet meer. Dat had hij waarschijnlijk in de kelder gedaan: de telefoonlijnen doorgesneden. Margaret gebruikte haar mobiel, maar de eerste keer dat ze belde werd het contact verbroken. Toen ze het nog eens probeerde was het nummer in gesprek.' Gail schudt haar hoofd. 'Ik wist niet eens dat dat kón. Maar Margaret zei dat ze op haar post zou blijven totdat alle leerlingen en docenten de school veilig hadden verlaten.'

'En de conciërge?'

Gail Lowell grijpt naar haar halsketting en schiet overeind. 'Harlan! Harlan Jones. Hij heeft zijn werkkamertje beneden, naast het ketelhok.' Ze kijkt de chief bezorgd aan. 'Zou hij Harlan iets hebben gedaan?'

Ik probeer het gesprek op gang te houden voordat de harde realiteit volledig tot haar kan doordringen. 'Gail, was er nog iemand anders in het kantoortje, behalve jij en mevrouw Brightman? Leerlingen of docenten? De schoolverpleegster?'

'Nee, die is vandaag naar de school in Dalsing. Margaret en ik waren de enigen. Ik had net een eersteklasser teruggestuurd. Ze had buikpijn, maar ik zei dat ze weer naar haar klas moest gaan.'

Mijn mobieltje trilt. Ik werp een blik op de display voor het geval het Tim of Maria is. Nee, Stuart weer. Twee weken geleden, toen ik de zondageditie van de *Des Moines Observer* uit de brievenbus haalde en de voorpagina zag, sloeg de schrik me om het hart. Ik wist niet precies hoe Stuart aan de naam van dat verkrachte meisje was gekomen of hoe hij haar in verband had gebracht met de machtigste man in Stark County, maar in elk geval moest ik hem die informatie hebben gegeven, al was dat onbewust en zeker ongewild.

Laat op een avond in januari werd ik naar het huis van Martha en Nick Crosby geroepen. Hun negentienjarige dochter Jamie was bijna hysterisch thuisgekomen, met een verdachte blauwe plek op haar gezicht.

'Ze wil ons helemaal niets vertellen,' zei Martha in tranen. 'Ze heeft zich in haar kamer opgesloten en wil niet naar buiten komen.' Nick Crosby ijsbeerde met gebalde vuisten door de huiskamer en wist niet waar hij het zoeken moest. De twee jongere kinderen van de Crosby's, allebei het evenbeeld van hun vader, stonden op blote voeten in hun pyjama en volgden alles met angstige ogen.

'Laat mij het eens proberen,' zei ik en ik stuurde de familie naar de keuken.

Zachtjes klopte ik op Jamies deur. 'Jamie, ik ben het, Meg Barrett,' zei ik. Mijn functie liet ik opzettelijk weg. Ze wist dat ik bij de politie zat, en ik wilde haar niet nog meer kopschuw maken dan ze al was. 'Je vader en moeder maken zich zorgen over je.' Ik wachtte even of ze zou reageren, maar ik hoorde niets, alleen de moeizame ademhaling van iemand die probeerde haar snikken te onderdrukken. 'Wil je de deur opendoen, Jamie? Dan kunnen we praten. Ik ben maar alleen, verder is er niemand. Ik heb iedereen gevraagd om in de keuken te blijven.'

Toen hoorde ik het geluid van voetstappen achter de deur. 'Ga alsjeblieft weg,' zei Jamie met een broze, hese stem.

Ik leunde tegen de deurpost en vervolgde zacht en geruststellend: 'Ik wil alleen maar weten of je een dokter nodig hebt, Jamie. Je hoeft helemaal niets te zeggen als je niet wilt. Dat beloof ik je.'

Na vijf minuten stilte ging de deur langzaam open en keek er een groot, angstig bruin oog naar me op. Ik wachtte tot ze knikte en opzij stapte voordat ik haar kamer binnen ging. Het was een echte tienerkamer. Overal lagen kleren, en aan een prikbord hingen foto's van vriendinnen, blauwe linten, afgescheurde tickets en een campagneposter van Greta Merritt, een plaatselijke zakenvrouw en de nieuwste, jongste outsider bij de gouverneursverkiezingen in Iowa. Toen Jamie me naar het affiche zag kijken, betrok haar gezicht en volgde er weer een huilbui. Ik wist dat Jamie oppaste bij de twee kinderen van de Merritts en als vrijwilligster wat administratie deed voor de campagne. Ik nam haar scherp op, in het besef dat ze bij één verkeerde beweging meteen zou dichtklappen als een oester. Haar linkeroog was enigszins gezwollen en al paars verkleurd. Haar rechterarm hield ze voorzichtig tegen zich aan geklemd. Ik zei niets en keek nog eens de kamer rond, speurend naar aanwijzingen, een foto van een vriendje of zoiets. Mijn blik bleef rusten op een van de prikborden, dat vol hing met materiaal van de Merritt-campagne: buttons, kiekjes, bumperstickers. Eén foto trok mijn aandacht: Greta Merritt met haar stralende lach en haar arm om het middel van haar knappe echtgenoot Matthew. Tussen de twee stroblonde kleuters stond Jamie Crosby, die verlegen naar de camera lachte.

'Iemand heeft je pijn gedaan,' zei ik, met mijn blik strak op die foto gericht.

'Ja,' fluisterde ze.

'Je hebt ons goed geholpen, Gail,' zegt de chief als hij het portier voor haar opent en een golf van koude lucht me terugbrengt naar het heden.

Gail lijkt niet overtuigd, dus buig ik me naar voren vanaf de achterbank. 'Hij heeft gelijk. We hadden je hier nodig om ons informatie te geven. Nu weten we waar we mee te maken hebben en kunnen we de mensen in de school beter helpen.'

Gail knikt en duwt haar portier open. Merle trekt haar uit de auto en neemt haar in zijn armen. Met gebogen hoofd, om hun een beetje privacy te geven, loop ik snel bij de auto weg. Eén man met een revolver. Het is niet veel, maar in elk geval weten we nu iets meer.

Augie

Beth wiegt zachtjes heen en weer. Haar schouder schuurt langs de mijne. Ze heeft haar handen voor haar gezicht geslagen en prevelt iets. Pas na een tijdje besef ik dat ze zit te bidden. Het is een gebed dat ik weleens eerder heb gehoord, toen ik langs de tv-kanalen zapte. Het werd uitgesproken door een vrouw met te veel make-up, tegenover een grote menigte, veel mensen met hun ogen dicht en sommige met tranen op hun wangen, hun armen uitgestrekt, deinend op het ritme van de woorden van de vrouw. *Amen, zuster*, zeg ik bijna hardop, maar ik weet me nog net op tijd in te houden.

Op onze eerste zondag in Broken Branch nam mijn opa P.J. en mij mee naar de kerk. Ik lag in bed, diep begraven onder de dekens in de oude kamer van mijn moeder. Hij klopte aan, ik hoorde de deur piepend opengaan en ik voelde hem in de deuropening staan, lang en breed, in het halfdonker. Ik probeerde regelmatig en diep te ademen, zodat het leek alsof ik sliep.

'Augie,' fluisterde hij, met net zo'n zwaar en diep geluid als de koeien in de grote stal. 'Augie, wakker worden. Over dertig minuten gaan we naar de kerk.' Ik hield me doodstil, in de hoop dat hij het zou opgeven en zonder mij zou vertrekken, maar dat viel tegen. 'Augie,' zei hij nog eens. Zijn stem dreunde door de kamer. 'Over een halfuur gaan we weg.'

Ik loerde onder de dekens vandaan. Door de koude lucht had ik meteen geen gevoel meer in mijn neus. 'Ik ben niet lekker,' mompelde ik, terwijl ik mijn gezicht begroef in het zachte kussen dat zo poreus was dat ik, toen ik de eerste ochtend wakker werd in de koude boerderij en in de spiegel keek, dacht dat die zachte witte veertjes sneeuwvlokken waren.

'Je hebt nog vijfentwintig minuten,' zei hij ongeduldig, voordat hij zich omdraaide en de deur achter zich sloot.

Op dat moment kende ik mijn opa nog niet goed genoeg om te weten hoe ver ik kon gaan, dus hees ik me uit bed en trok dezelfde jeans aan als de vorige dag, en een T-shirt met lange mouwen. Als ik zo beneden kwam, zou hij me zeker terugsturen om me om te kleden, maar hij droeg zelf ook een spijkerbroek. 'Trek een warme jas aan,' zei hij, terwijl hij me een rode jas voorhield die schimmelig rook en ooit van mijn moeder moest zijn geweest. Bijna pakte ik de jas van hem aan, maar op het laatste moment trok ik mijn hand terug.

'Ik heb het niet koud,' zei ik, voordat ik langs hem heen liep en in de pick-up klom naast P.J., die een jas droeg met dezelfde muffe lucht, vier maten te groot voor hem.

'Ik weet het,' zei hij toen hij me zag kijken. 'Hij is van oom Todd geweest. Maar in elk geval heb ik het warm. Jij zit straks te kleumen.'

'Maar ik zie er niet zo achterlijk uit,' zei ik met een grimas, terwijl ik mijn handen in de mouwen van mijn T-shirt stak en probeerde ze te warmen toen opa achter het stuur schoof. De hele auto helde naar links toen hij ging zitten. Zonder een woord te zeggen reden we naar de kerk, die kleiner bleek te zijn dan ik had verwacht, maar ook mooier. Ik dacht dat opa met ons door het gangpad naar de voorste rij zou lopen, maar dat deed hij niet. Halverwege de kerk sloeg hij rechts af. Ik ging op de harde houten bank zitten terwijl hij het knielkussen liet zakken. Vanuit mijn ooghoeken hield ik hem scherp in de gaten. Ik verwachtte dat hij zo'n heilig boontje zou zijn, maar dat was hij niet. Hij zong wel mee, helder en luid, beter nog dan de koordirigent op mijn school in Revelation.

Mijn moeder had mij en P.J. nog nooit meegenomen naar de kerk in Revelation. Ik had er nooit iets over gezegd, maar vroeg me wel af waarom. Een week voor de brand vroeg P.J. het haar. We zaten aan de tafel in ons keukenhoekje, achter de kip en rijst die ik die avond had klaargemaakt.

'Waarom gaan wij nooit naar de kerk?' vroeg hij, terwijl hij een reusachtig stuk kip naar binnen schoof.

Als je onze moeder niet kende zou je denken dat ze ons totaal negeerde. Ze nam alle tijd om haar stokbrood op te eten, een slok water te nemen, haar mond af te vegen met haar servet en haar bord naar het aanrecht te brengen. Dat was haar manier om te bedenken wat ze moest zeggen, voordat ze antwoord gaf.

'Mijn vader heeft me zeventien jaar lang gedwongen om elke zondag naar de kerk te gaan, P.J., en dat was niet goed voor mij.' Ze legde haar bestek in de gootsteen en draaide zich naar ons om. 'Ik geloof niet dat je naar een kerk hoeft te gaan om dicht bij God te kunnen zijn. Dat kan net zo goed in de woestijn.' Ik zat zwijgend aan tafel en dacht in stilte: sst, zeg dat soort dingen nou niet. Alsof ik me schuldig voelde in haar plaats. 'Het kan God heus niet schelen, zelfs als je élke dag naar de kerk zou gaan. Dat maakt je echt geen heilige.'

Ik keek naar haar zoals ze over het aanrecht gebogen stond en de rijst in de afvalmolen schraapte – hetzelfde aanrecht waar ze een week later zou staan terwijl de verbrande huid van haar armen bladderde en door de gootsteen verdween. Soms vraag ik me af of die brandwonden een straf waren voor wat ze zei, hoewel ik in mijn hart ook wel weet dat dat nergens op slaat. Zo gemeen kan God niet zijn.

Ik kijk naar de klok aan de muur. We zitten hier nog geen uur, maar het lijkt een eeuwigheid. Meneer Ellery laat zich van zijn tafel glijden, haalt zijn mobieltje uit zijn zak, kijkt er even op en steekt het weer terug.

'Waarom heeft er niemand gebeld?' vraagt Beth opeens. 'Waarom is niemand ons komen halen?'

Meneer Ellery schudt zijn hoofd. Ik vroeg me hetzelfde af. Volgens mij hebben we geen politiesirenes of een helikopter of zoiets gehoord. Thuis in Arizona hadden we op school eens in de paar maanden een lockdown, maar er gebeurde nooit iets. Het was altijd een of ander incident in de buurt, maar er kwam nooit iemand naar de school. Onwillekeurig denk ik aan P.J. Hij is zo'n watje. Waarschijnlijk is hij van angst onder zijn tafeltje gekropen.

Toen mam verbrand raakte probeerde P.J. haar niet eens te helpen. Hij rende naar zijn kamer en dook weg onder zijn dekens. Dat kan ik wel begrijpen. Het was zo vreemd en angstig om te zien dat de keukengordijnen in brand vlogen en mam ze met blote handen van de rails rukte. De vlammen kropen langs haar armen omhoog totdat het leek of ze een vuurbol in haar handen hield. Het was al erg genoeg om te proberen mam het huis uit te krijgen. Ik moest haar bij het aanrecht vandaan trekken en door de voordeur naar buiten duwen, terwijl ze maar gilde: 'P.J.! P.J.!' En met P.J. was helemaal niets te beginnen. Hij wilde niet uit zijn bed komen, zodat ik ten slotte maar de punten van de dekens greep en hem zo naar buiten sleepte als een vuilniszak. De rook was dicht en zwart. Mijn longen voelden alsof ze in elkaar werden geknepen en als ik ademhaalde leek het of ik verpulverde kalk naar binnen zoog. Mijn armen deden pijn van de inspanning om P.J. de gang door te slepen, die vol rook stond. Ik probeerde tastend met mijn voeten de juiste weg te vinden. Toen ik eindelijk bij de voordeur kwam en het stoepje op stapte, knipperend met mijn ogen tegen de felle zon, zag ik mijn moeder op haar knieën liggen, met een groepje buren over haar heen gebogen. Naast me, op de grond, probeerde P.J. uit zijn deken te kruipen. Toen hem dat eindelijk was gelukt, stond zijn bruine haar overeind als de stekels van een egel en zat zijn bril scheef op zijn neus.

Het geloei van de sirenes van de brandweer- en ziekenwagen overstemde zijn paniek toen hij begon te roepen: 'Mam?' Hij struikelde het stoepje af, maar voordat hij mama had bereikt, rende de brandweer al op ons af en werden we opgetild en weggedragen bij het huis, waaruit al grijze rook naar buiten lekte.

Ik kan me P.J. nu voorstellen in de klas, met zijn armen en zijn hoofd weggedoken in zijn t-shirt, als een schildpad. Als ik het niet kan zien, denkt hij, dan is het er ook niet. 'Domme lul,' zeg ik per ongeluk hardop, en Noah port me hard in mijn zij.

Onze buurvrouw, mevrouw Florio, belde mijn vader om hem te vertellen wat er was gebeurd. Zwijgend reden we achter in haar roestige stationcar naar het ziekenhuis, waar papa ons zou treffen.

'Komt het weer goed met haar?' vroeg P.J. met grote, angstige bruine ogen, die nog groter leken achter zijn met roet besmeurde brillenglazen.

'Dat weet ik niet,' antwoordde ik eerlijk. De brandwonden op mama's handen zagen er vreselijk uit. Haar haar was aan een kant helemaal weggeschroeid, haar gezicht was vuurrood en haar ene oor zat onder de blaren. De pus droop eruit. Voordat de rook in mijn eigen kleren en mijn eigen haar was gedrongen, zodat ik naar een kampvuur stonk, had ik de lucht van haar verbrande huid geroken, zoet en scherp tegelijk. Ik slikte een paar keer om niet te hoeven kotsen.

'Denk je dat ze vanavond weer thuis is?' vroeg P.J. 'En wij ook? Mogen we allemaal weer naar huis?'

'Dat weet ik niet,' zei ik en ik kneep in mijn neus om die akelige stank kwijt te raken.

'Hoe komen we aan kleren? Waar moeten we vanavond slapen? O, verdorie,' kreunde P.J. 'Mijn huiswerk! Denk je dat mijn huiswerk is verbrand? Als er iets met je boeken gebeurt moet je ze zelf betalen.'

'P.J., hou je kop!' zei ik kwaad. 'Ik weet ook niet meer dan jij.' Ik schoof naar de andere kant van de bank, stak mijn hoofd uit het raampje en zoog de frisse lucht in mijn longen.

'Zo word je nog onthoofd,' zei P.J. pesterig. 'Niet dat jij je hoofd nodig hebt.' Hij wachtte totdat ik zou vragen waarom, maar die genoegdoening gunde ik hem niet. Ik boog me nog verder uit het raampje. 'Omdat je geen hersens hebt,' vervolgde hij zelfvoldaan.

'Ha, ha,' zei ik.

'Hé, jullie!' zei mevrouw Florio met haar zware Spaanse accent. 'Jullie moeten elkaar juist steunen, in plaats van ruzie te maken.' Ik hield van de klank van haar stem. Soms sloot ik mezelf in de badkamer op en ging voor de spiegel staan terwijl ik probeerde haar zware stem na te doen, die ergens diep vanuit haar keel kwam, als het spinnen van een poes. Dan stelde ik me voor dat ik haar zwarte, gladde, glanzende haar had, in plaats van mijn eigen alledaagse bruine haar waar niets mee te beginnen was. Ik weet eigenlijk niet waarom ik haar 'mevrouw' noemde. Ze had volgens mij geen man, maar wel een hele stoet gevaarlijk uitziende vriendjes, die 's avonds met ronkende motor voor haar deur verschenen en vroeg in de ochtend weer vertrokken, voordat de zon op was.

'Augie!' zei mijn vader. Hij rende naar me toe en sloeg zijn sterke armen om me heen. Ik begroef mijn gezicht tegen zijn borst en ademde diep in. Hij rook zoals altijd naar de dikke leren riem die hij droeg, en naar zijn scheercrème, die een medicinaal luchtje had. 'Gaat het een beetje?' vroeg hij, terwijl hij een stap naar achteren deed en me onderzoekend opnam. 'Wat is er gebeurd?'

'De vlammen sloegen uit het gordijn, mama raakte verbrand en het hele huis stonk naar rook. Augie moest me in mijn deken naar buiten trekken. Toen kwam de brandweer, en de ziekenwagen,' antwoordde P.J. buiten adem, struikelend over zijn woorden.

Ik hield mijn vader scherp in de gaten. Hij deed zo zijn best met P.J., maar kon zijn ware gevoelens voor hem – irritatie, jaloezie, haat, ik wist het niet – niet altijd verbergen. 'Mankeer je niets, P.J.?' vroeg mijn vader, heel bezorgd, en ik haalde opgelucht adem.

'Nee, alles is oké,' antwoordde P.J., terwijl hij papa aankeek alsof hij God zelf was. 'En met jou?' Ik rolde met mijn ogen. Hij is net een klein oud mannetje. Voordat papa kon antwoorden, kwam er een bejaarde vrouw met kort gepermanent grijs haar, als een poedel, naar ons toe. Ze droeg een witte jas.

'Ik ben dokter Ahern,' stelde ze zich voor, en ze gaf ons allemaal een hand, zelfs P.J. 'U bent de familie van Holly Baker?'

'Ja,' antwoordde mijn vader. 'Dat wil zeggen, ik ben Holly's ex-man, en dit zijn haar kinderen, Augie en P.J.'

Dr. Ahern knikte begrijpend. 'De brandwonden op Holly's handen en armen lijken vrij ernstig. We hebben haar een infuus van antibiotica gegeven om infecties te voorkomen en ze heeft zware kalmerende middelen gekregen om haar rustig te houden. De andere brandplekken, op haar gezicht en haar oor, lijken minder zorgwekkend, maar we zullen haar goed in de gaten houden.'

'Mag ze vanavond naar huis?' vroeg P.J. Zijn onderlip trilde en er stonden tranen in zijn ogen.

De dokter schudde haar hoofd. 'Het spijt me, maar we houden je moeder nog een paar dagen in het ziekenhuis. De specialisten zullen haar verwondingen onderzoeken, maar ik neem aan dat ze hier nog wel een tijdje ligt.'

Een dikke traan rolde over P.J.'s gezicht en trok een vuile streep over zijn wang. Hij keek naar mij. 'Waar moeten we dan heen?' Dat had ik me ook afgevraagd. Ik keek mijn vader aan, die zijn best deed mijn blik te ontwijken.

'Mogen we haar zien?' vroeg ik snotterend. Het kostte me moeite mijn tranen terug te dringen. Als ik niet zo stom was geweest, zou mijn moeder nu niet in het ziekenhuis hebben gelegen.

Ze schudde haar hoofd. 'Nog niet. Eerst moeten we haar stabiliseren. We zullen jullie op de hoogte houden. Als jullie je nu willen wassen en verschonen, laat je nummer dan bij de verpleegsterspost achter, dan kunnen we bellen wanneer jullie op bezoek kunnen komen.'

P.J. en ik keken allebei naar mijn vader. 'Ik breng jullie naar mijn huis. Dan kunnen jullie douchen en schone kleren aantrekken.' Hij trok me tegen zich aan. Dat voelde heerlijk, maar ik zag toch dat P.J. er een beetje eenzaam bij stond. Hij werd niet omhelsd.

'P.J. ook?' vroeg ik.

'Natuurlijk,' zei mijn vader, alsof dat een domme vraag was, maar ik wist wel beter.

Voordat ik tegen meneer Ellery kan zeggen dat ik mijn broertje moet gaan zoeken, laat hij zich van zijn tafel glijden. 'Jullie blijven hier,' beveelt hij. 'Ik ga een kijkje nemen op de gang.'

'Doe dat nou niet,' zegt Beth. Ze krabbelt overeind en grijpt zijn mouw.

'Het komt wel goed, Beth,' zegt hij. 'Ik steek alleen mijn hoofd naar buiten.' Hij loopt naar de deur, drukt zijn gezicht tegen het glas en draait zijn voorhoofd naar links en rechts om iets te kunnen zien in de lange gang.

Dan duwt hij de kruk omlaag en opent heel langzaam de deur, zo voorzichtig mogelijk, om hem niet te laten piepen.

'Waar gaat u heen?' fluistert Beth in paniek. 'U kunt ons hier niet laten.'

'Sst, Beth,' zegt meneer Ellery. 'Terug naar je plaats. Ga weer zitten.'

'Nee, u mag daar niet heen,' houdt Beth vol. Ik verbaas me over de paniek in haar stem. Meestal is ze heel rustig en laat ze zich nergens door van de wijs brengen.

Ik sta op, loop naar haar toe en probeer haar aan haar elleboog bij meneer Ellery vandaan te trekken. 'Kom mee nou,' zeg ik zachtjes in haar oor.

'Maar als hij hier binnenkomt?' vraagt Beth met trillende stem. 'Als hij naar de school is gekomen om míj te halen?'

'Wie bedoel je?' zegt meneer Ellery, met een scherpe blik op Beths bleke gezicht. 'Weet jij hier meer van?'

'Ze denkt dat het haar vader is,' fluister ik tegen hem, zo zacht dat niemand anders het kan horen. 'Dat hij haar komt halen.'

Beth kijkt me woedend aan en haar angstige ogen staan opeens hard en verontwaardigd. Daar gaat mijn enige vriendschap in Broken Branch. Zomaar verdwenen.

Ik hoor een zachte klik als meneer Ellery de deur weer sluit. Hij neemt Beth mee naar een hoek van het lokaal, uit de buurt van de andere kinderen. Ik wil meegaan, om het goed te maken met Beth, maar meneer Ellery schudt even zijn hoofd en ik laat me weer op mijn plekje op de koude grond zakken.

'Waar ging dat allemaal over?' wil Noah weten. Ik haal mijn schouders op en voel dat ik bloos als mijn maag luid begint te rammelen. Ik had beter iets kunnen eten bij het ontbijt, maar ik moest weer zo nodig Augie zijn, zoals mijn moeder altijd zegt, en had mijn hakken in het zand gezet. Ik was kwaad op opa, en omdat hij vond dat ik iets moest eten voordat ik vanochtend in de bus stapte zei ik dat ik geen honger had. Bovendien heb ik in de pauze alleen een zak chips gegeten. Dus heb ik nu honger, terwijl ik tegelijk ook bang en misselijk ben.

Beth zit te huilen en meneer Ellery probeert haar te sussen door een arm om haar schouder te leggen. Hij lijkt niet erg op zijn gemak en wenkt me met een knikje van zijn hoofd. Maar ik heb het gevoel dat ik het alleen maar erger zou maken, dus laat ik mijn hoofd op mijn knieën zakken en draai mijn gezicht bij hem vandaan, alsof ik hem niet zie.

Holly

De dokter komt binnen om de getransplanteerde huid op mijn armen te inspecteren, en de plek waar die huid vandaan is gehaald, een lange strook uit mijn dijbeen. Wekenlang is de pijn zo erg geweest dat ik niet eens de energie had om me druk te maken over hoe ik eruitzag. Maar nu kijk ik onwillekeurig toch naar die beschadigde huid en vraag me af hoe het resultaat zal zijn als ik volledig ben hersteld. 'Het zal wel even duren voordat we zeker weten dat de transplantaties zijn geslaagd, maar de huid schijnt goed te helen, Holly,' zegt ze. 'Onze grootste zorg op dit moment is die secundaire infectie en de vraag waarom je zo traag op de antibiotica reageert.'

Ik knik. Infecties zijn steeds het grootste gevaar geweest. 'En mijn handen?' vraag ik. Die zijn mijn grootste angst. Niet de koorts, of mijn gezicht of mijn armen, maar mijn handen. Om een of andere reden zijn ze niet zo ernstig verbrand, maar wel tweedegraads. Zonder het volledige gebruik van mijn handen zou ik mijn werk als kapster niet meer kunnen doen. Sommige mensen zullen dat geen geweldig beroep vinden, maar ik doe het graag. Ik hou ervan als een klant met een verlegen maar tevreden glimlach in de spiegel kijkt bij een nieuw kapsel of een nieuwe haarkleur. Ik vind het leuk om een aanstaande bruid te kappen, of tieners voor hun eindexamenfeest – een complete gedaanteverandering voor de grote dag. Weliswaar was ik van de boerderij van mijn ouders gevlucht zodra ik oud genoeg was, maar toch had ik thuis ook iets geleerd: hard werken. En dat doe ik. Ik verdien er niet veel mee, maar genoeg om voor Augie en P.J. te kunnen zorgen.

'Hou je aan je therapie,' stelt de dokter me gerust, 'dan zie ik geen reden waarom je handen niet volledig zouden herstellen.' Ik laat me in de kussens terugzakken, opeens doodmoe, maar opgelucht. 'Je komt toch uit Iowa?' vraagt de dokter als ze opstaat om te vertrekken. Mijn moeder en ik knikken allebei. 'Er was iets op het nieuws over een school in Iowa en een gewapende indringer.'

'O, wat verschrikkelijk,' roept mijn moeder uit, op het moment dat een van de zusters haar hoofd om de deur steekt. 'Klaar om in te smeren?' Ze houdt een tube omhoog met de zalf die ze op mijn getransplanteerde huid moet smeren om te voorkomen dat die opdroogt en gaat scheuren.

'Vooruit maar,' zeg ik. Het wordt tijd om eindelijk beter te worden en hier te vertrekken. Hoe eerder, hoe beter.

Mevrouw Oliver

Mevrouw Oliver wist niet goed wat ze tegen de man met de revolver moest zeggen na zijn dreigement om een leerling dood te schieten iedere keer als ze zijn identiteit verkeerd zou raden. Ze geloofde niet dat hij dat echt zou doen, maar hoe kon ze dat zeker weten? De man leek steeds afweziger en keek om de paar minuten op zijn mobiele telefoon. Mevrouw Oliver wilde ook zo'n model en ze had er Cal al om gevraagd. Je kon er niet alleen mee bellen, maar ook mailen en dingen online bestellen.

Weer liet ze haar blik over haar leerlingen glijden. De meesten hielden zich opmerkelijk goed. Zelfs Austin, die anders nog geen dertig seconden op zijn plaats kon blijven zitten, bleef heel rustig. En Natalies kleur was eindelijk weer normaal en niet langer zo bleek dat het leek of ze elk moment zou kunnen flauwvallen. Mevrouw Oliver wilde dat de kinderen mochten lezen of tekenen, iets om hen te ontspannen en de tijd door te komen.

Wat haar vooral zorgen baarde – behalve natuurlijk de angst dat de kinderen iets zou overkomen – was hoe ze zich zouden voelen om terug naar school te gaan als dit alles achter de rug was. Deze school, haar lokaal, hoorde een plek te zijn waar leerlingen zich welkom en veilig voelden. Voor veel kinderen was het een tweede thuis. Als je goed keek en luisterde zelfs een omgeving waar ze zich meer gekoesterd en verzorgd voelden dan in hun eigen huis. Neem bijvoorbeeld Andrew Pippin. Mevrouw Oliver kon het niet bewijzen, maar ze was ervan overtuigd dat de jongen werd mishandeld door zijn stiefvader. Hij had altijd blauwe plekken, steeds met een andere verklaring. En aan het eind van de dag kwam er een nerveuze blik in Andrews ogen. Dan werd hij nog drukker en lastiger dan anders en gingen zijn ogen steeds naar de klok, wachtend tot het tien voor halfvier was.

Dat gevoel van veiligheid op school zou Andrew nu volkomen kwijt zijn, net als de anderen. Alle inspanningen die ze had gedaan om een warme, toegankelijke omgeving te scheppen zouden door deze afschuwelijke man teniet worden gedaan. Hoe langer ze erover nadacht, des te groter haar verontwaardiging. Zouden de kinderen nachtmerries krijgen over school? Zouden ze beginnen te beven en te zweten zodra ze het schoolplein op stapten? Zou hun maag samenkrimpen als ze de trap op liepen en de gang door, naar hun lokaal? Posttraumatisch stresssyndroom heette dat tegenwoordig, en het was een aantoonbare psychische stoornis. Haar hart zou breken als dit alles was wat de kinderen zich ooit van de derde klas zouden herinneren. 'Hoe heette jullie juf in de derde?' zouden mensen vragen, en het enige wat ze zouden kunnen antwoorden was: 'Dat weet ik niet meer. Ik weet alleen nog dat er op een dag een man met een revolver de klas binnen kwam!' 'Een revolver?' zou de ander uitroepen. 'En wat deed jullie juf?' Haar oud-leerlingen zouden droevig hun hoofd schudden, met hun handen in de zak, en zeggen: 'Helemaal niets.'

Mevrouw Oliver wist dat ze al wat ouder begon te worden en vaker dan haar lief was de vraag moest beantwoorden wanneer ze eindelijk met pensioen ging en van het leven zou gaan genieten. Ze wist dat ze op sommige dagen moeite had haar leerlingen bij te houden en meer dan eens bijna in slaap was gesukkeld achter haar tafel. Op een keer, toen Jillie Quinn een spreekbeurt over pinguïns hield, was ze zelfs wakker geschrokken door haar eigen gesnurk. Gelukkig was P.J. Thwaite de enige die het merkte, en hij fluisterde discreet dat zijn opa op zondagochtend vier koppen koffie dronk voordat hij naar de kerk ging om te vermijden dat hem hetzelfde overkwam.

Maar nee, dit was niet de manier waarop mevrouw Oliver afscheid wilde nemen. Ze zou niet komende juni met pensioen gaan om voor altijd bekend te staan als de lerares die niets gedaan had. De laatste herinnering van haar leerlingen aan hun school, voordat die voorgoed zijn deuren sloot en ze naar andere scholen in de omgeving zouden vertrekken, mocht er niet een zijn van doodsangst. Dan zou ze nog liever sterven. In haar achterhoofd hoorde ze Cal met haar discussiëren. 'Kom nou, Evie,' zou hij sussend zeggen, en ze kon zijn hand op haar arm al bijna voelen. 'Je denkt toch niet dat het heilzaam voor de kinderen is om te moeten toezien hoe hun juf wordt neergeschoten?' Natuurlijk had hij gelijk, zoals bijna altijd, maar niet alles wat ze deed hoefde fataal af te lopen. In gedachten maakte ze een lijstje van mogelijke wapens die ze tot haar beschikking had: een schaar, een nietmachine, punaises. Er moest een manier zijn om die man uit te schakelen, in elk geval lang genoeg om de kinderen in veiligheid te brengen.

De man keek op van zijn telefoon en ving mevrouw Olivers blik. 'Wat is er?' vroeg hij. 'Hebt u zelf geen mobiel?'

Ze besloot zich van de domme te houden. Niet iets waar ze trots op was, maar misschien kon haar zogenaamde onnozelheid later nog van pas komen.

'Mijn man gelooft niet in die dingen,' antwoordde ze bedeesd.

'Wat? Alsof het de paashaas is, of zo?' vroeg hij. Een paar hoofden schoten omhoog en haar leerlingen keken haar verbaasd aan.

Ze wierp de man een vernietigende blik toe. Hij hoefde niet hun laatste restjes onschuld in één klap te vermorzelen. Maar de man scheen het niet te merken en boog zich weer over zijn telefoon. In werkelijkheid vond mevrouw Oliver zichzelf best technisch aangelegd. Ze besteedde uren aan het leren van de nieuwste computerprogramma's en zij was degene bij wie collega's om hulp aanklopten bij het maken van een spreadsheet of een PowerPoint-presentatie. Cal geloofde juist wel in mobieltjes en had haar er een gegeven, voor haar eigen veiligheid. Het toestel zat achter de rits van haar zwarte leren tas, die in de onderste linkerla van haar bureau lag. Als ze op een of andere manier bij haar telefoon kon komen, zou ze de politie kunnen bellen dat de overvaller in haar lokaal zat, met een revolver. Maar voorlopig besloot ze af te wachten. Ze kon heel geduldig zijn.

Meg

Samen met chief McKinney kijk ik een reserveagent na als hij weg-rijdt met Gail en haar man. 'En wat nu?' vraag ik.

Hij kijkt me recht aan. 'Nu vraag ik je of het wel goed met je gaat.'

'Hoezo?' vraag ik verbaasd. 'Wat bedoelt u?'

'Je dochter zit ook op deze school.'

'Ja, maar daar is ze nu niet. Ze is bij Tim...'

'Kun je dit wel aan, Meg? Kun je het wel aan als er misschien klasgenootjes van je dochter worden neergeschoten? Of leraren van haar?' vraagt McKinney.

Ik vertrek geen spier. 'Verdomme, chief, u weet toch wel beter dan me dat soort vragen te stellen? Ik ben al bij de helft van die leerlin-gen thuis geweest, om wat voor reden ook, en dat heb ik altijd heel professioneel afgehandeld.'

'Dat weet ik, Meg, maar toch moet ik het vragen. We zijn helemaal op onszelf aangewezen in deze zaak.'

'Kan niemand van het tac team hier komen?' vraag ik.

'Nee, de wegen zitten dicht. Ik heb Waterloo en Cedar Falls ge-beld, in de hoop dat zij nog mensen kunnen sturen om te helpen het publiek in bedwang te houden. Maar het vervoer is een ramp. Het zou nog uren kunnen duren voordat we extra hulp krijgen: ijsstormen in het zuiden, sneeuwstormen in het noorden. We zullen ons moeten redden met het personeel dat we nu hebben. Ondertussen volgen we het vaste scenario voor een lockdown. We moeten precies weten wie er in dat gebouw aanwezig zijn: docenten, leerlingen, overblijfmoe-ders. Ik heb Donna gevraagd om ergens een actuele presentielijst vandaan te halen, met alle contacten. Zodra er leerlingen naar buiten komen, kunnen we de namen van de leerlingen afstrepen en ze aan de ouders overdragen.'

Ik knik naar de menigte. 'Als die kinderen niet snel worden vrijgelaten, denk ik dat een paar ouders ze gaan halen.'

'Dat mag niet gebeuren.' McKinneys stem klinkt hard als graniet. Hij schudt zijn hoofd. 'Verdomme, als die mensen ons niet de kans geven ons werk te doen, en iemand zou iets overkomen... Jezus, wat nou weer?' zegt hij, met een blik over mijn schouder. De punten van zijn snor wijzen opeens nog verder omlaag. Blijkbaar is hij niet blij met wat hij ziet. Ik draai me om. Een groepje mannen komt op ons af. Boeren, te oordelen naar hun bruine Carhartt-overalls, hun petjes met veevoederlogo's en hun geweren. 'Godallemachtig,' mompelt chief McKinney met opeengeklemde tanden.

Will

Will zag de gebroeders Vinson uit hun pick-up stappen met hun geweren en door de sneeuw op weg gaan naar het groepje ouders. Hij opende zijn portier om zich bij hen aan te sluiten.

'Hé, jongens,' zei Will, bij wijze van begroeting.

De twee broers draaiden zich om. 'Morgen, Will,' zei Neal, met een knikje naar de oudere man. 'Dit hebben we nog nooit meegemaakt,' vervolgde hij en hij keek weer naar de school. Neal en zijn broer Ned scheelden twee jaar, maar ze leken wel een tweeling. Ze hadden allebei een lange paardenkop en smalle schouders. En ze stonden bekend om hun opvliegende karakter. Volgens de verhalen had Ned zijn angus-stier, een prijswinnaar, neergeschoten omdat het dier hem tegen de grond had gewerkt. De stier van negenduizend dollar was doodgebloed in zijn wei. Ned zelf beweerde dat het dier runder-tbc had gehad en moest worden afgemaakt voordat het de hele veestapel zou besmetten.

'Wat moeten jullie met die geweren?' vroeg Will onschuldig, hoewel hij wist dat de broers hetzelfde dachten als hij oorspronkelijk van plan was geweest toen hij van huis vertrok.

'Het leek me beter om op alles voorbereid te zijn,' antwoordde Neal voordat hij een dikke fluim in de sneeuw spuugde.

'Zo te zien hebben chief McKinney en zijn mannen de zaak goed in de hand,' zei Will, hoewel het publiek steeds luidruchtiger en opstandiger leek te worden.

'Daarom zijn we ook hier,' zei Neal. 'Om te zien wat er aan de hand is.'

'Die geweren kunnen jullie beter in de auto laten liggen,' raadde Will hun aan. 'Volgens mij heeft McKinney versterking opgeroepen uit de buurt. Laten we voorkomen dat er onnodige slachtoffers vallen.'

'Zitten jouw kleinkinderen daar ook?' vroeg Ned aan Will.

'Ja,' zei Will.

'En blijf jij zomaar toekijken terwijl een of andere gek die kinderen heeft gegijzeld?'

Will haalde zijn schouders op. 'We weten nog niets zeker. Het kan allemaal nog een groot misverstand zijn – een kind van negen met een klappertjespistool.'

'Kom, Ned,' zei Neal ongeduldig. 'Ik krijg het koud. We gaan met McKinney praten, dan horen we het wel.' Vanaf de andere kant van het parkeerterrein kwam er nog een groepje mannen, voorovergebogen tegen de wind en met geweren in hun hand, naar McKinney en de Vinsons toe. 'Verdomme,' zei Will en hij spreidde machteloos zijn handen. 'Ik hoop dat jullie niet worden neergeknald,' mompelde hij zacht. Ergens in de menigte ontdekte hij Verna Fraise, en hij liep haar kant op. Verna en Marlys waren al jaren elkaars beste vriendinnen. Verna was bijna met Marlys meegegaan naar Arizona, in plaats van Will. 'Maar ze is jouw dochter, Will,' had Marlys ongelovig gezegd toen Will had geopperd dat hij beter thuis kon blijven.

'Ik weet wel dat Holly mijn dochter is, maar ze heeft al vijftien jaar geen woord tegen me gesproken. Ik vraag me af of dit het geschikte moment is om mijn gezicht te laten zien.'

'Will, je dochter heeft net een afschuwelijk ongeluk gehad. Denk je dat het haar een flikker interesseert of ze je vijftien jaar niet heeft gesproken?' Will trok verbaasd zijn wenkbrauwen op. Marlys vloekte maar zelden. 'Nee, natuurlijk niet. Ze zal gewoon blij zijn dat haar vader zich om haar bekommert en naar haar toe komt als ze ons nodig heeft.'

Will wist dat Marlys gelijk had. En eerlijk gezegd wilde hij ook graag naar Holly toe, maar hij was bang voor wat hij zou aantreffen. Brandwonden waren verschrikkelijk. In Vietnam had hij de verkoolde restanten gezien van aanvallen door de Vietcong op de dorpen: platgebrande huizen, rokende lijken en, erger nog, dorpelingen die niet bij de brand waren omgekomen maar smeekten om van hun pijn te worden verlost. Will kon de gedachte niet verdragen dat zijn enige dochter zo veel pijn moest verduren.

'Heb je Todd ook ergens gezien?' vroeg Will aan Verna toen hij haar had bereikt.

Ze schudde haar hoofd. 'Wat is er in godsnaam aan de hand?'

'Ik weet het niet, maar zo gauw ik chief McKinney heb gevonden, zal ik het hem vragen,' verzekerde Will haar.

'Hoe is het met Holly?' vroeg Verna zonder haar blik los te maken van de ingang van de school.

'Hetzelfde,' antwoordde Will. Dat was een veilig antwoord dat geen verdere vragen opriep. Hij had die ochtend niet de energie om uitvoerig over Holly's infecties en behandelingen te praten. Hij wilde alleen zijn kleinkinderen uit die school vandaan hebben, veilig terug naar huis. Dan konden ze vanavond hun moeder bellen om haar over hun avontuur te vertellen. Hij kon zich P.J.'s opwinding al voorstellen als hij over zijn woorden zou struikelen, bijna onverstaanbaar, terwijl Augie juist zou proberen koel en nonchalant over te komen. 'O, viel wel mee,' zou ze zeggen.

'Will, heb jij Ray gezien?' vroeg Verna luchtig, maar met een klank in haar stem waardoor Will haar opeens scherp opnam.

'Nee, al in geen weken. Hoezo? Is er iets mis?'

'Je weet dat Darlene en Ray uit elkaar zijn?' Verna wreef met haar gehandschoende handen over haar armen om warm te worden. Darlene Cragg was Verna's dochter. Haar kleinkinderen, Beth en Natalie, zaten in dezelfde klassen als Augie en P.J.

'Ja, dat hoorde ik van Jim toen ik hem zag. Hoe gaat het met Darlene?' Will boog zich naar voren op zijn tenen, om over het hoofd van de man voor hem te kunnen kijken.

'Je zou denken dat het veel beter met haar gaat nu ze uit dat huis vandaan is.' Verna klakte ongeduldig met haar tong en schudde haar hoofd. 'Maar Ray blijft haar lastigvallen. Hij gunt haar geen moment rust. Hij belt haar voortdurend, nu eens om haar te smeken bij hem terug te komen, dan weer om haar de huid vol te schelden en te roepen dat hij de meisjes bij haar weg zal halen, hoe dan ook.'

Will keek om zich heen om te zien of iemand naar hun gesprek luisterde, maar de anderen hadden alleen aandacht voor de school en chief McKinney, die op het punt leek te staan de menigte een uitbrander te geven. Hij boog zich naar Verna's oor en fluisterde: 'Denk je dat Ray hier iets mee te maken kan hebben?'

'Geen idee. Hij is tot de vreselijkste dingen in staat.'

Verna's onderlip trilde en Will schuifelde ongemakkelijk met zijn voeten. Jammer dat Marlys er niet was om haar oude vriendin moed in te spreken. Zelf had hij geen woorden van troost of anderszins voor haar. 'O, daar komt McKinney, als ik het goed zie,' zei Will, blij met de afleiding. 'Je moet hem echt vertellen over je zorgen om Ray.'

Verna snoof en veegde met haar handschoen over haar ogen. 'De chief heeft het al druk genoeg met die burgerwacht daar.' Verna knikte naar de broertjes Vinson en drie anderen, die het nodig hadden gevonden zich te bewapenen. 'Idioten,' mompelde ze.

Weer dacht Will aan het geweer op de voorbank van zijn eigen auto en hij voelde zijn wangen gloeien van schaamte, ondanks de kou.

Meg

'Meg, jij en Aaron kunnen aan het protocol van de lockdown beginnen, dan zal ik me ontfermen over die kinkels daar.' Hij knikt naar een groepje van een man of vijf – gewapende boeren, die opdringen naar het politielint.

'Oké,' zeg ik, terwijl ik me omdraai om het gedetailleerde handboek voor een lockdown te halen. Niet dat ik het echt nodig heb; na de schietpartij op Columbine heb ik het bestudeerd totdat ik het uit mijn hoofd kende, en na het bloedbad bij de Nickel Mines Amish School in Pennsylvania heb ik het nog eens doorgenomen. Punt één: neem het bevel en organiseer een passende reactie. Ik kijk eens naar de chief, die de gewapende boeren de mantel uitveegt, en dan naar het ondergesneeuwde publiek. Gedaan. Punt twee: controleer de toegang tot de school en de bijgebouwen. Niet helemaal. We moeten iedereen die hier niets te zoeken heeft nog van het terrein zien te krijgen, naar een neutraal gebied dat als opvangcentrum kan dienen – een plek waar familieleden informatie kunnen krijgen over hun kinderen en waar de leerlingen kunnen worden verzameld zodra ze veilig uit de school zijn. Als ik dat niet snel aan iemand overdraag, zit ik straks zelf in Lonnie's Café, het aangewezen opvangcentrum, om vragen van wanhopige ouders te beantwoorden. Vergeet het maar. Ik grijp het handboek en loop naar twee collega's die zijn opgeroepen ter assistentie.

'Hé, mensen,' zeg ik energiek. 'Braun, de chief vraagt of jij naar Lonnie's wilt gaan om het opvangcentrum te organiseren. En jij' – ik kijk naar Kevin Jarrow – 'wijst families de weg naar Lonnie's als ze hier om informatie komen vragen.' Ze kijken me allebei weifelend aan. 'Heus. Het staat in het handboek.' Ik wapper ermee.

'En wat wil chief McKinney dat jij doet?' vraagt Jarrow.

Ik slaak een pathetische zucht. 'De media, geloof ik.'

'Ha!' zegt Eric Braun en hij slaat me op de arm. 'Veel plezier ermee.' Het tweetal vertrekt, met een beter gevoel dan een paar seconden geleden.

Ik zie dat Aaron probeert een radeloze moeder te kalmeren die langs hem heen wil dringen, naar de school. Het is een vrouw die ik herken uit Maria's klas, de moeder van een meisje dat Lucy heet. Ik ken de details niet, maar ik weet dat Lucy een beetje anders is dan de rest.

'U bent toch Lucy's moeder?' vraag ik aan de huilende vrouw.

'Ja, ja! Weet u iets?' Ze grijpt me bij mijn jasje. 'Is ze in orde?'

'We hebben geen enkele reden om aan te nemen dat er kinderen gewond zijn. Als er meer nieuws binnenkomt geven we dat door naar Lonnie's, het officiële informatiecentrum totdat de kinderen naar buiten komen.'

'Ik ga hier niet weg!' roept Lucy's moeder. 'Lucy is autistisch en kan er niet mee omgaan als er iets in haar dagrooster verandert. Hebt u ook geen dochter daar?'

Ik hoop dat mijn rustige houding haar wat kan kalmeren. 'Ja. Ze zit zelfs bij Lucy in de klas. De derde klas, van mevrouw Oliver,' voeg ik er luchtig aan toe terwijl ik bij het politielint vandaan loop naar het parkeerterrein. De chief heeft de opstandige boeren al weggestuurd en Jarrow loodst de rest van het publiek terug naar hun auto's en naar Lonnie's. 'Kijk, iedereen gaat naar het café. Daar komt al het nieuws binnen. Ik zou er ook maar heen gaan, als ik u was.'

Lucy's moeder kijkt onzeker van mij naar het parkeerterrein. 'Bent u niet bang?' vraagt ze dan, en ze kijkt me recht aan.

'Nee, hoor,' lieg ik. 'We hebben alles onder controle. Het is voorbij voordat u het weet. Het komt wel goed met Lucy.' Ik glimlach zo overtuigend dat ze nog een paar stappen naar haar auto doet. 'Ga naar Lonnie's en drink een kop koffie om warm te worden.' Ik voel Aarons priemende blik en weet dat hij me de les zal lezen omdat ik tegen Lucy's moeder heb gezegd dat alles in orde is. Voordat ze kan vertrekken en voordat Aaron me kan tegenhouden, ren ik in looppas weg en roep nog over mijn schouder: 'Hé, Aaron, daar heb je de media.' En inderdaad rijdt er een busje van Channel Three het parkeerterrein op. Een cameraman en een flitsend geklede verslaggeefster springen eruit. De vrouw glijdt uit op het ijs en valt bijna op haar kont. 'De chief vroeg of jij het perscentrum wilde organiseren om alle vragen te beantwoorden.'

'Wat?' vraagt Aaron verbaasd.

'De media. Punt 3.3.4 (e) in het handboek.' Ik gooi het hem toe. 'Bedankt. Maar nu moet ik rennen.'

Mevrouw Oliver

P.J. Thwaite staarde de indringer nog altijd aan, met een strakke, onverzettelijke blik. Eindelijk keek de man op van zijn telefoon. 'Wat is er?' vroeg hij de jongen.

'Bent u ooit in Revelation in Arizona, geweest?' vroeg P.J. aarzelend, bibberend van de zenuwen.

'Nee,' zei de man kortaf. Hij liep naar het raam en trok voorzichtig de lamellen van de zonwering van elkaar om naar buiten te kunnen kijken.

'Dat is vlak bij Phoenix.'

De man reageerde niet op P.J. Mevrouw Oliver probeerde nog eens P.J.'s aandacht te trekken, maar hij was vastbesloten haar te negeren. 'Hebt u ooit iemand ontmoet die Holly Baker heet?'

'Ik ben nog nooit in die stad geweest, en Holly Baker ken ik niet,' zei de man verstrooid.

P.J. beet peinzend op een vingernagel. 'U zou het nog wel weten als u haar had gezien. Ze is heel knap...'

De man keek geërgerd op. 'Wat klets je nou?' vroeg hij ongeduldig.

'P.J., hou je mond,' zei mevrouw Oliver streng. P.J. keek nijdig naar zijn tafelblad en de man tuurde weer uit het raam.

In sommige opzichten deed P.J. mevrouw Oliver aan haar dochter Georgiana denken: lief, maar koppig. Ze vroeg zich af wat haar kinderen op dit moment deden. En Cal. Zouden ze weten wat zich op de school afspeelde? Reden haar kinderen nu door de sneeuwstorm om naar haar toe te komen? Ze had haar eigen kinderen ook in de derde klas gehad, op deze zelfde school. Ze herinnerde zich nog dat ze hun had gezegd haar mevrouw Oliver te noemen als ze op school waren, en niet mama. 'Wat raar!' had Georgiana geroepen, die toen acht was. 'Wie noemt er zijn moeder nou mevrouw?' Maar mevrouw Oliver had voet bij stuk gehouden. Nog altijd noemde Georgiana haar mevrouw Oliver, vol affectie. Achteraf vroeg ze zich af of het wel zo verstandig was geweest. Zou Georgiana op haar begrafenis ook zoiets zeggen? Dat 'mevrouw Oliver' een geweldige moeder was geweest? Mevrouw Oliver rilde bij die gedachte.

Zou Cal nu buiten staan, tussen de ouders van de leerlingen, en van de politie de waarheid eisen over wat er precies gebeurde? Of verkeerde hij nog in zalige onwetendheid en zat hij rustig in zijn lievelingsstoel zijn cryptogram op te lossen, terwijl hij zo nu en dan een brokje van een chocoladereep brak? Hopelijk wist hij nog van niets. Cal maakte zich toch al te veel zorgen. Als hij het wist, zou hij proberen de oprit sneeuwvrij te maken, en dat viel niet mee voor een man van drieënzeventig. Hij stond niet meer zo stevig op zijn benen als vroeger, en mevrouw Oliver was bang dat hij zou uitglijden op het ijs, of tegen een boom zou rijden, of erger nog. Vanaf de eerste dag dat ze elkaar kenden was het altijd Cal geweest die haar te hulp kwam.

Cal was naar het huis van de Fords gekomen om de wasmachine te repareren, die het had begeven terwijl hij een wasje draaide met het ondergoed van de oude meneer Ford. Toen Cal binnenkwam met zijn gereedschapskist en zijn schaapachtige grijns had ze nooit kunnen denken dat ze zulke goede vrienden zouden worden en uiteindelijk zelfs man en vrouw. Ze was gewoon blij met iemand om mee te praten behalve mevrouw Ford, die eindeloos kon doorgaan over haar overleden zoon. Niet dat Evelyn een hekel had aan die verhalen over George' jeugd, heus niet, maar het deed haar pijn. Ze dacht liever aan George terug in de beslotenheid van haar slaapkamer, waar ze zijn schoolfoto tevoorschijn haalde en naast haar hoofd op het kussen legde. Op die eindexamenfoto was zijn haar van zijn voorhoofd gekamd en droeg hij zijn enige pak. Hij grijnsde al zijn tanden bloot en ze zag de lach in zijn ogen, nauwelijks bedwongen. Evelyn hield van die foto van George, terwijl mevrouw Ford juist een voorkeur had voor George' militaire foto, waarop hij zijn modeluniform droeg met de glimmende koperen knopen. Zijn haar, onder de witte pet met de zwarte klep, was gemillimeterd, waardoor zijn oren opzij leken te steken als de oren van een suikerpot. Zijn gezicht stond introvert en ernstig, helemaal niet als George. Daarom keek Evelyn nooit lang naar die foto.

Toen Cal Oliver voor het eerst binnenstapte en de krakende trap naar de kelder afdaalde, waar de wasmachine stond, liep Evelyn achter hem aan. 'Je kunt hem toch wel repareren?' vroeg ze, terwijl ze op de diepvrieskist ging zitten.

'Dat weet ik nog niet,' antwoordde Cal verstrooid.

'Ik hoop het maar,' zei Evelyn. Ze keek eens naar haar handen, die rood waren en vol kloven zaten doordat ze alles op de hand had gewassen.

'Nou, wasmachines zijn net als mensen. Ze hebben maar een beperkte tijd op deze aarde. En sommige gaan langer mee dan andere.' Toen Evelyn niet lachte of commentaar had op zijn grapje keek Cal op en zag de verslagen uitdrukking op haar gezicht. 'Gaat het?' vroeg hij bezorgd.

'Ja. Maar stel dat die wasmachine nou in een hinderlaag werd gelokt door een bende... vuil ondergoed, en voortijdig zou overlijden? Dat lijkt me niet eerlijk.'

Evelyn verwachtte dat Cal zijn wenkbrauwen zou optrekken en haar zou vragen hem met rust te laten, zodat hij zijn werk kon doen. Maar dat deed hij niet. In plaats daarvan zei hij iets heel merkwaardigs: 'Dan zou ik denken dat het een heel dappere wasmachine was. Dat hij deed wat hij moest doen: de wereld bevrijden van de onderdrukking door vuil en viezigheid. Dan zou ik denken dat die wasmachine weliswaar voortijdig aan zijn einde was gekomen, maar dat hij wel zijn plicht had gedaan, zodat andere wasmachines veilig konden doorgaan met hun werk en nog heel lang konden leven.'

'O,' was alles wat Evelyn wist uit te brengen. Maar ze voelde zich een stuk beter. De rest van de middag gaf ze Cal zijn gereedschap aan, terwijl ze met elkaar kletsten. Evelyn vertelde Cal alles over George en haar leven met de Fords, en Cal vertelde haar dat hij vanwege een hartruis was afgekeurd voor militaire dienst, maar dat zijn oudere broer was gesneuveld in Bihn Gia. Hij ging er niet dieper op in, maar uit zijn opmerkingen leidde Evelyn af dat hij zich zowel schuldig als opgelucht voelde dat hij niet had kunnen vechten voor zijn land.

Opeens schoten zeventien geschrokken lichamen rechtovereind in hun stoel bij het geluid van de laatste bel, om tien voor halftwee. Mevrouw Oliver schoof naar de ramen toe en tuurde door de zonwering. Door het raam van de klas zag ze dat de staalgrijze lucht steeds meer betrok. Er dreigde weer sneeuw. Achter haar hoorde ze het schrapen van stoelpoten over het linoleum, gevolgd door de schuifelende voetstappen van een van haar leerlingen.

'Het is tijd om te gaan,' zei Lucy op die karakteristieke mechanische toon van haar. Ze bleef naast haar lerares staan. 'Tijd om afscheid te nemen.'

Mevrouw Oliver waagde een blik naar de indringer. Ze zou graag zijn naam hebben geweten, zodat ze hem kon aanspreken. In de politieseries waar Cal naar keek vroeg de onderhandelaar altijd naar de naam van de gijzelnemer, alsof hij een tragedie zou kunnen voorkomen als hij maar wist hoe die maniak heette. Meestal werkte dat. Mevrouw Oliver wachtte nog steeds op de stem van een politieman door een megafoon: *Je bent omsingeld, Bill (of Larry, of Alphonse). Kom naar buiten, met je handen in de lucht.*

'Ga terug naar je plaats en blijf daar zitten,' zei de man tegen Lucy. 'Het is nog geen tijd om te gaan.'

Lucy wrong haar handen, zoals ze deed wanneer haar zorgvuldig geconstrueerde schema, compleet met plaatjes en pictogrammen, werd verstoord. 'De bel is gegaan. De bus komt eraan.' Lucy richtte haar woorden tot mevrouw Oliver. Terecht voelde ze aan dat deze man geen vriend van haar was en duidelijk geen rekening hield met de klok.

'Lucy, schat,' zei mevrouw Oliver sussend, 'de bussen zijn vandaag een beetje te laat.' Bijna wenste ze dat mevrouw Telford, Lucy's paraprofessionele hulp die haar begeleidde bij de problemen in de klas, vandaag aanwezig zou zijn geweest, maar ze was ergens op een cruise in de Cariben.

Lucy wrong haar handen nog harder, totdat haar vingers wit weg-trokken. 'De bus gaat vertrekken, mevrouw Oliver,' hield ze vol.

'Zorg dat ze gaat zitten,' beval de man. 'Het duurt nu niet lang meer. Dan kan ze naar huis. Zeg haar dat maar.'

Lucy was naar haar tafeltje gelopen, klapte het houten tafelblad omhoog en haalde een stapeltje boeken uit het kastje. 'Tijd om naar de bus te gaan,' zei ze, net als iedere dag om deze tijd, maar met een verstikte stem van angst. 'Tot ziens en een prettige voorjaarsvakan-tie,' voegde ze eraan toe, op weg naar de deur.

'Hé!' riep de man. 'Blijf hier!' Hij sprong van zijn kruk en greep Lucy ruw bij de capuchon van haar sweatshirt.

Tegen de tijd dat mevrouw Oliver overeind was gekomen, met een rug die protesteerde tegen zo'n onverwachtse beweging, sleepte de man het meisje al naar haar tafeltje terug. 'Laat haar los!' riep mevrouw Oliver en ze hinkte naar hen toe. 'Laat dat kind los. Nu meteen!'

'Hoor eens,' snauwde de man, worstelend met een tegenspartelen-de Lucy, 'ik wil niet dat er slachtoffers vallen, net zomin als u, maar zeg tegen die kinderen dat ze blijven zitten en hun kop houden!'

'Laat haar gaan!' zei mevrouw Oliver nog eens, terwijl ze probeer-de zijn vingers los te wrikken van de arm van het jonge meisje. 'Ze wil niet aangeraakt worden. Laat haar los, dan zal ik met haar praten. Ik krijg haar wel rustig.'

De man liet haar abrupt los en Lucy viel huilend op de grond. Me-vrouw Oliver liet zich voorzichtig zakken, net als drieënveertig jaar geleden, toen Bert Gorse uit die boom was gevallen. Haar gewrich-ten kraakten bij elke beweging. 'Kalm maar, Lucy. Sst...' fluisterde ze het meisje in haar oor, terwijl ze erop lette dat ze haar niet aanraakte. Mevrouw Oliver begreep ook niet waarom, maar Lucy reageerde op onverwachte aanrakingen alsof iemand haar hand boven een kaars-vlam hield. 'Sst... Het komt wel goed. Een kleine verandering in de plannen, geen probleem. We hebben daar al eens eerder over ge-praat.'

'Maar de bel ging!' Lucy hikte. 'De kleine wijzer stond op de een en de grote wijzer op de vier. Tijd om op de bus te stappen.' Lucy, die op haar rug lag, met haar knieën omhoog, begon nu met haar voeten op de grond te bonken, eerst langzaam en ritmisch, maar toen sneller en met meer geweld. Het dreunde door het lokaal. Mevrouw Oliver hoorde de reacties en het gekreun van de andere leerlingen. Lucy's aanvallen waren al lastig op een gewone dag, maar regelrecht beangstigend als er iemand met een revolver voor de klas zat.

'Lucy, hou op! Straks doe je jezelf nog pijn,' zei mevrouw Oliver sussend, terwijl ze een hand op Lucy's knieën legde om haar te kalmeren.

'Kleine wijzer op de een, grote wijzer op de vier. Tijd – om – te – gaan!' Lucy klemde haar kaken op elkaar, kneep haar ogen stijf dicht en sloeg bij elk woord met haar hakken tegen de vloer.

'Niet te geloven,' mompelde de man. 'Zorg dat ze daarmee ophoudt.'

Mevrouw Oliver keek hulpeloos naar hem op. 'Dat lukt niet. Ze raakt in alle staten. Het moet vanzelf weer overgaan. Geef haar wat tijd.'

'Ik kan niet nadenken als dat kind zo ligt te brullen,' zei hij en hij keek naar de witte klok met de zwarte wijzers die aan de muur boven de deur hing. Vanaf haar positie op de grond kon mevrouw Oliver de schoenen van de man zien: nette, glimmend gepoetste bruine schoenen. Goede kwaliteit, niet te duur, maar niet de schoenen van een maniak, dacht ze. Heel even verlieten die schoenen de vloer en het volgende moment hoorde ze een klap toen de klok van de muur werd geslagen en tegen de vloer kletterde. Het glas brak en de zwarte wijzers bleven stilstaan op de een en de vijf. Het lawaai veroorzaakte weer een gegil onder de leerlingen, die nog op hun plaatsen zaten, maar Lucy's gejammer smoorde in haar keel en opeens zweeg ze. Vol ontzetting zag mevrouw Oliver dat het gezicht van het meisje akelig blauw verkleurde. Ze wilde haar al op haar buik draaien om haar op haar rug te kloppen, toen ze een rochelend geluid hoorde. Lucy sperde haar ogen open, haalde diep adem, begon te brullen en beukte weer met haar hakken tegen de vloer.

'Jezus,' zei de man verslagen. 'Waar komt die op uit?' vroeg hij toen, wijzend naar een deur in de hoek van het lokaal.

'In een voorraadkast,' antwoordde mevrouw Oliver luid, om Lucy's geschreeuw te overstemmen. 'De deur van het lokaal is de enige weg naar buiten,' voegde ze eraan toe, in de hoop dat hij in elk geval Lucy zou laten gaan.

'Maak open,' beval hij de jongen die het dichtst bij de voorraadkast zat. De jongen bleef zitten, verstijfd van angst. Zijn ogen gingen schichtig heen en weer tussen mevrouw Oliver en de man, terwijl hij aarzelde wat te doen.

Mevrouw Oliver knikte tegen hem. De jongen stond behoedzaam op, draaide aan de kruk, trok de deur open en liet hem meteen weer los, alsof hij onder stroom stond. Haastig ging hij weer zitten. De man bukte zich, tilde Lucy op, droeg haar naar de deur, zette haar op de vloer van de voorraadkast, deed de deur dicht en zette hem klem met een stoel onder de deurkruk. 'Dat kunt u niet doen,' protesteerde mevrouw Oliver. 'Dat accepteer ik niet.' Ze verhief zich krakend op haar knieën, zwaaide even heen en weer en stond moeizaam op. De man deed drie lange stappen naar haar toe en greep haar bij haar overgooier, waardoor er een paar geborduurde kraaltjes over de grond rolden. Hij sleurde haar mee naar de voorkant van het lokaal.

'Ga zitten,' beval hij, 'of u komt ook in die kast terecht, samen met haar.' Lucy's gejammer klonk gedempt, maar duidelijk genoeg. Iemand moest haar toch horen schreeuwen? Er moesten toch mensen klaarstaan om te helpen? Mevrouw Oliver slikte haar tranen weg en berispte zichzelf in stilte om zo veel vertoon van emotie, dat helemaal niet bij haar paste. In haar drieënveertig jaar voor de klas was ze niet één keer in huilen uitgebarsten tegenover haar leerlingen. Zelfs niet toen ze het hartverscheurende einde van *Shiloh* voorlas, waar de hele klas om moest huilen, zelfs de jongens. En ook niet toen meneer Dutcher naar haar lokaal kwam om haar te vertellen dat Shirley Ouderkirk, de lerares van de achtste klas met wie ze jaren had gewerkt, die ochtend bij een verkeersongeluk om het leven was gekomen. Ook huilde ze niet op 9/11, toen alle andere leraren in het gebouw het nieuws op de tv in hun lokaal lieten zien. Niet omdat ze tranen een teken van zwakte vond, daar ging het niet om. Maar ze had jaren haar best gedaan om haar emoties gescheiden te houden van haar werk als lerares. Ze had zo veel mishandelde kinderen meegemaakt, leerlingen die aan afschuwelijke ziekten stierven, de scheiding van hun ouders moesten verwerken of last hadden van eenvoudige verdrietjes die voor een kind van acht een geweldige tragedie konden zijn. Niet dat zulke dingen haar niet aangrepen. Juist wel, besefte ze nog eens. Misschien zelfs te veel. Maar wat schoten de kinderen ermee op als ze hun lerares in elkaar zagen zakken, overmand door tranen?

Meg

Tegen de tijd dat ik chief McKinney heb bereikt, begint de menigte zich al te verspreiden. Aaron worstelt met de tv-journaliste en mijn handen zijn definitief bevroren. Iedereen verstijft een moment als vanuit het gebouw het gedempte geluid van de schoolbel klinkt. Ik merk dat ik mijn adem inhoud, hopend dat er een vloedgolf van leerlingen uit de school zal stromen, joelend van blijdschap dat het vakantie is. Maar nee. De deuren blijven dicht.

'Verdomme,' mompelt de chief als duidelijk wordt dat er niemand naar buiten komt. Nog niet, tenminste.

'Braun bemant het opvangcentrum,' zeg ik tegen hem. 'Jarrow zal de ouders de weg wijzen die wat later komen en Aaron heeft de media onder controle.'

'Aaron? De media?' vraagt hij fronsend.

Ik haal mijn schouders op. 'Hij was wel erg blij dat hij het mocht doen.'

De chief kijkt me sceptisch aan en schudt de sneeuw van zijn jas.

'En nu?' vraag ik.

'De meeste van dit soort incidenten zijn binnen twintig minuten opgelost. Goedschiks of kwaadschiks. Dit is nu al' – hij kijkt op zijn horloge – 'drie kwartier aan de gang. Maar we moeten ons erop voorbereiden dat het nog veel langer gaat duren.' Hij schudt zijn hoofd. 'Het is ook zo'n ouderwetse school, verdomme. De enige beveiligingscamera hangt bij de deur en daar kunnen we niet bij komen.'

'Dit wordt het laatste jaar dat de school nog open is, en ik denk dat het bestuur er niet meer geld aan wilde besteden,' zeg ik.

'Ja. Daar zullen ze nog spijt van krijgen.' Chief McKinney haalt een zakdoek tevoorschijn en snuit zijn neus. 'Eén camera, geen zoemer om de mensen binnen te laten, en de indeling van dat gebouw...' Hij rolt met zijn ogen. 'Het zal uren kosten om het helemaal te doorzoeken. Een nachtmerrie, met al die vleugels, hoeken en gaten. Heb jij een plattegrond?'

'Ja, in de auto,' zeg ik tegen hem. Het was een onderdeel van onze training voor dit soort incidenten om plattegronden in onze patrouillewagens bij de hand te houden in verband met de veiligheid van de school.

'Ga maar halen. We moeten die telefoontjes naar het alarmnummer afluisteren om te zien of we de positie van de overvaller kunnen vaststellen. Jay Sauter komt met zijn camper hiernaartoe, als provisorische commandopost. Daar zullen we de blauwdrukken uitspreiden en onze gegevens vergelijken met de informatie van Randall bij de meldkamer. Hopelijk kunnen we contact krijgen met het schoolhoofd voor wat meer informatie.'

'Nog nieuws over het tac team?' vraag ik hem.

'Er is maar één vent uit Waterloo die hier zou kunnen komen. De wegen zijn onbegaanbaar. Het zal uren duren voordat we een team kunnen verwachten.' Moedeloos laat hij zijn schouders hangen.

'Ik zal de plattegrond halen. En wat doe ik daarna?' vraag ik. Ik heb met hem te doen. Ik zou voor geen goud in McKinneys schoenen willen staan. Bijna alle kinderen uit Broken Branch tussen de vijf en de achttien zitten opgesloten in dat gebouw, met een gewapende indringer van wie we de motieven niet kennen.

'Meg, probeer erachter te komen wie die school is binnen gedrongen. Bel het schoolhoofd om te vragen wat zij weet. Zijn er ruzies geweest over voogdij, weet ze iets over oud-leraren met een wrok, of leerlingen die een rekening willen vereffenen?'

Ik knik en laat de enorme omvang van deze operatie tot me doordringen. Elk snippertje informatie kan van levensbelang zijn.

'En als je het hoofd gesproken hebt, praat dan nog eens met die secretaresse. Niemand weet meer over wat zich binnen een organisatie afspeelt dan de secretaresse.'

'Oké,' zeg ik, als Jay Sauter, een oude vriend van de chief, het parkeerterrein van de school op draait in zijn aftandse camper en abrupt tot stilstand komt in een sneeuwhoop.

'Jezus,' mompelt hij. 'Nou ja, in elk geval is het daar warm.'

Will

Het publiek voor de school werd als een kudde weggeleid. Will begreep dat het noodzakelijk was om burgers daar weg te halen, ter wille van het politiewerk en hun eigen veiligheid, maar toch irriteerde het hem. Hij verkeerde niet graag in het ongewisse, en hoewel hij een groot vertrouwen had in chief McKinney, die hij al jaren kende, zou hij zich toch prettiger voelen als hij wist wat de strategie was – en óf er een strategie was.

'Heb jij vervoer naar Lonnie's?' vroeg hij aan Verna, die knikte.

'Ik ga eerst bij Darlene kijken hoe het met haar is. Ze wacht in de auto.'

'Dan zie ik je daar,' beloofde Will. 'Ik wil nog snel een paar woorden wisselen met McKinney.' Will wachtte totdat McKinney de gebroeders Vinson en de anderen die een wapen bij zich hadden de mantel had uitgeveegd. Onwillekeurig moest hij grinniken. McKinney was maar een meter zeventig lang en tenger van postuur. Het grootste aan hem was zijn snor, maar hij straalde gezag uit en als hij iets zei luisterden de mensen.

Toen Neal en Ned schaapachtig waren afgedropen, met hun geweren bungelend in hun hand, stapte Will op McKinney af, die als begroeting moedeloos zijn hoofd schudde. 'Achterlijke knapen. Dat geloof je toch niet?'

'Ach, de onbezonnenheid van de jeugd,' antwoordde Will, terwijl hij inwendig ineenkromp.

'Nou ja, ik heb geen tijd voor die flauwekul,' zei McKinney, terwijl hij de sneeuwvlokken van zijn wimpers knipperde. 'Door die verrekte sneeuwstorm zijn de I-80 en de I-35 afgesloten.'

'Wat heeft dat ermee te maken?' vroeg Will ongeduldig. Hij

maakte zich zorgen over wat er gebeurde op de school van zijn klein-kinderen. Het weer en de wegen konden hem niet schelen.

'Wat dat ermee te maken heeft? Door de sneeuw kan het tac team – politiemensen die zijn getraind om met dit soort incidenten om te gaan – hier niet komen,' zei McKinney scherp. 'Ik moet me dus behelpen met mijn eigen mensen en een paar agenten uit de dorpen in de buurt.'

'U hebt hier een dorp vol scherpschutters,' bracht Will hem in herinnering. 'Jagers die een hert kunnen neerleggen van driehon-derd meter afstand.'

'Ik heb geen scherpschutters nodig, Will,' antwoordde McKinney vermoeid. 'Wat ik nodig heb zijn specialisten. Als die overvaller be-gint te schieten zijn zij de enigen die hem uit dat gebouw kunnen halen – dood of levend, dat maakt me niet uit – en de kinderen en leraren veilig naar buiten kunnen krijgen. Bovendien heb ik niemand die ervaring heeft in het onderhandelen met een gijzelnemer.'

'Waarom zou u onderhandelen? Kunt u hem niet bevelen naar buiten te komen, omdat u hem anders met geweld komt halen?' op-perde Will.

'Je moet nooit een dier dat gevaarlijker is dan jij in de hoek drij-ven.' McKinney krabde aan zijn gezicht. 'Hoor eens, Will, ik moet weg. Ik wil telefonisch overleg met een teamleider en een politie-onderhandelaar uit Des Moines.'

'Als u me nodig hebt, chief, sta ik voor u klaar,' beloofde Will. 'Mijn kleinkinderen zitten in die school en ik wil alles doen om ze daar weg te halen. Holly heeft al genoeg ellende. Dit kan er niet meer bij.'

'Dat begrijp ik, Will.' McKinney sloeg hem op zijn schouder. 'Je kunt me wel helpen door je oren open te houden bij Lonnie's. Luis-ter naar wat de mensen zeggen, wie ze denken dat die indringer zou kunnen zijn.'

'Verna Fraise verdenkt haar schoonzoon, Ray Cragg. Hij en Dar-lene hebben een onaangename scheiding achter de rug.'

McKinney knikte. 'We zullen het in gedachten houden. Bedankt voor de informatie.' De twee mannen gaven elkaar een hand en Will liep over het nu bijna verlaten parkeerterrein naar zijn pick-up, die was verdwenen in een cocon van sneeuw. Met zijn mouw veegde hij de dikke laag sneeuw van de voorruit. Toen keek hij nog eens naar de school, die nauwelijks meer te zien was door het gordijn van dansende sneeuw.

Uit zijn tijd in Vietnam wist hij maar al te goed hoe moeilijk het was om te vechten tegen een vijand die je niet kon zien, niet kon lokaliseren. Eerst zou hij naar Lonnie's rijden en Daniel bellen om te vragen of alles goed ging met het kalveren. Misschien zou hij ook Marlys nog bellen om haar te vertellen wat hier gebeurde. Zo'n incident in een klein stadje in Iowa zou waarschijnlijk het nationale nieuws niet halen, maar je wist het nooit. Het zou een ramp zijn als Marlys en Holly het op de televisie moesten zien voordat ze nog enig idee hadden wat zich afspeelde. Daarna zou hij misschien zelf naar de boerderij van Ray Cragg rijden voor een vriendschappelijk bezoekje. Het zou een hele geruststelling voor hem zijn om te weten dat zijn buurman, die was getrouwd met de dochter van een goede huisvriendin, in elk geval niet in staat was een hele school met onschuldige kinderen te gijzelen vanwege een echtelijk conflict.

Augie

De laatste bel gaat op het moment dat meneer Ellery met Beth terugloopt naar haar plekje op de grond naast mij. Ze huilt nog wel, maar zachter nu, niet meer zo wanhopig. 'Het spijt me,' fluister ik, maar ze schuift zo ver mogelijk bij me vandaan. Noah grijnst smalend naar me en ik moet me bedwingen om hem niet in zijn oog te prikken met de aanwijsstok van meneer Ellery, die hij op de rand van zijn bureau heeft laten liggen.

Boven ons hoofd hoor ik een dreunend geluid, eerst vaag, dan luider, alsof iemand op een trommel slaat. Of met zijn hoofd tegen de vloer beukt. Iedereen kijkt omhoog. 'Wat is dat?' vraagt Beth. 'Wat gebeurt er?'

Meneer Ellery loopt weer naar de deur en doet hem voorzichtig open. Het gedreun gaat door, nog harder en sneller. 'Ik ga boven kijken.' Hij werpt ons een blik toe alsof hij zich excuseert. 'Ik denk dat er iemand wordt geslagen,' probeert hij uit te leggen. 'Jullie blijven zitten. Wat er ook gebeurt, jullie blijven op je plaats.' Hij stapt de gang in en trekt de deur zachtjes achter zich dicht.

'Dit is krankzinnig,' zegt Noah op normale, luide toon. Drie anderen sissen tegen hem om stil te zijn. 'Wat?' vraagt hij, zogenaamd geschrokken.

'Hou je kop, Noah,' zegt Amanda, met een angstige blik naar de deur. 'Straks hoort hij je nog.'

'Wat een gelul,' antwoordt Noah. Zonder zich iets van Amanda aan te trekken vervolgt hij nog luider: 'Ik zie politiewagens, achter het raam. Laten we gewoon naar buiten klimmen en wegwezen.'

'En als er meer dan één indringer is?' vraagt Drew. 'Stel dat ze wapens hebben?'

'Dat is juist het punt,' houdt Noah vol. 'We weten helemaal niks. We hebben mobieltjes, maar die mogen we niet gebruiken van meneer Ellery. Hoe kunnen we weten wat er aan de hand is als we met niemand kunnen praten?'

'Waarom is meneer Ellery nog niet terug?' vraagt Beth.

We kijken allemaal naar de deur.

'Hij laat ons gewoon barsten,' snuift Noah. 'Echt iets voor hem.'

'Hij zou ons hier heus niet laten zitten als het anders kon,' zeg ik nijdig. Maar ik vraag me af of dat wel zo is. Het gedreun is afgelopen en niet ver van ons lokaal is een buitendeur die uitkomt op het parkeerterrein van de docenten. Hij kan gemakkelijk de klas uit zijn gelopen, de deur door naar buiten, en in zijn auto zijn gestapt om weg te rijden.

'Waar is hij dan?' vraagt Amanda. 'Waarom is hij nog niet terug?'

'Misschien heeft die vent hem te pakken gekregen,' oppert Felicia. 'Misschien is hij neergeschoten.'

'Heb jij dan een schot gehoord, Einstein?' vraagt Noah sarcastisch.

Ik doe ook een duit in het zakje: 'Ze kunnen ook geluiddempers hebben, of tasers, of honkbalknuppels. Misschien hebben ze hem wel gegijzeld, Noah.'

'Nou, ik ga er niet op wachten.' Noah staat op en loopt naar het raam, dat met ijsbloemen is bedekt. Veel kun je er niet door zien. Hij blaast op het glas om een kijkgaatje te maken. 'Ja, er staat overal politie.' Dan kijkt hij over zijn schouder. 'Gaat er iemand met me mee?'

Niemand geeft antwoord. Iedereen kijkt naar elkaar, wachtend tot een ander iets zal zeggen.

'Misschien kunnen we beter op meneer Ellery wachten,' zegt Drew ten slotte.

'Hij is al tien minuten weg!' valt Noah uit. 'Hij heeft de benen genomen! Hij trekt zich geen flikker van ons aan en heeft ons gewoon hier laten zitten!' Noahs gezicht is bleek en verwrongen van woede. Voor het eerst besef ik dat hij net zo bang is als wij allemaal. Boven ons hoofd is het gedreun eindelijk opgehouden, maar om een of andere reden is dat nog beangstigender dan wanneer het was doorgegaan. Noah maakt de twee grendels van een van de grote ramen los en zet kracht, totdat het raam openschuift. Een frisse, koude wind waait het lokaal binnen en verjaagt de zweetlucht van tweeëntwintig bange, dertienjarige kinderen. Een voor een staan we op en lopen naar het raam. Zelfs ik. Noah trekt aan de hor die ons nog van de vrijheid scheidt, maar het ding komt niet los van het kozijn. Enkele tientallen meters verderop hebben de agenten aan de rand van het parkeerterrein gezien dat er iets gebeurt in ons lokaal. Sommige politiemensen lijken hun wapen te trekken.

'Voorzichtig,' zeg ik onwillekeurig tegen Noah en hij kijkt me aan alsof ik gek ben. Drew komt naast hem staan en samen geven ze de hor een flinke duw, totdat hij een meter omlaag tuimelt, op de grond naast de muur. Om de beurt klimmen mijn klasgenoten door de opening en rennen zo snel als ze kunnen naar de politie toe. Mensen roepen en ik zie dat Noah en Drew blijven staan en hun armen in de lucht steken. De anderen doen hetzelfde. Ik vraag me af of ik hen moet volgen. Noah en Tommy krijgen dekens om hun schouders gewikkeld. Ik zou niets liever willen dan een deken om mijn schouder. Ik verlang er zelfs naar mijn opa weer te zien. Dus hijs ik me op de vensterbank, gooi een been over de rand en kijk over mijn schouder. Beth is nog de enige in het lokaal. 'Ga je mee?' vraag ik.

Ze bijt op haar lip en schudt haar hoofd. 'Ik moet gaan kijken of het mijn vader is,' zegt ze schor.

In de verte zie ik een politieagente die me wenkt. Ze zwaait met haar arm als een molenwiek. 'Kom nou!' roept ze.

Ik denk aan P.J., die altijd naar de wc moet als hij zenuwachtig is of bang. Het laatste wat die jongen mag overkomen is de sociale zelfmoord om in zijn broek te plassen waar zijn klasgenoten bij zijn. Ik schud mijn hoofd tegen de agente. Ze laat haar arm zakken en zelfs van die afstand zie ik het ongeloof op haar gezicht. Ik draai me bij de agente en de vrijheid van het parkeerterrein vandaan. Beth kijkt me aan, wachtend wat ik zal doen. Ik steek mijn arm uit. Beth grijpt mijn hand en trekt me weer het lokaal in.

Holly

Mijn moeder zit te soezen in een stoel tegenover mijn ziekenhuisbed. Ik heb haar al honderd keer gezegd dat ze terug moet gaan naar het kleine appartement dat ze heeft gehuurd, een paar straten verderop, zodat ze behoorlijk kan slapen, maar ze wuift het altijd weg en zegt: 'Later kan ik nog genoeg slapen.' Typisch mijn moeder. Ik geloof dat ik haar nooit heb zien slapen toen ik opgroeide op de boerderij. Ze was altijd wakker als ik 's ochtends opstond en ik ging altijd eerder naar bed dan zij. Elke Moederdag werd een fiasco omdat niemand van ons zich vroeger uit bed wist te slepen dan onze moeder om haar ontbijt op bed te brengen.

Mijn vroegste herinnering aan de boerderij is dat ik voor het hek van de veeweide stond en keek naar onze hond, Frisbee, die tussen de knobbelknieën van de vaarzen heen zigzagde. Mijn vader had me altijd gewaarschuwd uit de veeweide te blijven, en zeker uit de buurt van de nieuwkomers, die nog schichtig waren en bij elk geluidje of iedere beweging naar de uiterste hoeken vluchtten.

Ik droeg die dag een lichtblauwe zonnejurk die bij de hemel kleurde, en mijn bemodderde rubberlaarzen. Het was een warme zomerdag en zo nu en dan deed een zachte bries mijn jurk opwaaien, die ik giechelend weer omlaag trok. Ik keek naar Frisbee toen hij midden in de wei bleef zitten, met rechte rug, doodstil. Zelfs als kind van vier wist ik dat hij niet veel goeds in de zin had. Koeien zijn nieuwsgierige beesten en ze kwamen langzaam naar hem toe, heel voorzichtig, stap voor stap. Frisbee bleef roerloos zitten. Een van de vaarzen, met lepeloren en de kleur van de anijssnoepjes die mijn vader altijd in zijn zak had, deed een stap naar Frisbee toe en liet haar brede snuit naar de zijne zakken, alsof ze hem een kus wilde geven. Op dat moment sprong Frisbee hoog de lucht in en beet de nietsvermoedende koe zachtjes in haar neus, waardoor zij en de andere geschrokken dieren naar de verste hoek van de wei renden. Frisbee maakte een paar triomfantelijke sprongen door de wei, aangemoedigd door mijn gejuich, en kwam toen terug naar het midden, waar het hele spel weer van voren af aan begon.

Ik weet nog dat ik het erf rond keek of er niemand in de buurt was. Maar ik was alleen. Ik hees mijn jurk op, klauterde tussen de latten van het hek door en ging naast Frisbee zitten, midden in de wei. Daar wachtten we terwijl de nieuwsgierige koeien langzaam dichterbij kwamen, met wiegende koppen en opengesperde neusgaten, totdat ik de hemel boven mijn hoofd niet meer kon zien.

'Frisbee, blijf!' hoorde ik opeens de strenge stem van mijn vader. Frisbee bleef. 'Wegwezen, meiden,' riep hij tegen de koeien, die rustig wegslenterden zodat Frisbee en ik alleen achterbleven. Mijn vader kwam de wei in en nam me in zijn armen met een strak, bezorgd gezicht.

Ik weet nog dat ik tegen hem zei: 'Wees maar niet bang, papa, ik mankeer niks,' terwijl ik hem met mijn mollige vingertjes tegen zijn wang tikte.

'Blijf uit de veeweide, Holly!' zei hij boos. 'Dan maak je de beesten bang.' En zo leek het altijd te gaan.

Toen ik een kind was waren de boerderij en het land mijn hele wereld. Naar het noorden en het oosten zag ik niets anders dan weiden waar vee graasde, groene velden van gras en klaver, enigszins glooiend, met hekken en omheiningen op voorspelbare afstanden. In het zuiden lagen de maïsvelden, die van de ene dag op de andere konden veranderen in een oerwoud van ruwe stengels en pluimen. Ik vond het heerlijk om door die velden te zwerven en de stengels opzij te duwen, die met hun schurende bladeren een rode uitslag op mijn armen achterlieten. Je wist nooit precies waar je liep of waar je het veld weer uit zou komen. Daarom deed ik het juist. Omdat ik het leuk vond. En om mijn ouders gek te maken.

Ten westen van de boerderij lag Broken Branch, waar we elke zondag met het hele gezin naar de kerk gingen. Maar zelfs toen al voelde het stadje veel te klein, te vertrouwd, en kon ik niet wachten om daar weg te gaan.

Mijn moeder opent haar ogen. 'Je hebt me betrapt,' zegt ze schuldbewust. Het tl-licht in mijn ziekenhuiskamer is meedogenloos; haar huid heeft een gele, ongezonde tint. Ik besef opnieuw hoeveel ouder ze is geworden sinds ik haar voor het laatst zag, al die jaren geleden.

Ik glimlach naar haar. 'Als iemand het verdient om uit te rusten ben jij het, mam. Ik heb nooit iemand meegemaakt die haar hele leven zo hard heeft gewerkt als jij.'

'Hetzelfde kun je over je vader zeggen,' antwoordt ze bescheiden.

'Hoe laat komt hun vliegtuig aan?' vraag ik voor de zoveelste keer, hoewel ik het antwoord al weet.

'Morgenmiddag om vier uur,' zegt mijn moeder. Ze staat op en strekt haar brede armen boven haar hoofd. 'En ze komen rechtstreeks van het vliegveld hiernaartoe.'

'Ik kan niet wachten om ze te zien,' zeg ik, als een kind dat zich verheugt op Kerstmis.

'Dat weet ik,' zegt mijn moeder, 'en zij verlangen net zo naar jou. Je vader ook. Hij staat te popelen. En je kunt erop rekenen dat hij Augie en P.J. veilig bij je zal afleveren.'

Will

Verna en Will trokken twee stoelen bij naar een van de drukke tafeltjes bij Lonnie's. Het rook er naar koffie en gebakken uien. Een gewapende overvaller in de enige school van het stadje was blijkbaar niet voldoende om iedereen zijn eetlust te benemen. Maar toen Will om zich heen keek, had hij geen moeite de ouders en familie van de kinderen te onderscheiden van de mensen die slechts toeschouwer waren bij de nachtmerrie van anderen. Drie tafeltjes bij hem vandaan werkte een groepje onbekenden de broodjes warm vlees en andere snacks naar binnen die Lonnie voor hen had neergezet. Verslaggevers, vermoedde Will, te oordelen naar de man in de trenchcoat. Die jas, lang niet warm genoeg voor een dag als deze, en het gestileerde kapsel van de vrouw waren duidelijke aanwijzingen. Twee anderen aan het tafeltje probeerden nonchalant naar achteren te leunen, in de richting van de andere klanten, terwijl ze druk aantekeningen maakten. 'Het gore lef,' zei Ed Wingo, een broodmagere man met kromme schouders en een grove woordkeus. Waarschijnlijk was hij ook de rijkste inwoner van Broken Branch, met bijna vierhonderd hectaren land en een van de meest winstgevende varkensfokkerijen in de wijde omgeving. 'Iemand zou ze de stad uit moeten jagen.'

'Ja, geweldig, Ed,' zei Verna droog. 'We smijten ze de sneeuwstorm in, dan kunnen we straks lezen en horen wat ze over deze mooie stad te melden hebben.'

Will verslikte zich bijna in zijn koffie toen hij probeerde zijn lachen te houden. Geen wonder dat Marlys op deze vrouw gesteld was. Niet veel mensen durfden Ed Wingo op zijn nummer te zetten.

Ed blies zich op en priemde met een knokige vinger naar Verna. 'Vind jij het dan oké dat zo'n stelletje vreemden hier onze gesprekken afluistert en de angst van dit stadje misbruikt voor een hogere oplage of betere kijkcijfers?'

'Ik denk,' zei Will luchtig, 'dat ze liever bij de school zouden staan om verslag te doen dan hier in een café te zitten met mensen die ook niet weten wat er aan de hand is.'

'Ze maken zich waarschijnlijk meer zorgen waar ze vannacht moeten slapen,' merkte Carl Hoover, de directeur van de First National Bank in Broken Branch, op. 'Als het zo blijft sneeuwen is de kans groot dat de wegen versperd zullen blijven.'

'Zouden ze weten dat we geen hotel hebben in het dorp? Misschien kunnen ze wel bij jou logeren, Ed, in dat grote oude huis van je.' Verna lachte, maar werd meteen weer ernstig toen de andere klanten hun kant op keken. 'Hoelang zou dit nog gaan duren, denk je?' vroeg Verna hulpeloos.

'Als het aan mij lag,' zei Ed, terwijl hij een serveerster wenkte, 'zou ik die school bestormen met een scherpschutter om die vent neer te knallen, en de kinderen zo snel mogelijk naar buiten halen.'

'Dat kan niet,' zei Carl minachtend. 'Dan is het gevaar te groot dat die man gaat schieten. Nee, ze moeten eerst proberen contact met hem te leggen om te onderhandelen. En dan maar afwachten.'

'Wat ik niet begrijp,' zei Ed, en hij hield zijn koffiekopje omhoog om zich te laten bijschenken door de serveerster, 'is waarom zo'n klootzak een hele school met kinderen uit Broken Branch wil gijzelen. Dat slaat toch nergens op!' Hij knikte als bedankje naar de serveerster en nam peinzend een flinke slok. 'Misschien is het die leraar die ze vorig jaar hebben ontslagen. Dat was nogal een driftkop. Als ik me goed herinner heeft hij een leerling afgetuigd.'

'Ja, dat was een nare zaak,' zei Will en hij schudde zijn hoofd bij de herinnering. 'Dat joch had suiker in zijn benzinetank gedaan, of zoiets. Maar dat is nog geen reden om handtastelijk te worden.'

'Ik hoorde dat hij nu manager is van een benzinestation in Sioux City. Daar zal hij wel meer verdienen dan als leraar,' zei Verna bedachtzaam. 'Ik kan me niet indenken waarom hij hier zou terugkomen.' Ze wierp een steelse blik naar Will. Hij wist dat ze aan haar schoonzoon en haar kleinkinderen dacht.

Meg

Als ik naar de patrouillewagen terugloop neem ik de tijd om op mijn telefoon te kijken wie er gebeld heeft. Vijf oproepen – vier van Maria en nog een van Stuart. Mijn hart slaat over bij de gedachte dat er iets met haar gebeurd is, maar dan herinner ik me de pers en Stuarts opmerking dat de gijzeling overal in het nieuws is. Maria zal wel iets op de tv hebben gezien en zich zorgen maken om haar klasgenootjes. En Tim en Maria willen natuurlijk weten hoe het met mij gaat. Ik bel terug.

'Hoi, mam,' hoor ik Maria, buiten adem. 'Wat is er op school aan de hand?'

'Maak je maar niet druk, oké?' zeg ik, terwijl ik de telefoon tussen mijn kin en schouder klem en het sleuteltje in het contact probeer te steken.

'Maar de tv zegt...' begint ze.

'We weten het nog niet, Maria Ballerina,' zeg ik. Dat is mijn koosnaampje voor haar. Mijn banden slippen even als ik het parkeerterrein van de school verlaat en links afsla.

'Oké,' zegt ze, niet helemaal overtuigd.

'Ik moet weer aan de slag. Zeg tegen je vader dat ik nog wel terugbel.'

'Hij moest naar zijn werk,' zegt Maria, en aan haar stem te horen is ze daar net zo gelukkig mee als ik.

'Wie is er dan bij je?' vraag ik, bang dat ze mijn ouders zal noemen of, erger nog, mijn broer.

'Opa en oma Barrett,' zegt ze en ik haal verlicht adem.

'Mag ik even met oma Judith praten? Dan bel ik jou later nog. Ik hou van je! Veel kussen en knuffels.'

'Kussen en knuffels,' herhaalt Maria, maar ze klinkt verdrietig en bijna in tranen.

Het blijft even stil als ze de telefoon aan Tims moeder geeft.

'Judith,' zeg ik, 'ik dacht dat Tim vakantie had.' Ik probeer de irritatie uit mijn stem te houden. Judith kan er immers ook niets aan doen.

'Ik weet het, Meg,' zegt ze, en ik hoor dat ze het er moeilijk mee heeft. Dat maakt me droevig, want Judith en ik hebben altijd een goede relatie gehad. 'Hij werd opgeroepen voor zijn werk. Wat is daar allemaal aan de hand bij jullie?'

'Ik kan nu niet praten, Judith. Vraag alsjeblieft of Tim me wil bellen zodra je hem spreekt.'

'Je zult hem wel eerder zien dan wij,' zegt ze. 'Volgens mij is hij opgeroepen als ambulanceverpleger bij die situatie waar jij niets over wilt zeggen.'

Het is niet mijn bedoeling, maar ik slaak een luide zucht. 'Als je hem spreekt, vraag dan of hij belt. En...' voeg ik er onwillekeurig aan toe, 'laat Maria niet meer naar tv-reportages kijken over wat hier gebeurt.'

'Meg,' zegt Judith vermoeid, 'Maria zat gewoon tv te kijken toen haar programma werd onderbroken voor een extra uitzending over haar klasgenootjes die waren gegijzeld. En vertel me alsjeblieft niet dat je er niets over kunt zeggen.'

'We weten nog niet hoe het zit, anders zou ik het je wel vertellen. Het spijt me, Judith, ik wil niet tegen je snauwen, maar het is een gespannen situatie hier. Ik bel je zodra ik wat meer weet, oké?'

Het blijft een hele tijd stil en ik vraag me af of ze heeft opgehangen. 'Maria had daar nu ook kunnen zitten,' zegt ze ten slotte.

'Dat weet ik,' is het enige wat ik kan uitbrengen, en meteen verdrijf ik dat beeld – Maria op school, met die indringer – uit mijn gedachten. Ik vraag me af hoe ik dan gereageerd zou hebben. Zou ik dan ook rustig mijn werk hebben gedaan, zoals nu? Getuigen hebben ondervraagd, hebben geholpen bij het onderzoek? Of zou ik hetzelfde idee hebben gehad als die boeren: met een geweer de school binnen stormen om haar veilig weg te halen?

Ik hang op en heel even overweeg ik Stuart te bellen om te horen of de media al iets nieuws hebben ontdekt. Maar dat zet ik meteen weer uit mijn hoofd. Het is niet goed afgelopen tussen mij en Stuart, drie weken geleden.

Ik zat een rapport te typen op het hoofdbureau toen er een vrouw binnenkwam die voor me stil bleef staan. Het viel me nog op hoe verzorgd ze eruitzag, goed gekleed, onberispelijk opgemaakt, elk haartje op zijn plaats. Later besefte ik dat ze dat speciaal voor mij had gedaan. Haar kin trilde toen ze haar gouden trouwring van haar vinger schoof en voorzichtig voor me op mijn bureau legde.

'Neem die ook maar,' zei ze zacht. 'Al het andere wat ertoe doet heb je me toch al afgenomen.'

Ik keek haar verbaasd aan. Nog altijd wist ik niet wie ze was. 'Kan ik u helpen?'

Ze lachte hard en scherp, waardoor iedereen in de zaal onze kant op keek. Bij de koffieautomaat hield chief McKinney de situatie nauwlettend in de gaten terwijl hij melk in zijn beker deed.

'Of je me kunt helpen? Ja. Zeg maar tegen Stuart dat hij nooit meer thuis hoeft te komen. Ik heb andere sloten op de deuren en een ander telefoonnummer. De enige manier waarop ik nog contact met hem wil hebben is via onze advocaten.' De schok op mijn gezicht moest haar aan het twijfelen hebben gebracht, want heel even zag ik een aarzeling in haar ogen. Maar ze herstelde zich onmiddellijk en haar twijfel maakte plaats voor kille minachting.

'Het spijt me,' stamelde ik. 'Dat wist ik niet.'

Somber schudde ze haar hoofd. 'Nee, ik ook niet,' zei ze bitter. Toen rechtte ze haar schouders en vertrok.

Twee dagen later sloeg ik de zondagkrant open en zag de kop in dikke, zwarte letters, met Stuarts naam eronder. Mijn hart stond stil. Stuart had zijn scoop gescoord, en daar had hij mij voor gebruikt.

Nee, Stuart kan doodvallen, denk ik als ik die herinnering probeer te verjagen. Ik gooi de telefoon op de stoel naast me en neem me heilig voor hem te beschuldigen van belemmering van een politie-onderzoek of iets dergelijks als hij nog eens contact met me durft op te nemen. Op dat moment kijk ik over mijn schouder en zie opeens een hele rij leerlingen bij de hoek van de school wegrennen. Ik rem uit alle macht, waardoor de auto begint te slippen en te tollen – een eeuwigheid, lijkt het. Eindelijk krijgen de banden weer greep op de weg, zodat ik de neus van de auto naar de school kan draaien. Hijgend probeer ik vast te stellen wat er gebeurt. Een stuk of twintig leerlingen – tieners, zo te zien – rennen door de sneeuw naar het parkeerterrein, met van angst verwrongen gezichten. Een meisje glijdt uit en slaat met een klap tegen de grond. McKinney heeft de enige ambulance van Broken Branch opgetrommeld en nog een ziekenwagen uit een naburig dorp. Onmiddellijk duiken er twee verplegers naast de leerlinge op. Ik vraag me af of Tim ook onderweg is, en zo ja, waarom hij me nog niet heeft gebeld.

Ik zet de auto stil en loop langs McKinney en de andere agenten naar het punt waar de kinderen de school zijn ontvlucht: een raam van een lokaal, niet ver boven de grond. In de sneeuw ligt een losgerukte hor, en een meisje zit schrijlings op de vensterbank, met haar ene been bungelend over een hoop sneeuw. Ze kijkt steeds achterom naar het lokaal, alsof ze iets vergeten is.

'Kom dan!' roep ik, terwijl ik haar wenk. Geschrokken kijkt ze mijn kant op en heel even staren we elkaar aan. Dan zie ik dat haar mond verstrakt en ze haar schouders recht. 'Nee, nee!' roep ik als ze haar been weer terugtrekt over de vensterbank. 'Kom nou!' schreeuw ik. 'Hierheen!' Maar ze kijkt niet meer om en verdwijnt in het lokaal. 'Verdomme,' mompel ik, turend naar het verlaten raam.

Mevrouw Oliver

'Wees maar niet bang!' riep mevrouw Oliver vanuit de stoel waarop ze van de man moest blijven zitten. 'Het komt wel goed, Lucy,' probeerde ze het meisje in de kast gerust te stellen. Haastig veegde ze over haar ogen om haar tranen terug te dringen voordat ze in huilen uit zou barsten. Dat was het moment waarop ze hem zag: Jason Ellery. Hij stond voor de deur van het lokaal en keek naar binnen. Eerst kreeg ze weer hoop en voelde ze een golf van opwinding in haar maag, maar dat gevoel maakte al gauw plaats voor angst. De man was toch al kwaad. Wie weet wat hij zou doen als meneer Ellery, jong en naïef als hij was, hem zou trotseren.

'Jezus, houden jullie je niet eens aan je eigen protocol voor een lockdown?' vroeg de man vermoeid. Hij richtte zijn wapen op de deur en meneer Ellery dook weg. 'Doe die deur open,' beval hij luid. Niemand verroerde zich en meneer Ellery liet zich niet meer zien. 'Open die deur, zei ik!' Een paar seconden verstreken voordat de deur met een zachte klik langzaam openzwaaide. Jason Ellery stond in de deuropening, met zijn handen omhoog.

'Hé, man,' zei Jason verontschuldigend. 'Ik hoorde al dat gedreun en geschreeuw. Ik dacht dat er iemand gewond was. Daarom kwam ik kijken of ik kon helpen.'

De schutter kwam langzaam, bijna nonchalant naar hem toe. 'Slecht idee,' zei hij hoofdschuddend. 'Je bent toch niet van de politie?'

'Nee, nee,' verzekerde Jason hem en hij deed langzaam een paar passen achteruit. 'Ik ben leraar. Gewoon de leraar van de achtste.'

'Kom hier,' zei de man.

Meneer Ellery bleef achteruitlopen.

'Kom hier, zei ik.'

'Hé, ik wil geen problemen. Ik kwam alleen kijken of...' Hij keek de man smekend aan, maar voordat hij zijn zin kon afmaken, haalde de indringer uit en raakte hem met zijn wapen tegen de slaap. Meneer Ellery zakte op zijn knieën en hief beschermend zijn armen op om nog meer klappen af te weren.

Mevrouw Oliver overwoog hem te hulp te komen. Ze dacht niet dat ze veel kon uitrichten, maar ze zou de man wel op zijn rug kunnen springen en hem misschien tegen de grond kunnen werken en overmeesteren. Haar blik gleed over de kinderen. Sommigen hadden hun hoofd in hun armen begraven op hun tafeltje, anderen zaten stijf rechtop van angst, weer anderen huilden. Wat zou er met hen gebeuren, vroeg ze zich af, als zij probeerde voor held te spelen? Zou hij eerst haar neerschieten en dan de kinderen? Ze kon de gedachte niet verdragen om het lokaal te moeten verlaten zonder dat al haar leerlingen veilig en ongedeerd waren. Nee, ze kon beter blijven zitten, besloot ze, en zien wat er gebeurde. Ze moest haar leerlingen beschermen, hoewel haar dat bij Lucy niet erg gelukt was. In gedachten hoorde ze Cals stem: *Het is beter dat ze in die kast zit, Evie. Ze kon de situatie in de klas niet aan.* Ja, dat zou hij hebben gezegd als hij erbij was geweest, dacht mevrouw Oliver, en ze voelde zich wat beter.

Meneer Ellery zat nog steeds op zijn knieën, met een bebloed hoofd. De man greep hem bij zijn arm en sleurde hem helemaal de klas in. Meneer Ellery – dom, maar wel dapper, vond mevrouw Oliver, zoals hij hierheen was gekomen om te proberen hen in zijn eentje te redden – was jong en fit. Met een onverwachte klap met de muis van zijn hand raakte hij de man in zijn ballen. De overvaller wankelde naar achteren en liet zijn revolver vallen. Mevrouw Oliver juichte. Een luid 'ja!' ontsnapte aan haar lippen en ze kwam van haar stoel, vastbesloten om het wapen te grijpen. 'Rennen, meneer Ellery!' riep ze. 'Rennen.' Maar ze was niet snel genoeg. De man griste de revolver van de grond en achtervolgde meneer Ellery door de gang.

'Sla je handen voor je oren,' beval ze de kinderen, ervan overtuigd dat er schoten zouden vallen. Zestien paar handen werden tegen zestien paar oren gedrukt. Seconden verstreken, maar er gebeurde niets. Mevrouw Oliver liep aarzelend naar de deur, in de hoop dat meneer Ellery de indringer had overmeesterd met een headlock of een dubbele nelson of hoe dat ook heette in Cals worstelwedstrijden op tv. Maar toen ze om de hoek van de deur keek zonk de moed haar in de schoenen. De schutter hield een met bloed besmeurde meneer Ellery bij de voorkant van zijn shirt, de revolver tegen zijn hoofd gedrukt, en sleepte hem naar de werkkast van de conciërge, verderop in de gang. Hij duwde de bewusteloze leraar naar binnen en sloeg de deur dicht.

'Terug naar uw lokaal,' zei de man kil en hij richtte zijn wapen nu op Evelyn, die haastig naar binnen verdween. 'Heel dom,' zei hij, toen hij de klas weer binnen kwam. 'Zo gaat het allemaal veel langer duren dan nodig is.' Vastberaden liep hij het lokaal door, richtte de revolver op iedere leerling afzonderlijk en bleef ten slotte achter mevrouw Oliver staan. Ze voelde de loop van het vuurwapen zachtjes langs haar achterhoofd strijken. 'Blijf op jullie plaatsen en hou je mond, dan is het allemaal snel voorbij.'

Augie

Beth en ik kruipen naar de deur van het lokaal. Mijn hand beeft als ik voorzichtig de kruk omlaag duw. Ik ben bang voor wat we daar zullen aantreffen. 'Waar wil je naartoe?' vraagt Beth, terwijl ze links en rechts de lange gang door kijkt.

'P.J. en Natalie zitten boven, in de klas van Oliver,' zeg ik. 'Die kant op.' Ik knik naar de dichtstbijzijnde trap, die nog kilometers bij ons vandaan lijkt. We moeten eerst langs twee lokalen en een wc voordat we bij de trap zijn – genoeg plekken waar een man met een wapen zich zou kunnen verbergen.

'Oké,' zegt Beth en ze stapt het lokaal uit. Als ze merkt dat ik niet achter haar aan kom, steekt ze een arm uit en neemt mijn hand in de hare – net zo koud als de mijne, maar wel sterk. Onmiddellijk voel ik me een stuk beter en komen mijn voeten weer in beweging. Voorzichtig doen we een paar kleine stapjes, half gebukt, alsof we daardoor onzichtbaar zouden zijn. We sluipen langs het eerste lokaal zonder zelfs naar binnen te kijken. Geruisloos proberen we de trap te beklimmen, maar bijna boven glij ik ergens over uit. Beths hand schiet uit de mijne en ik kom met een klap op mijn kont terecht. Ik steek mijn handen uit om me haastig overeind te drukken, maar met mijn vingers voel ik een natte, olieachtige plek. Veel is het niet, maar het lijkt bijna zwart in de halfdonkere gang. Om een of andere reden weet ik meteen dat het bloed moet zijn.

'Gaat het?' Beth kijkt op me neer. Ik probeer het bloed aan de vloertegels af te vegen, maar dat helpt weinig, dus strijk ik met mijn handen langs mijn jeans.

'Het is bloed,' fluister ik. Beth kreunt zacht en ik weet dat ze aan haar vader denkt. Ik denk aan meneer Ellery.

'Dan hadden we toch een schot moeten horen,' zeg ik nog eens en ze knikt nadrukkelijk, alsof ik de waarheid in pacht heb zolang zij het maar met me eens is. 'Moeten we wel doorgaan?' vraag ik en ze knikt nog steeds.

De kinderen uit onze klas zijn waarschijnlijk al lang en hevig ge-knuffeld door hun ouders. Op dit moment rijden ze naar hun warme huizen, waar hun moeders tranen van dankbaarheid huilen en klaar-staan om hun lievelingseten te maken. Hun vaders komen naast hen zitten op de bank en willen steeds opnieuw het verhaal horen over hoe meneer Ellery verdween en hoe ze toen de hor uit het raam hebben geslagen. En hoofdschuddend zullen de vaders beseffen hoe anders deze dag had kunnen aflopen.

Dat weet ik allemaal, omdat het precies is wat mijn vader ook deed op de dag van de brand, nadat hij P.J. en mij naar zijn huis had gere-den, waar we een douche namen en oude T-shirts en joggingbroeken van mijn stiefmoeder Lori aantrokken. Toen P.J. in slaap viel had mijn vader hem naar de kleine logeerkamer gedragen. Lori trok zich terug in hun slaapkamer, wat ze wel vaker deed als ik er was, en mijn vader kwam naast me op de bank zitten. Hij sloeg een arm om me heen en ik legde mijn hoofd tegen zijn schouder. Het leek jaren ge-leden dat ik dat voor het laatst had gedaan. Ik vertelde hem alles over de brand, de rook en de afschuwelijke stank. Eén ding dat ik echt geweldig vind van mijn vader is dat hij niet alles meteen wil regelen. Hij kan gewoon rustig zitten luisteren. Hij vindt waarschijnlijk niet dat hij het recht heeft mij te vertellen wat ik moet doen. Zo vaak zie ik hem niet, en het maakt het niet eenvoudiger dat P.J. er altijd bij is.

'Augie,' zei papa na een tijd, heel ernstig en bijna angstig. Ik kreeg een naar gevoel in mijn maag. Mijn vader was nooit bang. Hij lachte altijd. Meneertje Zonneschijn, zo noemde mama hem, maar dat was niet leuk bedoeld. 'Augie,' zei hij nog eens, alsof hij tijd wilde winnen om de juiste woorden te vinden. 'Je moeder zal nog een hele tijd in het ziekenhuis moeten blijven.'

'Dat weet ik,' antwoordde ik. Ik wilde er niet meer over praten, er niet aan denken. Ik wilde alleen maar met mijn vader op de bank zitten en naar een stomme tv-serie kijken.

'Je kunt hier zo lang blijven als je wilt.' Hij gaf me een kneepje in mijn schouder. Het was een geweldige opluchting, precies waarop ik had gehoopt. 'Lori en ik hebben erover gesproken. We zullen de logeerkamer inrichten zoals je het graag wilt.'

'Maar hoe moet het dan met school?' vroeg ik, opeens in paniek.

Mijn vader schudde zijn hoofd. 'Die ligt op de route naar Lori's werk. Zij kan je brengen en halen. We hebben het helemaal uitgedacht.' Voor het eerst die dag lachte mijn vader breed.

Ik slaakte een zucht van verlichting. 'P.J. en ik zullen zo goed mogelijk helpen,' beloofde ik hem. 'Ik kan koken en P.J. kan de was doen...'

De lach verdween van papa's gezicht. Zomaar.

'Nee!' riep ik en ik maakte me los uit zijn omhelzing.

Hij keek nerveus in de richting van de kamer waar P.J. lag te slapen. 'Augie,' zei hij, alsof hij zich doodmoe voelde, alsof het zíjn moeder was die zo ernstig was verbrand, alsof híj alles was kwijtgeraakt wat hij bezat. 'Augie, bekijk het eens van onze kant.' Hij wreef over zijn kale hoofd. Ik sloeg mijn armen over elkaar en schoof zo ver mogelijk bij hem vandaan op de bank. 'Wij zijn dol op P.J., hij is een geweldig joch, maar Lori en ik hebben het erover gehad en we vinden het beter als P.J. zolang bij familie gaat logeren.'

'Ik ben zijn familie.' Ik probeerde uit alle macht om niet te schreeuwen. P.J. mocht het niet horen en ik wist dat Lori zich om de hoek of achter een deur verborgen hield en alles afluisterde om te horen hoe het ging. Ze was zo'n lafbek.

'Augie,' zei hij zacht, 'hij is niet mijn zoon.' Daar had ik niets op te zeggen, dus deed ik er het zwijgen toe en staarde hem vernietigend aan. Dat kan ik heel goed – heel bedreigend, volgens mijn vriend Arturo. Het heeft me in de loop van de jaren aardig wat problemen bezorgd, maar me ook uit netelige situaties gered. 'P.J. is een fijne knul, maar...' Hij spreidde zijn handen.

'Maar wat?' Zo gemakkelijk kwam hij niet van me af.

'Maar hij is niet mijn zoon. Jij mag hier blijven zolang als je wilt, maar voor P.J. moeten we iets anders regelen.'

'Waarom?' vroeg ik. 'Hij is acht. Hij eet niet veel. En hij is netter dan wij allemaal.'

'Je weet dat er een heel verhaal achter zit.'

Dat wist ik. Ik wist dat mijn ouders vlak na P.J.'s geboorte waren gescheiden. Ik wist dat de donkerbruine ogen en het zwarte haar van mijn broertje niet van mijn vaders kant van de familie afkomstig waren. Maar wat deed het ertoe? P.J. was nog maar een kind. 'Dus je schopt hem gewoon de straat op? Dat staat je fraai.'

Eindelijk kwam Lori tevoorschijn uit haar schuilplaats. 'We zetten hem heus niet op straat, Augie.' Ik was langer dan Lori en bijna tien kilo zwaarder. Ik leek haar oudere zuster wel. Ze was het absolute tegendeel van mijn moeder. Lori was saaie havermout, mijn moeder Sugar Jingles. Lori zei nooit veel, maar ik had de indruk dat zij alle beslissingen nam in dit huis. 'We hebben je grootouders gebeld.'

'Opa en oma Baker?' vroeg ik verbaasd. De ouders van mijn vader haatten mijn moeder en deden alsof mijn broertje niet eens bestond. Ik kon me niet voorstellen dat ze P.J. in huis zouden nemen.

'Nee,' zei mijn vader. 'Jouw opa en oma Thwaite. Ze vliegen vanavond hiernaartoe.'

Het duizelde me. Mijn moeder zei nooit veel over mijn grootouders, maar ik wist dat ze slaande ruzie met hen had gehad, lang voordat ik geboren was. Elk jaar stuurden ze P.J. en mij een kaart op onze verjaardag en met Kerstmis, met honderd dollar erin. Dat was het. Geen telefoon, geen mail, geen bezoekjes in de zomervakantie. 'P.J. kan daar niet gaan logeren. Ze wonen ergens in Iowa.' Ik zei het alsof 'Iowa' me een vieze smaak in mijn mond bezorgde.

'Zoals je vader al zei,' herhaalde Lori, met haar handen tegen haar buik gedrukt, 'mag je hier ook blijven. Of je kunt naar je grootouders gaan.'

Op dat moment begreep ik het. Lori was zwanger en dit was haar meesterzet. Ze wilde ons kwijt, ze wilde mij vervangen door haar eigen baby. Als Lori had aangedrongen, had mijn vader het heus wel goedgevonden dat P.J. bij hen zou intrekken. Bij ons. Ze wist dat ik P.J. nooit in zijn eentje naar zo'n gat in Iowa zou laten gaan om daar bij vreemden te logeren. Lori wilde niet dat P.J. en ik haar nieuwe, perfecte kleine gezinnetje zouden verstoren. Tot mijn schaamte moet ik toegeven dat het heel verleidelijk klonk om in Revelation bij mijn vader te gaan wonen. Ik kon me niet voorstellen dat ik mijn school en mijn vriendinnen zou moeten achterlaten, en mijn moeder, om in te trekken bij mensen die mama niet eens mocht.

'We kunnen zolang wel bij Arturo of mevrouw Florio wonen,' zei ik. 'Of bij een pleeggezin, totdat mama weer uit het ziekenhuis is.' Bij die gedachte voelde ik me al beroerd worden.

Mijn vader zuchtte en Lori beet op haar lip alsof ze nog meer wilde zeggen, maar wist dat dat niet verstandig was. 'Augie, je hoeft het nu niet meteen te beslissen,' zei hij, terwijl hij een hand naar me uitstak. Ik sprong van de bank, bij hem vandaan. Ik zag ook wel dat ik hem had gekwetst. Mooi zo. 'Je hebt een afschuwelijke dag gehad,' ging hij verder. 'Probeer wat te slapen. Morgen ziet alles er veel vrolijker uit.'

'Ja, vast,' mompelde ik, voordat ik naar de kamer rende waar P.J. lag te slapen en de deur zo hard dichtsloeg dat de muren trilden.

P.J. schoot overeind in bed. 'Wat?' riep hij. 'Wat is er?'

'Ach, hou je kop, stom joch,' snauwde ik, terwijl ik hem opzij duwde op het bed om ruimte te maken. Daarna stopte ik zijn dekens voor hem in, precies zoals hij het graag had.

Meg

Ik heb geen idee waarom het meisje niet naar buiten is gevlucht, de school uit, samen met de andere kinderen uit haar klas. Tenzij de schutter daar in het lokaal is. Bij die gedachte trek ik me van het raam terug en verdwijn naar het parkeerterrein, waar McKinney en een onbekende politieman uit een dorp in de buurt alle kinderen fouilleren, hun namen opschrijven en hen overdragen aan de ambulancebroeders, die dekens om hen heen slaan.

Buiten adem kom ik bij McKinney aan. 'Hoe moeten we dat hele stel naar Lonnie's vervoeren?' vraag ik, met een blik op de huiverende leerlingen, die nog half in shock verkeren.

'Met de schoolbus,' antwoordt McKinney. Op hetzelfde moment zie ik de grote gele bus al door de sneeuw zwoegen, onze kant op. 'Maar eerst noteren we al hun gegevens – hun namen, die van hun ouders, adressen, telefoonnummers.'

'Heeft iemand iets gezien?' vraag ik, terwijl ik de groep tieners onderzoekend opneem, speurend naar een bekend gezicht, iemand die bereid zou zijn met me te praten.

De chief schudt zijn hoofd. 'Voorlopig proberen we een lijst op te stellen en te zien of er geen gewonden zijn. Dat lijkt niet het geval, afgezien van het meisje dat op het ijs is uitgegleden. Gewoon een stel angstige kinderen, dat is alles.'

'Ik zag net een meisje dat ook uit het raam wilde klimmen. Ik weet niet wat er gebeurde, maar op het laatste moment bedacht ze zich. Ik heb nog geroepen, maar ze wilde niet naar buiten komen.'

'Denk je dat die overvaller in dat lokaal zit? Dan hebben we een uitgangspunt. Het is zo'n doolhof, verdomme. Als we die school bestormen gaat het uren kosten om alles uit te kammen.' De school van

Broken Branch dateert uit de jaren veertig en is in de jaren tachtig uitgebreid. Het gebouw heeft allerlei hoeken en gaten.

'Ik weet het niet.' Ik schud mijn hoofd als ik terugdenk aan dat meisje in het raam. 'Ze leek me niet echt bang, eerder vastbesloten.'

De chief sluit zijn ogen en haalt diep adem. Hij lijkt binnen een uur jaren ouder geworden. Zijn gezicht is rood van de kou, een ongezonde kleur, en zijn helderblauwe ogen zijn waterig en bloeddoorlopen. 'Wil jij ervoor zorgen dat die kinderen allemaal veilig in de bus stappen? Er zijn mensen van de sheriff gearriveerd die toevallig geen dienst hadden en ik moet iedereen bijpraten. Binnen een uur hoop ik de onderhandelaar uit Waterloo hier te hebben.'

Ik kijk hem na als hij terugloopt naar de camper. Hij probeert haast te maken, maar dat valt niet mee in de sneeuw, en ik weet dat zijn reumatische knieën pijn doen van de kou. Hij moet een geweldige druk op zijn schouders voelen. De hele stad, de hele staat, misschien zelfs het hele land, zal hem beoordelen op hoe hij en zijn mensen deze zaak hebben aangepakt.

Ik loods de leerlingen naar de bus en vraag iedereen of hij of zij iets gezien heeft. De meesten schudden hun hoofd en stappen zwijgend in. Vanuit mijn ooghoeken zie ik een slungelige jongen staan, met kromme schouders en warrig bruin haar: Noah Plum, niet onbekend bij de plaatselijke politie. Vandalisme, illegaal drinken, autorijden zonder rijbewijs. Een jongen met te veel vrije tijd en ouders die hem niet in de gaten houden.

'Hé, Noah,' zeg ik. 'Alles goed?'

Hij kijkt me minachtend aan. 'Wat kan jou dat schelen?'

'O, heel veel, Noah,' zeg ik zachtjes, om niet de aandacht op ons te vestigen. 'Ik ben blij dat je niets overkomen is.'

'Ja, jullie zijn allemaal heel bezorgd. Volwassenen... Zelfs die lul van een leraar liet ons in de steek.' Hij snuift verontwaardigd en wil me voorbijlopen.

'Wacht,' zeg ik en ik grijp hem bij zijn arm. 'Heeft jullie leraar jullie alleen gelaten? Weet je dat zeker?'

'Ja, natuurlijk weet ik dat zeker,' snauwt hij, terwijl hij zijn arm losrukt. 'We hoorden een geluid of zoiets en hij ging zogenaamd op onderzoek uit. We hebben hem nooit meer teruggezien. Ik durf te wedden dat hij nu veilig thuis zit.'

Ik schud mijn hoofd. 'Dat denk ik niet, Noah. Wat voor geluid hoorden jullie dan?' Mijn hart bonst weer in mijn keel. Als het een revolverschot was hebben we een goede reden om de school onmiddellijk te bestormen.

'Een soort gedreun, alsof er iemand op en neer sprong boven ons hoofd.' Noah grijnst smalend. 'Een mooi excuus voor die lul om ervandoor te gaan.'

Ik haal opgelucht adem. Geen revolverschot. Maar toch... Ik kan me niet voorstellen dat een leraar een klas met leerlingen achterlaat terwijl een schutter door de school sluipt. 'Hoe heet die leraar?'

'Etterbak Ellery,' antwoordt hij als hij in de bus stapt.

Ellery. De naam klinkt bekend, maar ik kan er geen gezicht bij bedenken. De laatste leerlinge vindt een plaatsje in de bus en ik stap zelf ook in om de chauffeur en de begeleidende agent nog wat laatste instructies te geven. Het is onheilspellend stil in de bus – niet wat je normaal van een schoolbus vol pubers verwacht. Niemand die joelt, van plaats wisselt of iemands muts van zijn hoofd rukt. Het enige wat ik zie is een stel zwijgende, droevige kinderen die uit de raampjes staren of naar hun eigen schoot.

'Als je bij Lonnie's aankomt mogen de leerlingen alleen worden overgedragen aan hun ouders of voogden, en aan niemand anders. En zorg ervoor dat de ouders de lijst tekenen, als bewijs dat ze hun kinderen hebben meegenomen.'

De hulpsheriff, een vrouw uit het naburige dorp Bohr, knikt begrijpend. 'Dit is ernstig, hè?' fluistert ze tegen me. 'Ik heb weleens vaker een lockdown meegemaakt, maar nooit zoiets als dit.'

Ik wil het net beamen als er een klein stemmetje van achter uit de bus vraagt: 'Waar is Beth?'

'Wat?' vraag ik. 'Wat zei je?'

'Beth Cragg,' verklaart een meisje met een bril en geelblonde krullen bezorgd. 'Ze is er niet. Ze was wel in de klas, maar niet hier.'

'En Augie,' zegt iemand anders. 'Augie is er ook niet. Ze stond vlak achter me toen ik het raam uit klom. Waar zijn ze?'

Will

Er viel een vlekkerig grijs licht door de ramen van het restaurant en de wind deed de ruiten rammelen. De weg langs Lonnie's was verlaten, afgezien van de ongrijpbare sneeuwjacht voor de deur. Will voelde zijn maag protesteren na de vijf koppen koffie die hij had gedronken en hij wist dat hij iets moest eten. Hij had Daniel gebeld, die maar een paar seconden de tijd had om verslag te doen over het kalveren: de moeder had het moeilijk, maar hij kon het wel aan. Will vroeg zich af of hij zich niet nuttiger kon maken door naar de boerderij terug te gaan en te helpen bij het kalveren.

Will besloot een broodje te bestellen om de smerige zwarte koffie te absorberen die nog in zijn maag borrelde, toen hij door het grote raam opeens een paar koplampen zag opdoemen. Onmiddellijk daalde er een stilte neer in het café. Iedereen tuurde naar het naderende voertuig, dat langzaam zichtbaar werd in sneeuwstorm. Het was groot en geel. 'Een bus!' riep iemand overbodig. Het portier zwaaide open en een hulpsheriff stapte uit, gevolgd door een groep bibberende, versufte gedaanten.

'O god!' bracht een vrouw hijgend uit. 'Het zijn de kinderen.' Opeens brak er een tumult uit: roepende mensen, schrapende stoelpoten, rennende voetstappen.

'Een bus met kinderen,' bevestigde iemand.

'Ik zie Noah Plum en Drew Holder!' riep een stem.

'Donna, daar is jouw Caleb,' meldde een ander.

Een voor een werden de huiverende kinderen het café binnen geblazen door de wind. Vaders en moeders namen hen in de armen, huilend van opluchting.

Will herkende de kinderen als leerlingen uit Augies klas en ver-

draaide zijn nek om ergens het felrood geverfde haar van zijn kleindochter te ontdekken.

Het afgelopen weekend had Augie een van Marlys' haarverfmid-
deltjes gevonden en zich in de badkamer opgesloten. Will en P.J.
bonsden om beurten op de deur, roepend dat ze moest opschieten
omdat de nood hoog was, maar het leek een eeuwigheid te duren.
Ten slotte kwam Augie weer naar buiten met een bos vuurrood hen-
nahaar, net als haar oma – alleen leek het bij Marlys een poging van
een oudere vrouw om wat jonger te lijken, terwijl Augie er nu uitzag
alsof ze een grote, roodpaarse pruim over haar hoofd had getrokken.
Will probeerde zijn lachen te houden, maar maakte de fout om P.J.
aan te kijken, waarop ze allebei de slappe lach kregen.

'Nou, ik vind het mooi!' verklaarde Augie hooghartig.

'Mama zal je vermoorden,' zei P.J., die probeerde zijn gezicht in de
plooi te houden. 'Je haar verven is net als drinken, zei ze. Als je ermee
begint is het heel moeilijk om te stoppen.'

'Ze zal wel een paar borrels nodig hebben als ze jou zo ziet, Augie,'
zei Will lachend, maar hij had meteen spijt toen hij de gekwetste blik
in Augies ogen zag. Trots, met haar hoofd in haar nek, stampte ze de
kamer uit.

Toen de deur van het café eindelijk dichtviel en er nog een paar
verdwaalde servetjes geluidloos naar de grond dwarrelden in de
tocht, was het duidelijk dat Augie en Verna's kleindochter Beth niet
onder de leerlingen waren.

Will liet zich met een klap op zijn stoel zakken.

Mevrouw Oliver

Alle ogen waren gericht op de kast waar de man Lucy had opgesloten en een stoel onder de deurkruk had geschoven. Het was al twee uur geleden dat de indringer was binnengekomen en mevrouw Oliver wist wat ze kon verwachten. Je stond niet ruim veertig jaar voor de klas zonder iets van kinderen – hun gedrag en hun behoeften – te begrijpen. Arme Leah. Aan de manier waarop ze haar benen over elkaar klemde zag mevrouw Oliver wel dat de toestand nijpend werd.

'Neem me niet kwalijk,' zei ze luid. De man keek geërgerd van zijn mobieltje op. 'De kinderen moeten naar de wc.'

'Ze houden het maar op,' antwoordde hij en zijn aandacht ging weer naar zijn telefoon.

Leah jammerde zacht en keek mevrouw Oliver dringend aan. 'Nee, ze kunnen het niet ophouden. Dat doen ze al sinds u hier bent. Bovendien zijn ze zenuwachtig. Iedereen moet plassen als hij zenuwachtig is.' De man keek de klas rond. 'De wc's zijn hier vlakbij, aan de overkant van de gang,' legde ze uit. 'Een paar minuutjes, langer duurt het niet. Daar zijn we heel snel en handig in. Ja toch, jongens en meisjes?' De leerlingen knikten driftig.

'Mevrouw Oliver,' zei Leah wanhopig. 'Toe nou...' smeekte ze.

'Ach,' drong mevrouw Oliver aan. 'Wat kan het voor kwaad?'

De man dacht even na en keek toen naar Leah, die haar tranen – en ook andere lichaamssappen, zo te zien – probeerde terug te dringen. 'U hebt vijf minuten,' zei hij tegen mevrouw Oliver. 'Meteen naar de wc en binnen vijf minuten weer terug. Eén seconde later en ik begin te schieten.'

Mevrouw Oliver knikte en stond haastig op, waardoor er een scheut van pijn door haar been naar haar onderrug ging. 'Allemaal in de rij, kinderen!' De leerlingen keken elkaar aarzelend aan, kwamen overeind en stelden zich op bij de deur. 'De jongens links, de meisjes rechts,' beval ze. Zodra iedereen op zijn plaats stond keek mevrouw Oliver op haar horloge. 'We hebben maar vijf minuten. Opschieten, dus. Handen wassen is deze keer niet nodig.' Ze zag dat Ryan Latham een smerig gezicht trok en stelde hem gerust dat ze genoeg antibacteriële gel in de klas hadden om hun handen te ontsmetten.

'Iedereen klaar?' vroeg ze ten slotte. 'Vier jongens en meisjes per keer. Nu!' De eerste acht kinderen renden de klas uit naar de wc's aan de overkant van de gang. De overvaller had een plekje gezocht in de hoek van de klas, vanwaar hij mevrouw Oliver en de leerlingen nog steeds in de gaten kon houden, maar hij was duidelijk meer geïnteresseerd in het schermpje van zijn telefoon. Weer voelde mevrouw Oliver een steek van angst in haar buik. Hier zat veel meer achter dan ze eerst had gedacht. Misschien had het niets te maken met deze school, deze klas, deze leerlingen. Ook niet met haar. Als de indringer het voorzien had op een van de leerlingen, of zelfs op haar, had de hele zaak nog vreedzaam kunnen aflopen. Maar deze man leek totaal onverschillig voor hen, alsof hij dit lokaal maar willekeurig had uitgekozen om zich terug te trekken totdat de werkelijke actie begon. Om een of andere reden beangstigde die gedachte haar veel meer. De man leek absoluut niet in hen geïnteresseerd. Zij waren van geen enkel belang voor hem. Hij had zich hier ingegraven om af te wachten. Waarop? Dat wist ze niet.

Mevrouw Oliver keek nog eens naar haar bureaula, waar haar mobieltje lag. Als ze maar bij haar telefoon kon komen...

Augie

Elke stap in de richting van P.J.'s klas lijkt een grotere vergissing, maar ik kan mezelf niet tegenhouden. Ik ben zo'n waardeloze zus. Een paar dagen geleden, toen opa 's avonds op de bank in slaap gevallen was naast P.J., was ik naar een tv-documentaire over seriemoordenaars gezapt. De verslaggever had het over onderzoekers die scans hadden gemaakt van de hersens van moordenaars en daarbij tot de ontdekking waren gekomen dat een groot aantal van hen in hun jeugd hoofdletsel had opgelopen. Ik keek eens naar P.J. en wist precies wat hij dacht. Toen ik vijf was en P.J. nog maar een paar weken oud besloot ik van huis weg te lopen. Mijn vader en moeder hadden weer ruzie. Ze liepen te vloeken, te schreeuwen en te schelden, en ze zeiden de gemeenste dingen tegen elkaar over P.J. Ik kon er niet meer tegen. Ik propte mijn schooltas vol met kleren, luiers en een flesje voor P.J., en klom over de spijlen van zijn wiegje. Hij keek me aan met zijn donkere ogen, die nooit blauw zouden worden zoals die van mijn vader, en wachtte wat ik zou doen. Hij was verbazend zwaar voor zo'n kleine baby. Ik dacht dat ik hem gewoon over de rand van zijn wieg op de grond kon leggen. Natuurlijk wilde ik hem niet laten vallen, maar dat gebeurde toch. Met een klap viel hij op zijn kale hoofdje. Het duurde een paar seconden voordat hij weer genoeg adem had om te huilen. En dat deed hij. Hij brulde het hele huis bij elkaar. Haastig klom ik uit zijn wieg, greep mijn schooltas en rende de deur uit. Tien straten van huis bleef ik hijgend staan bij Bang!, de kapsalon waar mijn moeder werkte. Daar ging ik voor de deur zitten, in de warme zon, totdat mijn vader kwam aanrijden in zijn pick-up. 'Stap in, Augie,' zei hij.

'Nee,' zei ik koppig, hoewel ik verbrand was door de zon en stierf van de dorst.

'Augie,' zei hij kwaad, terwijl hij het portier opende en uit de auto sprong. Ik vroeg me af of ik hem ooit nog zou zien lachen. 'Stap in, verdomme!'

'Nee,' herhaalde ik, met mijn enkels om de poten van het bankje gehaakt en mijn vuist om de metalen leuning geklemd. Hij zou me met bank en al achter in zijn auto moeten smijten om me terug naar huis te brengen. Ik kneep mijn ogen tot spleetjes toen hij naar me toe kwam en me met zijn sterke handen onder mijn oksels greep om me op te tillen. 'Aaarrhhh!' brulde ik, omdat ik uit ervaring wist dat hij dan zou aarzelen. Mijn vader hield er niet van dat mensen naar hem keken alsof hij zijn kinderen mishandelde. Dus liet hij me los. Ik opende mijn ene oog, in de hoop dat hij de moed had opgegeven en verdwenen was. Maar dat viel tegen. Mijn vader zat voor me op zijn knieën, met een hand over zijn ogen geslagen.

'P.J. is naar het ziekenhuis, met je moeder,' zei hij zacht, met een vreemde, verstikte stem. Dat klonk helemaal niet goed. Ik opende allebei mijn ogen. 'Je hebt hem op zijn hoofd laten vallen, Augie. Wat bezielde je? Je weet dat je hem niet mag oppakken zonder je moeder of mij erbij.' Daar moest ik bijna om lachen, al was ik pas vijf. Ik had nog nooit gezien dat mijn vader P.J. oppakte. Het enige wat hij deed was naar hem staren alsof hij een buitenaards wezen was. 'Luister, Augie, ik meen het serieus. Je had hem ernstig kunnen verwonden. Je mag blij zijn dat hij niet dood is.'

Angst kneep mijn keel dicht. Dat was helemaal niet mijn bedoeling geweest. Ik had alleen met P.J. willen vluchten voor al dat schreeuwen en schelden. 'Hou dan op met ruziemaken,' zei ik. 'Als jullie ophouden met ruziemaken kom ik weer naar huis.'

Mijn vader maakte een snuivend geluid door zijn neus, bijna een lach, maar niet echt. Ik had het niet grappig bedoeld. 'Goed, Augie,' zei hij met zachte, droevige stem. 'We zullen geen ruzie meer maken. Dat beloof ik je.' Ik haakte mijn voeten van het bankje los en liet me naar de pick-up dragen. P.J. moest die nacht in het ziekenhuis blijven ter observatie, maar na een paar röntgenfoto's en scans mocht hij weer naar huis. Een lichte hersenschudding, zeiden de artsen.

Mijn vader hield woord. Twintig minuten nadat mijn moeder met

P.J. uit het ziekenhuis thuiskwam pakte hij zijn koffers en vertrok. Ze maakten nooit meer ruzie. Niet echt, en in elk geval niet als wij erbij waren.

Na verloop van jaren konden mijn moeder en zelfs mijn vader wel lachen om mijn poging om P.J. te ontvoeren, en hoe stom ik was geweest om hem op zijn hoofd te laten vallen. Zelfs P.J. glimlachte en schudde zijn hoofd alsof hij zich het hele voorval nog herinnerde. Zelf wist ik nog precies hoe ik bijna mijn broertje had gedood en eigenhandig een einde had gemaakt aan het huwelijk van mijn ouders.

'Wat is een voorhoofdskwab?' vroeg P.J. Hij lag op de bank. Hij lag tegen opa's schouder geleund en sprak fluisterend, om hem niet wakker te maken. Verrader, dacht ik.

'Daar heb ik je op laten vallen,' zei ik ernstig. 'Precies op dat zachte plekje van de seriemoordenaar.'

'Ach, trut,' zei P.J., maar ik hoorde de bezorgde klank in zijn stem.

'Ik zeg alleen...' Ik haalde mijn schouders op en kwam overeind. 'Neem me niet kwalijk, maar nu moet ik een hamer zoeken om onder mijn kussen te bewaren, zodat ik mezelf kan beschermen. Welterusten, enge griezel.'

Het was natuurlijk gemeen, want P.J. zou geen vlieg kwaad doen. Waarschijnlijk zit hij nu in die klas, bang dat hij zal sterven met het beschadigde brein van een seriemoordenaar. Ik moet hem daar weghalen en hem zeggen dat hij volstrekt normale hersens heeft en dat wetenschappers nooit van plan zijn geweest zijn grijze cellen te ontleden als aanvulling op hun collectie van seriemoordenaars.

Boven aan de trap gekomen pak ik Beths hand om haar tegen te houden. 'Luister!' fluister ik tegen haar. 'Wat was dat?' We blijven allebei stokstijf staan en draaien ons hoofd naar het geluid – zachte voetstappen op de trap, die achter ons aan komen. Het enige waaraan ik nog kan denken is die plas bloed waarover ik beneden ben uitgegleden. Onmiddellijk krijg ik visioenen van een maniak die met een revolver of een mes achter ons aan zit.

'Rennen!' roep ik, luider dan de bedoeling was. Beth sleurt me mee, de gang door. Als ik over mijn schouder kijk zie ik een kleine gedaante boven aan de trap. 'Wacht,' zeg ik en abrupt blijf ik staan. Ik laat Beths hand los en loop voorzichtig terug door de donkere gang, in de richting van het silhouet. Het is een klein meisje van een jaar of vijf, zes. Ze heeft lang blond haar, in model gehouden met twee speldjes en gele strikken. Ze draagt een geel-zwarte legging en een sweatshirt met de tekst MY BROTHER DID IT. 'Alles goed?' vraag ik. Ze knikt, maar lijkt op het punt in tranen uit te barsten. Hulpzoekend kijk ik over mijn schouder naar Beth, maar zij is verdwenen. 'Waar is je juf?' vraag ik.

'Ik was naar de wc, maar toen ik terugkwam zat de deur van de klas op slot.' Tranen glijden over haar wang en ze begint hard te huilen.

'Sst!' zeg ik. 'Heb je iemand gezien?'

Ze schudt haar hoofd en snottert. 'Alle deuren zitten op slot.'

Ik weet niet wat ik moet doen. Ik kan haar hier niet alleen laten, maar ik wil haar ook niet meenemen. Dan denk ik aan de deur onder aan de trap, die op het parkeerterrein uitkomt. Ze zou buiten heel wat veiliger zijn dan hier. Ik overweeg haar de trap weer af te sturen. Binnen een paar seconden kan ze beneden zijn. Maar dan herinner ik me de plas bloed. Ik durf er niet aan te denken hoe ze zou reageren als ze daarin stapte. Stel je voor! Dan zou ik een ander kind een levenslang trauma bezorgen, en ik ben pas dertien.

'Kom, ik breng je wel weg.' Ze kijkt alsof ze me niet echt gelooft. 'Hoe heet je?' vraag ik.

'Faith,' antwoordt ze, terwijl ze haar neus optrekt voor het bloed op mijn kleren en handen.

'O, dat is niks,' zeg ik tegen haar, alsof het niets voorstelt, hoewel ik er zelf van moet kotsen en niets liever zou willen dan dat bloed van me af te wassen. 'Ik ben Augie,' ga ik verder. We kunnen teruggaan zoals we gekomen zijn, de trap af en de deur door naar het parkeerterrein van de leraren, maar de gedachte aan die bloedplas onder aan de trap houdt me tegen. 'Kom mee.' Ik grijp haar hand en samen rennen we de lange gang door, langs al die dichte deuren, naar een volgende trap, die omlaag leidt naar de gymzaal en een andere buitendeur. Door de ramen van de lokalen vang ik hier en daar een glimp op van leraren en leerlingen die zich in een hoek hebben teruggetrokken, net zoals meneer Ellery en wij. Met één uitzondering. Als ik over mijn schouder kijk zie ik dat de situatie in een van de klassen totaal anders is. Het is de klas van P.J. Ik blijf staan en loer voorzichtig door de ruit. De kinderen zijn hier niet in de verste hoek gekropen, maar zitten gewoon aan hun tafeltjes en kijken angstig voor zich uit. P.J. zit op de voorste rij en lijkt niets te mankeren. Ik wil hem daar vandaan halen en meenemen met Faith en mij. Van waar ik sta kan ik niet zien of zijn lerares of de indringer – wie hij ook mag zijn – nog in de klas is. Ik kan het ook nergens uit afleiden. Ik denk aan Beth en vraag me af waar ze gebleven is. Hopelijk is ze ontkomen. Ik staar naar P.J. en probeer hem in gedachten te dwingen mijn kant op te kijken.

Faith trekt aan mijn hand en ik kijk om. 'Kom nou,' fluistert ze.

'Mijn broertje,' zeg ik zacht. 'Hij zit in die klas.'

'Toe, ik wil naar huis,' zegt ze, wat luider nu.

'Sst,' vermaan ik haar, bozer dan mijn bedoeling is, en ze begint te huilen.

'Stil nou, Faith! Straks hoort hij je nog,' zeg ik wat zachter en ik trek haar weer mee de gang door.

Buiten adem komen we bij het einde van de gang, waar ik blijf staan. 'Oké, het spijt me,' fluister ik tegen Faith. 'Ik ben niet boos.'

Als ik omkijk naar P.J.'s lokaal zie ik de deur langzaam opengaan en het hoofd van een vrouw verschijnen, die de gang door kijkt. Het is mevrouw Oliver, de juf van P.J. Ze laat niet blijken dat ze ons gezien heeft, maar ze maakt wel een gebaar met haar hand, alsof ze ons bij het lokaal vandaan probeert te wuiven. Op dat moment weet ik dat hij in die klas moet zijn – wie hij ook is. In de klas van P.J. Ik klem Faiths hand nog steviger in de mijne en samen sluipen we op onze tenen de trap af. De dichtstbijzijnde deur naar buiten ligt aan het einde van de gymzaal, waar het donker is en spookachtig stil. 'Daar wil ik niet heen!' jammert Faith en ze probeert zich los te rukken.

Ik kan haar geen ongelijk geven. Het ziet er griezelig uit, maar nu ik zeker weet dat die man boven is moet dit de veiligste en snelste manier zijn om Faith naar buiten te brengen. 'Er kan niets gebeuren, dat beloof ik je,' zeg ik tegen haar. 'We rennen gewoon de gymzaal door naar de buitendeur.' De lampen in de zaal zijn gedoofd, maar ik zie de grijze hemel en de glinsterende sneeuw door de glazen deuren die uitkomen op een groter parkeerterrein, waar iedereen zijn auto neerzet bij basketbalwedstrijden en schoolvoorstellingen. 'Kijk maar,' zeg ik tegen haar. 'Het is buiten veel lichter dan hier. En er staan mensen op je te wachten. Je vader en je moeder, durf ik te wedden.' Ik hoop maar dat dat zo is, dat haar ouders inderdaad in de kou op haar staan te wachten. Zouden mijn eigen vader en moeder enig idee hebben wat er aan de hand is? Ze zijn duizenden kilometers hiervandaan en ik weet zeker dat dit niet in het nieuws is. Wie is er nou geïnteresseerd in een klein stadje in Iowa? Opa zal wel weten wat er gebeurt en zich zorgen maken om P.J. Hij houdt van P.J., veel meer dan van mij. Ik heb het hem ook niet gemakkelijk gemaakt.

Faith bijt op haar lip. 'Ik ben bang,' zegt ze.

'Ik ook,' geef ik toe. 'Laten we onze ogen dichtdoen en rennen.' Faith haalt diep adem, knikt even en knijpt haar ogen stijf dicht. Ik doe hetzelfde, behalve dat ik mijn ogen openhou, en we beginnen te rennen. Onze schoenen piepen over de houten vloer van de gymzaal. Zodra we bij de glazen deuren komen zie ik dat het sneeuwt: grote, dikke vlokken, die P.J. op zijn tong zou willen vangen. Door de sneeuw, aan de rand van het parkeerterrein, zie ik ook een rij politiewagens staan, met hun koplampen op de school gericht. Donkere gedaanten lopen heen en weer en maken soms een paar sprongetjes, alsof ze proberen warm te blijven. 'Daar!' Ik wijs naar de politiewagens. 'Loop maar die kant op. Daar zal iemand je wel helpen je vader en moeder te vinden.'

'Kom jij niet mee?' vraagt Faith, die nog steeds mijn hand vasthoudt.

'Nee, ik moet mijn broertje gaan halen. Jij redt je wel. Dat zijn politiemensen, daarbuiten.'

'Ga nou mee, alsjeblieft,' smeekt ze.

'Dat kan niet. Ik moet mijn broertje halen,' leg ik uit. Faith kijkt weifelend. 'Maar zodra wij vrij zijn, kom ik jou zoeken. Dat beloof ik je,' voeg ik eraan toe.

Ze schudt haar hoofd en begint te huilen. 'Ik ben bang. Ze zien er zo akelig uit.' Ze begraaft haar gezicht tegen mijn buik. Ik kan de duistere gedaanten nauwelijks onderscheiden door de dichte sneeuw, maar ik moet toegeven dat ze een griezelige indruk maken. Als aliens.

'Oké,' zeg ik ten slotte. 'Ik loop met je mee naar buiten, maar zodra je veilig bent ga ik weer terug.' Daar denkt ze even over na en knikt dan. Ik kijk om me heen, zoekend naar iets waarmee ik de deur kan openhouden zodat hij niet achter me zal dichtvallen. In de hoek zie ik een basketbal. Waarschijnlijk hadden ze basketbal bij gym op het moment dat de waarschuwing voor een lockdown over de intercom kwam. Ik vraag me af waar ze allemaal gebleven zijn. Buiten? Of houden ze zich nog ergens verborgen? Ik pak de bal op, duw de deur open en we stappen naar buiten. De kou slaat me in het gezicht. Faith loopt bibberend naast me en onze voeten zakken wel acht of tien centimeter in de verse sneeuw. 'Wacht even,' zeg ik tegen Faith, terwijl ik voorzichtig de basketbal op de grond leg, tussen de deurpost en de deur, zodat hij niet in het slot kan vallen. Aan de overkant van het parkeerterrein zie ik drie donkere figuren die opeens blijven staan en een stap in onze richting doen. Een van hen brengt een langwerpig ding omhoog – een geweer. Mijn haar wappert in mijn gezicht door de harde wind en ik ben bang dat de deur zal dichtwaaien, zodat ik buitengesloten word en niet terug kan gaan naar P.J. Ik zwaai met mijn armen om hun te laten weten dat ik geen wapen heb. 'Hé!' roep ik. 'Wij zijn maar kinderen!' We doen een voorzichtige stap naar voren, maar de agent laat zijn geweer niet zakken. 'We zijn kinderen!' roep ik nog eens.

Een van de politiemensen komt langzaam naar ons toe, met zijn ene hand op zijn heup, de andere hand naar ons uitgestoken. 'Hou je handen in de lucht,' zegt een stem, een vrouwenstem. Faith grijpt mijn hand weer en samen steken we onze armen omhoog. 'Kom langzaam naar voren,' zegt ze, en dat doen we. Als ze dichterbij komt zie ik dat ze dezelfde agent is die me wenkte toen ik bijna uit het raam was geklommen, eerder op de dag. 'Hoe heet je?' vraagt ze, terwijl ze naar ons toe schuifelt.

'Ik ben Augie Baker en dit is Faith...' Ik besef opeens dat ik haar achternaam niet weet.

'Garrity,' fluistert ze.

'Garrity,' roep ik. 'Faith Garrity.'

'Ik ben agent Barrett,' zegt ze. 'Ik kom jullie helpen. Loop maar langzaam naar me toe. Zijn jullie gewond?'

'Nee, niets aan de hand,' antwoord ik. Tegen de tijd dat we haar hebben bereikt is mijn gezicht gevoelloos van de kou en zitten mijn schoenen vol met sneeuw. De politieman met het geweer laat eindelijk zijn wapen zakken en zegt iets in een walkietalkie.

'Zijn er gewonden binnen? Hebben jullie de overvaller gezien?'

'Nee, ik niet. Er was wel bl...' Ik wil haar vertellen over de plas bloed waarover ik ben uitgegleden als ik over haar schouder een ziekenwagen zie en iemand in een wijde, met bont afgezette parka, die naar ons toe komt met een stapel dekens.

'Wat heb je gezien?' vraagt agent Barrett als ik mijn hand loswring uit die van Faith.

'Niets,' zeg ik, terwijl ik een stap achteruit doe en over mijn schouder naar de deur van de gymzaal kijk, die nog steeds open wordt gehouden door de basketbal.

'Kom, dan kunnen jullie warm worden,' zegt agent Barrett. Ze wil een arm om me heen slaan, maar ik stap opzij en ren terug naar de school, half glijdend over de besneeuwde grond.

'Wat doe je nou, verdomme?' roept ze me na. Ze probeert me nog te grijpen, maar ik heb haar verrast. Nog een paar meter, dan ben ik weer terug in het gebouw.

Holly

Ik heb altijd geweten dat ik een beetje anders was dan de andere meisjes in Broken Branch. Niet dat ik me beter voelde of zoiets. Ik zou eerder hebben gewild dat ik meer was zoals zij. Ik verdeelde ons in drie categorieën: meisjes die meteen na de middelbare school wilden trouwen en baby's krijgen, meisjes die wilden gaan studeren en dan terugkomen naar Broken Branch om te trouwen en baby's te krijgen, en ik. Het enige wat ik wilde was zo snel mogelijk uit Broken Branch vertrekken. Dus liep ik van huis weg met een jongen uit Broken Branch, hoewel we allebei wisten dat die relatie geen stand zou houden. Het was alsof je van een heuvel sprong in de Pits, de zand- en steengroeve aan de zuidkant van het dorp, gevuld met water. Het is veel gemakkelijker om van een rots te springen als je iemands hand vasthoudt. Het was een kick om zo hoog te staan, de grillige rotswanden van de groeve beneden je te zien en te beseffen dat je zo'n wand zou kunnen raken als je verkeerd sprong. Het probleem was dat ik steeds weer op zoek ging naar iemand om van die rots af te springen.

Ik weet niet wat er in mezelf ontbrak, maar het voelde alsof ik die leegte moest opvullen met zowat iedere loslopende man die ik tegenkwam. Ik zou graag mijn vader de schuld geven; dat is zo gemakkelijk, echt waar. Ik heb nooit enige band met hem gevoeld, altijd gedacht dat hij meer van de boerderij en mijn broers hield dan van mij. Maar in alle eerlijkheid kan ik mijn vader niet verantwoordelijk stellen voor deze kant van mijn karakter. Al sinds mijn dertiende sloop ik regelmatig het huis uit voor afspraakjes met jongens en soms ook mannen – om weer een ander te leren kennen, andere manieren waarop ik werd gekust, aangeraakt, begeerd. Dat was een bedwelmende ervaring voor me, bijna net als van een rots af springen.

Er zijn namen voor vrouwen zoals ik, dat weet ik. Maar ik voel me niet slecht. Ik vind het gewoon heerlijk om door een man te worden aangeraakt. Seks heeft voor mij nooit iets met liefde te maken gehad, hoewel ik heus wel verliefd ben geweest. Toen ik met David trouwde was ik verliefd op hem. We kregen Augie en we zijn heel lang gelukkig geweest. Wel vijf jaar, langer dan ik ooit iemand trouw ben gebleven. Je zou denken dat ik mijn lesje had geleerd nu ik een kleine meid had voor wie ik een beter voorbeeld moest zijn. Maar zo was het niet. Ik weet nog dat ik Augie en David thuisliet als ik uitging met een paar andere meiden van Bang!, de kapsalon waar ik werkte. Dan gingen we naar bars, dronken chocolate-martini's, en op een of andere manier kwam ik weer met een vent in een toilet, een achterkamertje of achter in een auto terecht. Ik dacht dat ik er gewoon overheen moest groeien, dat David ooit wel genoeg voor me zou zijn. Maar dat gebeurde niet.

Ik zeg tegen P.J. dat zijn vader een marinier was, een goede, lieve man van wie ik hield, maar die de oorlog in moest. Dat hoort hij graag. Ik heb het hart niet hem te vertellen dat zijn vader in werkelijkheid een van drie mannen moet zijn geweest. De eerste was een accountant uit Phoenix, die ik op een huwelijksreceptie ontmoette, de tweede een corpsstudent uit Ohio die in Arizona met voorjaarsvakantie was, en de derde een croupier in een casino. Ik zei al, er zijn namen voor vrouwen zoals ik. Als ik nu naar mijn verbonden huid kijk en mijn grijzer wordende haar aanraak, dat langzaam begint terug te groeien, vraag ik me af of er nog een man is die mij zou willen.

Ik heb dit nooit gewild voor Augie. Maar zij is zo anders dan ik. Ze is vastberaden en onverzettelijk, maar wel tevreden. En ik geloof niet dat ik dat ooit ben geweest.

Ik zou het graag aan mijn moeder vragen. Ik zou van haar willen weten hoe het is om vijftig jaar met dezelfde man te zijn getrouwd. Niet de seks, o god, nee. Maar het dagelijks leven. Dat zijn dingen die ik haar zou willen vragen. Maar ze is vertrokken om met iemand over mijn ziektekostenverzekering te praten en ik merk dat ik haar mis. Dat ik haar al vijftien jaar heb gemist.

Meg

Niet te geloven. Eerst rent het meisje weer terug naar de school. Dan schopt ze de basketbal weg die de deur openhoudt, verdwijnt weer naar binnen en sluit mij buiten. Wie is die meid, verdomme? Ik begin al te denken dat ze iets te maken moet hebben met deze zaak. Zou dat meisje van dertien de medeplichtige kunnen zijn van de indringer? Ik bons op de deur van de gymzaal en roep dat ze moet opendoen om me binnen te laten.

'Ik moet mijn kleine broertje halen,' zegt ze door de glazen deur heen. 'Sorry.'

'Verdomme!' zeg ik en ik kijk achter me, waar een paar collega's zich hebben verzameld. Faith is in de menigte verdwenen. 'Doe open, Augie,' zeg ik luid, zodat ze me kan horen door het glas heen. 'Ik zal je wel helpen je broertje te vinden.'

Ze schudt haar hoofd. 'Dat gaat niet. Het spijt me,' zegt ze en ze draait me haar rug toe.

'Augie, toe nou!' dring ik aan, zo vriendelijk mogelijk. 'Doe die deur open. Ik kan je naar een veilige plek brengen. Denk je echt dat je een man met een revolver te slim af kunt zijn? Wat dacht je dat hij zal doen?'

Maar ze loopt al van me weg, vechtend tegen haar tranen. Ze zegt iets wat ik niet versta; haar woorden ketsen af tegen de glazen deur.

'Kom naar buiten. Nu!' roep ik.

Ze draait zich niet om, maar verdwijnt snel uit mijn blikveld. Heel even overweeg ik het slot uit de deur te schieten, maar in plaats daarvan grijp ik de basketbal en smijt hem zo hard als ik kan naar het maïsveld toe.

Ik was er zo dichtbij! Maar ik heb haar weggejaagd. Dat is altijd mijn grootste uitdaging geweest bij de politie: het juiste evenwicht te vinden tussen een zachte en harde hand. Al heel vroeg in mijn carrière ontdekte ik dat ik hard moest zijn en geen tekenen van zwakte mocht tonen. Als vrouw aan de politieacademie had ik al genoeg te stellen met een klein maar luidruchtig groepje klootzakjes aan de opleiding. Dus nam ik het besluit voor niemand opzij te gaan. En dat heb ik redelijk volgehouden. Ik heb gewelddadig, tandeloos tuig in de boeien geslagen, gewapende stropers geconfronteerd en zelfs een gebroken neus en zesentwintig hechtingen in mijn arm opgelopen toen ik met een mes werd gestoken bij het beslechten van een caféruzie tussen een stel dronkaards. Ik heb zo mijn best gedaan om sterk over te komen dat ik dikwijls vergeet dat je als agent soms ook voor een zachte aanpak moet kiezen. Nu heb ik dat meisje op de vlucht gejaagd, terwijl zij misschien de enige is die ons kan vertellen wat er in de school gebeurt. Ik heb haar van me vervreemd, zoals me dat ook is overkomen met Jamie Crosby.

In haar eigen woorden, luidde de krantenkop. Slachtoffer van mogelijke verkrachting vertelt over haar angstige ervaring met echtgenoot van politica. *Door Stuart Moore.* Mijn hart stond stil toen ik het las.

De avond dat ik naar het huis van de Crosby's werd geroepen, had ik een uur op haar moeten inpraten voordat Jamie eindelijk bereid was zich te melden bij een opvangcentrum voor verkrachte vrouwen in Waterloo – ze weigerde naar een ziekenhuis in de buurt te gaan – waar ze werd onderzocht en de bewijzen werden vastgelegd. Pas drie dagen later noemde Jamie de naam van haar verkrachter: Matthew Merritt, de echtgenoot van gouverneurskandidate Greta Merritt. Jamie was doodsbang, ervan overtuigd dat niemand zou geloven dat de algemeen geliefde partner van de toekomstige gouverneur van Iowa in staat was hun doodgewone, beetje te dikke, negentienjarige oppas te verkrachten terwijl zijn mooie vrouw op reis was voor de verkiezingscampagne. Het brak mijn hart. Ik wist dat het Jamies woorden niet waren, maar waarschijnlijk Matthew Merritts eigen giftige dreigementen tegenover het arme meisje na de aanranding. Ik beloofde Jamie dat haar identiteit geheim zou blijven. De sporen die de verpleegsters hadden verzameld – uitstrijkjes, nagelkrassen, foto's van haar kneuzingen – waren voldoende bewijs.

Op een of andere manier kwam Stuart bij Jamie uit. Hij kwam erachter dat zij het slachtoffer was. Iedereen in Iowa, zelfs in het hele Midden-Westen, wist inmiddels dat er een onderzoek tegen Matthew Merritt was ingesteld wegens verkrachting, maar Jamie was nog anoniem. Er was maar één manier waarop Stuart haar identiteit kon hebben ontdekt: via mij. En nu heeft hij het gore lef om mij een citaat te willen ontfutselen voor zijn volgende grote verhaal. Vergeet het maar.

Mevrouw Oliver

'Hé, ga daar weg!' blafte de man tegen mevrouw Oliver, die in de deuropening bleef staan toen al haar leerlingen naar de wc waren geweest en weer op hun plaatsen zaten. Ze zag de twee meisjes, een tiener en een veel jongere leerling, de gang door sluipen en wuifde hen koortsachtig bij het lokaal vandaan voordat ze de deur achter zich sloot. Ze hoopte dat ze snel uit het zicht zouden verdwijnen. De man leek steeds meer gespannen, als een gevangen vogel die zenuwachtig van de ene hoek van het lokaal naar de andere dwaalde, terwijl hij in een grillig tempo met de revolver tegen zijn dijbeen trommelde. Mevrouw Oliver hoopte dat de veiligheidspal erop zat. Ze liep terug naar haar plaats voor in de klas, zich er scherp van bewust dat de kans op ongelukken toenam naarmate de man nerveuzer werd.

Het liep tegen tweeën, nog niet zo laat dat Cal zich zorgen zou maken waar ze bleef. Waarschijnlijk was hij alweer vergeten dat de school vandaag eerder uitging. Bovendien bleef mevrouw Oliver vaak een paar uurtjes langer, om lesprogramma's op te stellen, werkstukken na te kijken of een nieuw prikbord te maken. Cal zou zich eerder afvragen of hij al aan het runderstoofpotje mocht beginnen dat de hele dag had staan sudderen in de Crock-Pot. Hij had natuurlijk honger, maar hij vond het niet gezellig om in zijn eentje te eten. Nee, waarschijnlijk zou hij de Crock-Pot op een lager pitje zetten en een stuk cheddar afsnijden om zijn eerste trek te stillen totdat zij thuiskwam.

Het moest de voorzienigheid zijn geweest, dacht Evelyn, dat Cal zesenveertig jaar geleden was langsgekomen om de wasmachine te repareren en mevrouw Ford hem had uitgenodigd voor een snee van haar bananenbrood, nog warm en vochtig uit de oven, met een glas koude limonade. Samen met mevrouw Ford hadden ze in de zonnige ontbijthoek gezeten, terwijl ze kleine hapjes van het geurige brood namen, en langzame slokjes van de limonade. Cal luisterde aandachtig naar de eeuwige verhalen van mevrouw Ford over George. Evelyn kon het niet verdragen om weer die beschrijving te moeten aanhoren over de keer dat George roodvonk had gekregen als kind en ze hadden gedacht dat hij het niet zou overleven, of dat hij de afscheidsrede had mogen houden van zijn eindexamenklas. Het sneed haar door de ziel, maar toch was het niet zo'n beproeving als anders. Het was zelfs wel prettig om mevrouw Ford over George te horen praten tegen iemand anders. Cal leek oprecht geïnteresseerd en stelde de juiste vragen op de juiste momenten.

In de loop van de volgende twee maanden belde mevrouw Ford Cal nog drie keer om iets aan de wasmachine te laten herstellen. En steeds kwam Evelyn bij hem zitten in de kelder om hem zijn gereedschap aan te geven en over politiek en boeken met hem te praten. Als het werk gedaan was, riep mevrouw Ford naar beneden dat de koekjes net uit de oven kwamen en dat ze warm het lekkerst waren. Dan zaten ze met z'n drieën aan de tafel en haalde mevrouw Ford herinneringen op aan George. Aan het einde van zo'n bezoekje zag Evelyn dat mevrouw Ford weer wat blijer uit haar ogen keek.

Op een koude wintermiddag, een paar weken nadat Cal officieel het lot van de wasmachine had bezegeld – nog meer reparaties zouden alleen maar geldverspilling zijn, zei hij, want hij kon er echt niets meer aan verhelpen – nodigde mevrouw Ford hem voor het eten uit. Evelyn was met de bus naar huis gekomen nadat ze zich had ingeschreven aan de universiteit. Met de levensverzekering van George zou ze haar studie kunnen betalen. Ze had het geld ook aan meneer en mevrouw Ford aangeboden, die immers oudere aanspraken op George hadden dan zijzelf. Maar ze hadden haar aanbod afgeslagen. George zou graag hebben gewild dat Evelyn ging studeren, zeiden ze. Ze liep al een halfjaar achter op de andere studenten omdat ze onmiddellijk was gestopt toen ze bericht kreeg over George' dood, maar ze was vastbesloten om gelijk met haar jaargenoten haar graad als lerares te halen. Doodmoe kwam ze thuis van de lange wandeling vanaf de bushalte naar het huis van de Fords. Hoewel haar zwanger-schap nog niet zo zichtbaar was, voelde ze gewoon dat de baby de voedingsstoffen uit haar lichaam zoog, uit het merg van haar botten. Het enige wat ze wilde was haar winterjas en haar rubberlaarzen uit-trekken en in bed stappen.

De Fords hadden tranen van dankbaarheid geschreid toen ze hoorden dat ze George' baby zou krijgen – misschien zelfs een zoon die zijn naam zou kunnen dragen, natuurlijk geen vervanging voor George, maar toch een kind op wie ze hun liefde konden overdragen.

Evelyn vond het niet onprettig om Cal te zien, die met zijn vro-lijke, bescheiden aanwezigheid altijd de druk van haar schouders leek te nemen, maar was wel verbaasd hem in de huiskamer te treffen, in een linnen broek en een wit buttondown shirt, in plaats van zijn grijze werkhemd met daarop zijn naam in het rood geborduurd.

Cal stond op toen ze binnenkwam en keek net zo ongemakkelijk als zij, alsof hij een ongeschreven regel van monteursetiquette had overtreden door 's avonds bij de Fords langs te komen. Het was een vreemde maaltijd, hoewel mevrouw Ford en Cal dapper probeerden een gesprek gaande te houden. Evelyn had geen idee waarom ze Cal voor het eten had uitgenodigd, en meneer Ford was zo verbaasd dat hij voortdurend in Evelyns richting keek alsof hij van haar een verkla-ring verwachtte. Hoewel ze best gezellig zaten te praten, was Evelyn zo doodmoe dat ze nauwelijks haar ogen kon openhouden. Ze pro-beerde te glimlachen op de juiste ogenblikken, maar halverwege de boeuf stroganoff, toen haar vork tegen de grond kletterde, moest ze zich excuseren. 'Het spijt me,' zei ze, terwijl ze abrupt opstond, 'maar ik voel me niet zo goed. Neem me niet kwalijk.' Ze vluchtte de kamer uit en ging op haar bed zitten met George' eindexamenfoto in haar hand, terwijl ze de lijnen van zijn gezicht natrok met haar wijsvinger. Na een tijdje werd er zachtjes op haar deur geklopt. Ze dacht dat het mevrouw Ford was, kwam onwillig overeind en repeteerde bij zichzelf al een verontschuldiging. Maar toen ze de deur opende stond Cal daar, met een bordje met appeltaart en een vorkje in zijn hand.

'Hier,' zei hij en hij gaf het haar. 'Ik dacht dat je wel wat zou lus-ten.' Ze pakte het bordje aan en stapte opzij om hem binnen te laten.

Vreemd om een andere man dan George in haar slaapkamer toe te laten.

'Weten meneer en mevrouw Ford dat je hier bent?' vroeg ze, met een blik om de deur.

'Mevrouw Ford vroeg me zelf om de appeltaart naar boven te brengen. Gaat het wel goed, Evelyn?' vroeg hij, met zorgelijke rimpeltjes rond zijn bruine ogen.

'Ik ben alleen een beetje moe,' antwoordde ze.

Cal stak zijn handen in zijn zakken en liet zijn stem dalen. 'Ik wil je niet in verlegenheid brengen door hier te komen,' zei hij aarzelend. 'Ik dacht dat je het wel wist – dat het misschien je eigen idee was.'

'Mijn eigen idee?' vroeg ze, opeens verontwaardigd. 'Hoe kom je daar nou bij?'

'Ik weet het niet.' Cal haalde zijn schouders op. 'Ik dacht dat je mijn gezelschap misschien wel prettig vond.'

'Dat is ook zo, maar... dit is niet het ideale moment, vind je wel?' fluisterde ze, hopend dat mevrouw Ford niet ergens om de hoek stond te luisteren. Evelyn keek de kamer door die ze met George had gedeeld. 'Ik woon bij de ouders van mijn overleden man.' Tranen rolden over haar wangen en ze veegde ze nijdig weg. 'Ik ben bijna zes maanden zwanger van hun kleinkind en nu proberen ze me te koppelen aan de wasmachinemonteur.' Ze zuchtte toen ze Cals gekwetste blik zag. 'Zo bedoel ik het niet, Cal. Maar het had allemaal heel anders moeten gaan.'

Cal kwam naast haar zitten op het bed, maar met een eerbiedige afstand tussen hen in. 'Misschien,' zei hij, 'heeft het juist allemaal zo moeten zijn.'

Mevrouw Oliver slikte haar tranen in bij de herinnering, greep naar haar borst en begon te kreunen. De indringer, die tegen de muur geleund stond, rechtte zijn rug en kwam haastig naar haar toe. 'Wat?' vroeg hij. 'Wat is er?'

'Mijn medicijnen,' zei ze schor, zich vaag bewust van de hernieuwde protesten van een paar leerlingen. 'Ik moet mijn medicijnen hebben.' Ze wees met trillende vinger naar haar bureau. 'In mijn tas. Daar.'

Will

Will zag dat elk kind met zijn familie werd herenigd. Omhelzingen, tranen van opluchting. Verna en hij keken elkaar ongelovig aan. Waar bleven hun kleinkinderen? Nog nooit in zijn zeventigjarige bestaan had hij zich zo hulpeloos gevoeld als de afgelopen acht weken. Samen met Marlys had hij droogten, overstromingen en financiële tegenslagen doorstaan. Zelfs hun problemen met Holly als kind verbleekten bij Holly's ongeluk en wat zich nu allemaal afspeelde.

P.J. had Will gevraagd of hij die dag thuis mocht blijven om te helpen bij het kalveren. 'Toe, opa,' smeekte hij. 'Het is toch de laatste dag voor de vakantie. Ik kan best een keertje overslaan.'

Zelfs Augie probeerde een goed woordje voor hem te doen. 'Laat hem maar thuisblijven. Hij leert meer door naar u te kijken dan de hele dag in zo'n suffe klas te zitten.' Voor Augie was dat bijna een compliment aan hem. 'Dan blijf ik ook thuis,' voegde ze eraan toe. 'Om te helpen onze koffers te pakken voor de reis.'

'Nee, jullie gaan allebei naar school. Er is nog genoeg tijd om bij het kalveren te kijken en de koffers te pakken.' Had hij maar toegegeven, deze ene keer, en de kinderen thuisgehouden. Maar nee, hij was ertegenin gegaan, hij had zo nodig de baas moeten spelen.

Will schudde zijn hoofd om zijn eigen koppigheid. Zijn hand ging naar de telefoon in zijn zak. Het werd tijd om zijn vrouw en dochter te bellen. Maar hij wist niet hoe hij hun moest vertellen dat er een kans was dat Augie en P.J. de volgende ochtend niet in dat vliegtuig naar Arizona zouden zitten.

Augie

Ik vraag me af of ze me zullen arresteren omdat ik de orders van de politie heb genegeerd of me tegen de wet heb verzet, of hoe het ook mag heten.

Ik wil agent Barrett best vertrouwen, maar als ik met haar mee was gegaan, zou ze me waarschijnlijk aan mijn grootvader hebben overgedragen, die teleurgesteld zou zijn omdat ik niet naar P.J. had gezocht.

Mijn kleren zijn kletsnat door mijn worsteling met agent Barrett en mijn schoenen maken soppende geluiden als ik de gymzaal oversteek. Ik schop ze uit. Als ik P.J.'s klas wil binnen komen zal ik heel geruisloos moeten zijn. Opeens stopt het gebons op de deur. Als ik me omdraai zie ik dat agent Barrett is verdwenen. Mooi zo. Misschien heeft ze andere dingen te doen en zal ze mij gewoon vergeten. Ik wou dat ik haar mijn naam niet had verteld. Dat was dom. Ik heb het ijzig koud in mijn natte kleren en ik loop te klappertanden. Op de tribune zie ik een sweatshirt liggen. Ik doe mijn met bloed besmeurde, vochtige т-shirt uit en trek het sweatshirt aan. Dat is niet echt stelen; ik geef het heus wel terug als dit achter de rug is. Maar anders zou ik wel onderkoeld kunnen raken, of zoiets. Mijn broek is nog nat, maar het sweatshirt is beter dan niets.

Ik ga op de tribune zitten – heel even maar, zeg ik tegen mezelf. Ik moet op adem komen en een plan maken voordat ik weer de trap op ga, terug naar de klas van P.J. Op dit moment haat ik Broken Branch en heel Iowa. Ik kan niet geloven dat ik ooit heb gedacht dat er iets moois te zien was in Iowa. Ik mis Arizona en Revelation. Het kan me niet schelen als ik nooit meer sneeuw zou zien. Ik wil in de zon staan, de warmte op mijn gezicht voelen, mijn voeten op het hete cement.

Ik sluit mijn ogen en denk aan de warme blauwe hemel, de zonson-
dergang, van oranje tot paars, met al die tinten ertussenin waar ik
niet eens een naam voor heb, en aan de stekelige yucca's. Ik mis mijn
vader, hoe ik hem ook haat. P.J. en ik zouden nooit in deze ellende terecht zijn gekomen als we gewoon bij hem hadden kunnen logeren.
Het is moeilijk te accepteren dat je vader een egoïst is, getrouwd met
iemand die zich maar weinig van zijn dochter aantrekt.

Ik denk aan mijn moeder en voel een steek in mijn hart, zo hevig
mis ik haar. Sinds mijn vader bij ons wegging, heb ik altijd geweten
dat ik op mijn moeder zou kunnen vertrouwen. Soms doet ze best
stomme dingen. Ze kan niet goed met geld omgaan, zodat we soms
een hele week macaroni met kaas of noedels eten, in afwachting
van haar volgende salaris, omdat ze een nieuw shirt wilde kopen of
P.J. dezelfde videogame wilde hebben die alle andere kinderen ook
speelden. En ze kocht ook dingen voor mij: nieuwe oorbellen of
hippe schoenen. Toch kon ik er nooit echt van genieten. Maar één
ding voelt mijn moeder heel goed aan: wanneer ik me rot voel. En
ze weet ook precies wanneer ik wil praten of wanneer ze me met
rust moet laten. De moeders van mijn vriendinnen hebben daar
geen idee van. Die zeuren en drammen totdat je er gek van wordt.
Hoewel ik elke avond met mijn moeder bel en ze lange verhalen af-
steekt over Arizona, haar therapie en oma Thwaite, die geweldig is
maar ook heel irritant kan zijn, heb ik toch het gevoel dat het nooit
meer hetzelfde zal zijn tussen ons. Ze heeft alle reden om de pest
aan me te hebben, maar aan het eind van elk telefoongesprek zegt
ze weer hetzelfde: *ik hou van je, Augie.* Ik stel me haar voor terwijl ze
de telefoon in haar verschroeide handen houdt die vroeger zo mooi
waren. Ik weet nog dat ik keek hoe ze haar nagels vijlde tot volmaakte roze ovaaltjes en mijn eigen grove, afgekloven vingers achter mijn rug verborg. *Ik hou van je, Augie*, zegt mijn moeder weer. Ik
kan het niet terugzeggen. Ik wil het wel, maar de woorden blijven
steken in mijn keel. *Dag, mam*, zeg ik dan maar, voordat ik haastig
de telefoon aan P.J. of mijn opa doorgeef. Dan ren ik het huis uit en
gooi de deur extra hard dicht om opa Thwaite te treiteren. Pas in
de schuur kan ik me verbergen en zachtjes fluisteren: *ik hou ook van*

jou, mam. Daar kan niemand het horen, behalve de koeien met hun grote, droevige ogen.

Ik dwing mezelf om op te staan. Ik kan hier niet eeuwig zitten dromen over de warme zon en mijn leven in Revelation. Ik moet P.J. halen om hem te zeggen dat hij geen seriemoordenaar is. Hopelijk krijg ik hem veilig uit de school naar buiten. Dan kunnen we morgen in het vliegtuig naar Revelation stappen en hier nooit meer terugkomen.

Meg

Ik loop terug naar de camper en de ambulances en doe navraag totdat ik de kleine Faith Garrity heb teruggevonden. Ze zit achter in een ziekenwagen, waar ze wordt onderzocht door een verpleger.

'Hoe gaat het, Faith?' vraag ik haar.

'Best,' zegt ze verlegen.

'Ze mankeert niets,' stelt de verpleger me gerust. 'Je kunt haar naar Lonnie's brengen als je wilt.'

'Wat denk je, Faith? Gaan we naar je mama en papa?'

Ze knikt. De verpleger tilt haar voorzichtig uit de ambulance en zet haar op de grond. 'Heb je weleens in een politieauto gereden?' vraag ik haar en ze schudt haar hoofd.

'Nou, dan heb je vandaag geluk,' zeg ik, terwijl ik haar hand pak. Ze glimlacht aarzelend tegen me.

'Waar is Augie?' vraagt Faith als ik haar op de achterbank van mijn patrouillewagen heb gezet, met de gordel om.

'Augie wilde terug naar haar broertje, maar als ik haar zie zal ik haar zeggen dat jij haar zocht.' Ik zou Faith het liefst ondervragen over de situatie in de school, maar ik weet dat ik moet wachten tot ze terug is bij haar ouders en zij haar toestemming hebben gegeven om met mij te praten.

We rijden net het parkeerterrein af als Faith zelf het initiatief neemt. 'Ik denk dat ze terug is naar juf Olivers klas.'

Ik spits mijn oren. 'O ja?' vraag ik zo luchtig mogelijk.

'Zij is de juf van de derde. Heel oud, maar wel aardig, geloof ik.'

'Hm,' mompel ik, in de hoop dat ze door zal gaan.

'Haar broertje zit in de klas bij juf Oliver. Ze wilde hem gaan halen, zei ze.'

'Faith,' zeg ik, 'heb je ook een man in de school gezien? Een man die daar niet hoort?'

Ze zwijgt een paar seconden. We draaien de parkeerplaats van Lonnie's op, waar Faiths ouders ongetwijfeld op haar wachten. Zodra ze daar naar binnen stapt, ben ik haar kwijt als getuige. Door de helder verlichte ramen zie ik al die tafeltjes met angstige ouders. Ik heb nog maar een paar minuten. Ik zet de auto stil, draai me om op mijn stoel en kijk haar aan. 'Faith, heb je iets gezien waarmee je Augie zou kunnen helpen?'

Faith kijkt zenuwachtig om zich heen.

'Wees maar niet bang,' zeg ik. 'Niemand kan je horen, behalve ik.' Een paar ouders in het café hebben gezien dat er een auto op het parkeerterrein is gestopt en komen naar het raam. Ze houden hun hand boven hun ogen en drukken hun gezicht tegen het glas om beter te kunnen zien. Vaag hoor ik iemand roepen. We zijn ontdekt.

'Ik heb hem gezien,' fluistert ze, terwijl ze een lok haar, nat van de smeltende sneeuw, uit haar ogen veegt. 'Ik zag hem toen ik van de wc kwam.'

De deur van Lonnie's gaat open en een echtpaar komt naar buiten. Sneeuw dwarrelt op rond hun knieën.

'Wat heb je precies gezien?' vraag ik zo rustig mogelijk, zonder haar op te jutten.

Het stel – Faiths ouders, neem ik aan – komt naar de auto toe. Ze houden elkaar stevig vast als ze over de bevroren stoep glibberen.

'Hij had een revolver.' Ze spert haar bruine ogen open. 'Hij hield hem zo vast.' Ze richt haar wijsvinger op me, met haar duim omhoog. 'Toen liet hij zijn telefoons vallen.'

De ouders hebben bijna de auto bereikt. Faith heeft hen nog niet gezien.

'Zijn telefoons?' vraag ik verbaasd. 'Had hij er meer dan één?'

Ze knikt en spreidt haar vingers. 'Hij had er wel vijf.'

'Vijf telefoons?' herhaal ik voor alle zekerheid. Faith knikt. 'Verder nog iets, Faith? Is je iets bijzonders aan hem opgevallen wat je nog weet? Had je hem al eerder gezien?' Met grote moeite probeer ik mijn stem neutraal te houden. Ik wil haar niet kopschuw maken.

Ze denkt even na en knikt dan weer.

'Ken je hem?'

Ze schudt van nee.

'Je hebt hem weleens eerder gezien, maar je weet niet wie hij is?'

Ze knikt. Door het raampje ontdekt ze nu de man en de vrouw die naar de auto komen, en haastig probeert ze haar gordel los te maken.

'Denk goed na, Faith,' dring ik aan. 'Waar heb je hem eerder gezien?'

Faith drukt haar gezicht tegen het raampje. 'Mama! Papa!' roept ze, en ze hebben ons bereikt.

Faith legt haar hand op de portierkruk, maar er gebeurt niets. Ongeduldig begint ze eraan te rukken, terwijl ze mij aankijkt, smekend om hulp.

Ik ontgrendel de deuren. Faiths vader rukt het portier open en ze werpt zich tegen hem aan. De vrouw slaat haar armen om haar dochter en haar man heen, en het drietal grijpt elkaar vast in een innige omhelzing, terwijl ik erbij sta, wachtend op het juiste moment om hun hereniging te onderbreken.

'Meneer en mevrouw Garrity,' zeg ik ten slotte. Met iedere minuut die verstrijkt loopt het leven van de achtergebleven leerlingen en docenten meer gevaar. De Garrity's kijken me met vochtige ogen aan. 'Ik ben agent Barrett en ik wil uw toestemming vragen om een paar minuten met Faith te mogen praten.'

Meneer Garrity trekt Faith nog steviger tegen zich aan en knijpt argwanend zijn ogen tot spleetjes. 'Liever niet,' zegt de vrouw, en ze streelt Faiths haar. 'Maar bedankt dat u haar naar ons toe hebt gebracht.' Haar stem breekt van emotie. 'We willen nu met haar naar huis.'

'Dat begrijp ik,' zeg ik. 'Mijn eigen dochter zit ook in de derde klas op school.' Meelevend slaan ze hun ogen neer, omdat ze denken dat Maria nog in het gebouw is. Ik spreek hen niet tegen. 'Faith is een getuige. Wat zij ons kan vertellen zou heel veel kinderen in de school kunnen helpen.'

Meneer Garrity schudt zijn hoofd. 'Morgen kunt u met haar praten. Eerst moet ze een nachtje goed slapen.' Faith legt haar hoofd tegen de schouder van haar vader, haar oogleden zwaar van de slaap.

'Eén minuutje maar, dat beloof ik,' dring ik aan.

Het echtpaar wisselt een blik en heel even denk ik dat ik toestemming zal krijgen.

'Het spijt me. Nee,' zegt meneer Garrity dan beslist en ik weet dat tegenspreken geen zin meer heeft. 'Morgen. Als ze niet te erg van streek is.'

Ik knik, niet in staat de teleurstelling van mijn gezicht te weren. 'Oké. Morgen dan.' Ik kijk naar Faith. 'Het was fijn je te ontmoeten, Faith. Je bent een heel dappere meid.'

'Jij ook,' mompelt ze, met knipperende wimpers.

'Bel alstublieft het bureau als Faith iets zegt waarvan u denkt dat het nuttig zou kunnen zijn. Vraag naar agent Barrett, dan weten ze me wel te vinden.'

'Ze is vijf,' zegt mevrouw Garrity, alsof ze zich verontschuldigt.

'Ik begrijp het. Prettige avond nog, samen,' zeg ik tegen de familie, en dat meen ik. Ik tuur omhoog door de sneeuw. De vlokken dalen dansend neer, zo wild dat ik er duizelig van word. Ik leg mijn hand op de motorkap van de patrouillewagen om steun te zoeken en denk nog eens na over de informatie die ik van Faith heb gekregen: een revolver, een handvol telefoons, en het feit dat ze hem al eerder had gezien. Veel is het niet, maar beter dan niets. Ik kijk de Garrity's na als ze over het parkeerterrein van het restaurant verdwijnen als één ondeelbare schim. En ik denk aan mijn eigen gezinnetje, dat ooit precies op dat van de Garrity's leek. Maar binnen één oogopslag verbrokkelt het allemaal.

In elk geval worden de kinderen nu een voor een met hun families herenigd. Ik moet terug naar de school. Maar eerst wil ik met Will Thwaite praten om wat meer over zijn kleindochter te horen.

Mevrouw Oliver

Als mevrouw Oliver tijd had om tv te kijken, zag ze het liefst ziekenhuisseries. Nu probeerde ze te bedenken hoe een hartaanval eruitzag in zo'n serie. Mensen grepen altijd naar hun linkerarm. Of hun rechter? Ze hapte naar adem, klauwde met haar hand door de lucht, greep eerst naar haar linkerarm en toen naar haar rechter, voor alle zekerheid. 'Mijn medicijnen...!' stamelde ze hijgend. De man keek ontsteld. Misschien was hij toch niet zo'n monster, dacht mevrouw Oliver. In paniek keek hij de klas rond, naar de angstige kinderen, van wie sommige al luid zaten te snikken nu ze zagen hoe moeilijk hun juf het had. Toen keek hij haar weer aan. Mevrouw Oliver zag de irritatie op zijn gezicht en besefte dat het hem geen zier kon schelen hoe zij eraan toe was. Hij was alleen bang dat ze ter plekke zou bezwijken en hem zou achterlaten met zeventien hysterische derdeklassers. Het zou zijn verdiende loon zijn, dacht ze, als ze hier zou sterven. Maar dat kon ze niet doen. Haar leerlingen hadden haar nodig. Telepathisch probeerde ze hun te laten weten dat het maar toneelspel was, maar dat drong niet door. Julia zat luid te jammeren, met haar mond wagenwijd open, en die arme Colin had zijn ogen stijf dichtgeknepen en beefde over zijn hele lichaam. Alleen P.J. scheen haar nieuwsgierig aan te kijken, zonder paniek.

'Alsjeblieft, mijn tas,' rochelde ze. 'In mijn bureau.'

De man aarzelde maar een seconde en richtte zich toen tot P.J. 'Pak haar tas,' beval hij.

P.J. stond op en liep haastig naar mevrouw Olivers bureau. Hij zocht in de laden en hield triomfantelijk de leren tas omhoog. 'Ik heb hem,' zei hij.

'Pak haar medicijnen en breng die hier,' instrueerde de man.

Mevrouw Oliver kreunde luid en liet zich van haar stoel glijden, zo sierlijk mogelijk, maar hopelijk ook realistisch. Op haar buik landde ze op de vloer.

De man knielde naast haar. 'Schiet op,' snauwde hij. 'Geef me die medicijnen.' P.J. groef in de zwarte tas totdat hij een buisje met pillen vond. Hij gooide het de man toe, maar het kwam op de grond terecht. Mevrouw Oliver en de man staken allebei een hand uit.

'Ik heb ze,' zei mevrouw Oliver, luider dan ze van plan was, en ze pakte het oranje buisje.

'Hé, wat gebeurt daar allemaal?' klonk Lucy's gedempte stem vanuit de kast. Ze bonsde op de deur. 'Laat me eruit!'

'Stil!' riep de man.

Mevrouw Oliver draaide de kindersluiting van het buisje, schudde twee pillen in haar hand en slikte ze door. 'Geef me een momentje,' zei ze, terwijl ze nog steeds languit op de grond lag. De pillen – tegen artritis – gaven haar een bittere smaak in de mond. Ze was zich ervan bewust dat het opeens doodstil was. Ook Lucy bonsde niet meer op de kastdeur. Iedereen wachtte af wat er ging gebeuren.

Augie

Ik sluip door de gymzaal en vraag me af wat er met Beth kan zijn gebeurd. Zou ze zich ergens in een hoek verscholen houden, net als ik, terwijl ze moed verzamelt om naar dat lokaal terug te gaan? Alleen wil zij erachter komen of het haar vader is die de klas van haar zus en P.J. onder schot houdt. Ik probeer me voor te stellen hoe het zou zijn om een vader te hebben die tot alles bereid is om zijn kinderen te zien en tijd met hen door te brengen. Mijn vader ontloopt me liever, omdat hij niets te maken wil hebben met P.J., een superaardig joch. Het droevigste is nog wel dat P.J. als een soort zwerfhondje om zijn aandacht bedelt. P.J. wil een vader, meer dan wat ook. Nee, mijn vader mag dan geen psychopaat zijn met een revolver, maar een eikel is hij wel.

Ik kom bij de deur van de gymzaal naar de gang en besef voor het eerst hoeveel dorst ik heb. Ik buig me over het fonteintje en neem een paar flinke slokken. Het water is lauw en smaakt een beetje roestig, maar voelt wel lekker in mijn keel. Dan sluip ik de gang door naar de trap. Boven ligt de gang naar P.J.'s lokaal. Als ik eerst rechts en dan links afsla, kom ik in de onderbouw van de school, met de lagere klassen, tot en met de tweede. Ik denk aan Faith Garrity, en hoe bang ze was. Net als al die jonge kinderen, neem ik aan. Maar Faith zal nu wel bij haar vader en moeder zijn, terwijl de rest nog op school gevangenzit en geen idee heeft wat er aan de hand is.

Ik weet natuurlijk niet zeker of die man nog in P.J.'s lokaal is. Als het echt Beths vader is, heeft hij misschien Natalie meegenomen en is hij nu op zoek naar Beth. Wie weet zwerft hij wel door de gangen. Ik duik weg in de ruimte onder de trap en ga zitten om te bedenken wat ik nu moet doen.

Mijn maag maakt een klotsend geluid: hij is leeg, op die plas water na. Ik ben meer dan twaalf kilo afgevallen sinds we hiernaartoe zijn verhuisd. Ik herken mezelf nauwelijks meer, in de spiegel. Mijn ogen lijken te groot voor mijn gezicht en dat kuiltje in mijn hals lijkt wel met een ijsschep uitgehold. Nee, ik zie er niet goed uit, hoewel sommige meiden op mijn oude school, die altijd zeurden dat hun kop, hun dijen of hun billen veel te dik waren, behoorlijk onder de indruk zouden zijn van mijn nieuwe look. Het is geen methode die ik anderen zou aanraden: het Zie-Je-Moeder-Verbranden-Dieet.

Sinds de brand word ik al misselijk als ik de lucht ruik van gebraden vlees. Het enige waaraan ik kan denken als mijn opa spek bakt of een broodje gehakt klaarmaakt, is het spetterende geluid van mama's vlees in de vlammen. Na de brand heb ik vierentwintig uur liggen kotsen om die smaak van as en die afschuwelijke, weeïg zoete lucht van haar verschroeide haar en huid kwijt te raken.

Toen opa met P.J. en mij naar het vliegveld reed voor de reis naar Iowa wilde hij stoppen bij een wegrestaurant. Oma Thwaite en hij aten maar zelden buiten de deur, zei hij, eens in de paar weken, bij het enige restaurant in Broken Branch. Bovendien vond mijn grootmoeder dat soort eten ongezond. Maar als de kat van huis is... zei mijn opa. Toen hij stopte bij de drive-in van een Buster Burger, voelde ik mijn maag in opstand komen bij de gedachte aan de lucht van zo'n vette hap. In een opwelling zei ik hem dat ik vegetariër was en geen vlees at. P.J. keek me aan alsof ik voelsprieten had gekregen en opa lachte me uit. Dat is het moment waarop ik besloot om hem te haten. Ik mocht hem al niet vanwege alles wat mijn moeder me over haar jeugd had verteld, met hem als vader – hoe streng en sarcastisch hij was geweest – maar vanaf dat moment voelde ik alleen maar minachting voor hem. Hij had dezelfde lach als mijn moeder, zacht en lief, bijna stroperig, maar uit zijn mond klonk dat niet goed, en bij mij scoorde hij er geen punten mee. 'Een vegetariër op een veehouderij!' Hij lachte. 'Dat kan nog leuk worden.'

Ik bleef in de auto zitten terwijl P.J. en hij in het restaurant verdwenen om wat te eten. Ik viel in slaap, terwijl ik me afvroeg wat ik de komende weken – God mocht weten hoelang – zou moeten eten totdat mijn moeder uit het ziekenhuis kwam en we weer naar huis mochten.

Op dit moment zou ik me het liefst willen oprollen tot een bal, zoals Roxie, opa's hond, dat doet. Wat zou het heerlijk zijn om mijn ogen te sluiten en pas over een paar uur wakker te worden, als alles achter de rug is. Maar P.J. zit nog steeds boven in zijn klas en aan het andere eind van de gang wachten de kleuterklassen.

Ten slotte kom ik weer overeind en besluit naar P.J.'s lokaal te gaan om te zien wat daar gebeurt. Als die man er nog is zal ik terug naar beneden sluipen om al die kleintjes en hun juffen te melden dat de kust veilig is en ze naar buiten kunnen gaan. Tenzij er natuurlijk meer dan één overvaller door de school zwerft, maar aan die afschuwelijke mogelijkheid denk ik liever niet.

Meg

Nog tien seconden kijk ik Faith en haar ouders na voordat ik terugga naar het café om met Eric Braun te praten, de collega die de opvang coördineert. Faiths vader houdt haar hand vast alsof hij haar nooit meer los wil laten. Haar moeder streelt Faiths haar en glimlacht, terwijl de tranen over haar wangen lopen.

Twee opmerkingen van het meisje spoken nog steeds door mijn hoofd. Om te beginnen het feit dat de schutter minstens vijf mobieltjes bij zich had. Waarom zou iemand vijf telefoons meenemen? En het tweede punt was dat ze hem wel eerder had gezien, maar hem niet kende. Broken Branch is maar een klein stadje, met twee kerken, een school en een supermarkt. Bijna iedereen kent iedereen, in elk geval van naam. De indringer moet dus iemand zijn uit de omgeving, iemand die een connectie heeft met Broken Branch, maar waarschijnlijk hier niet woont.

Ik moet terug naar de school om met de chief te overleggen. Nog altijd heb ik geen kans gehad om opnieuw met Gail Lowell te praten, en ook het hoofd van de school heb ik nog niet gesproken. Ik weet niet goed hoe het nu verder moet. De schaarse informatie waarover ik beschik is veel te verbrokkeld en er is geen touw aan vast te knopen. Een onbekende schutter met vijf mobieltjes en een onbekend motief, en een tienermeisje dat de kans had om te ontsnappen maar toch naar de school is teruggegaan.

Ik stap bij Lonnie's naar binnen en geniet een moment van de warmte op mijn gezicht. Onmiddellijk word ik omringd door ouders en familieleden van de kinderen die nog in de school vastzitten. Ze smeken om nieuws, maar dat heb ik niet, dus herhaal ik met een strak gezicht dat ik niets te melden heb en dat er geen berichten zijn binnengekomen over mogelijke gewonden. Mijn vrienden en buren zijn niet onder de indruk en druipen af. Gefrustreerd laten ze zich weer op hun stoelen vallen en staren naar de televisie aan de muur, in de hoop op informatie van verslaggevers en zogenaamde deskundigen, die nog minder weten dan wij.

Ik zie dat Braun in een hoekje zit te praten met Dennis en Alise Strickland, die drie kinderen hebben op de school: een jongen van zestien in de hoogste klas en twee dochters in de zevende. Eric kijkt opgelucht als ik naar hen toe kom. Dennis en Alise staan op, met dezelfde terneergeslagen uitdrukking op hun gezicht als iedereen in het café.

'Kun jij ons iets vertellen?' vraagt Alise aan mij. 'Alsjeblieft?'

'We doen allemaal ons uiterste best om iedereen veilig uit die school vandaan te krijgen.' Maar dat is niet het antwoord waarop ze hoopten, dat zie ik duidelijk aan hun gezicht.

'Ik begrijp niet waarom niemand de school binnen gaat. Waarom staan ze allemaal buiten te wachten?' vraagt Dennis Strickland. Hij is bedrijfsleider van de plaatselijke veevoerhandel, een man met een relaxte houding en een spontane lach, die hem goed van pas komen in zijn contacten met de plaatselijke boeren. Maar nu is hij gespannen, heel begrijpelijk, en maakt hij zich niet druk over beleefdheden.

'Ik weet dat het moeilijk is om geduld te oefenen,' zeg ik, terwijl ik Alise's hand pak. 'Maar er zijn protocollen en procedures voor dit soort situaties.' Dennis schudt zijn hoofd en Alise kijkt me verontschuldigend aan.

'Wil je het ons laten weten als je iets hoort?' vraagt ze.

'Natuurlijk,' beloof ik haar en ze loopt weg. Ik schuif naast Eric. Aan de manier waarop hij over zijn voorhoofd wrijft zie ik wel dat hij als contactpersoon voor de ouders waarschijnlijk de zwaarste taak heeft van ons allemaal.

Ik moet terug naar de school, dus val ik met de deur in huis. Als dit achter de rug is hebben we nog genoeg tijd voor emoties. 'Heb jij enige informatie over twee leerlingen, Augie Baker en Beth Cragg?' vraag ik hem.

'Over Beth Cragg kan ik je wel iets vertellen,' zegt hij. 'Haar grootmoeder zit daar.' Hij knikt naar een tafeltje waar een vrouw van een jaar of vijfenzestig met drie mannen zit. 'Toen Beth niet uit de bus kwam met de rest van de ontsnapte kinderen, ging Beths moeder, Darlene, compleet door het lint. Ze begon te huilen en te schreeuwen. Gelukkig was Darlene's vader erbij. Hij heeft haar naar huis gebracht. Ze heeft twee meisjes op school. Beth zit in de achtste klas, Natalie in de derde.'

'En Beths vader? Wat is zijn rol?' Van mijn bezoekjes aan de boerderij van de Craggs weet ik dat ze een geschiedenis hebben van huiselijk geweld.

'Niemand weet precies waar Ray Cragg op dit moment is. De mensen hebben hem nauwelijks nog gezien sinds Darlene bij hem wegging en naar de stad verhuisde.' Er breekt begrip door op Erics gezicht. 'Denk je dat Ray hier iets mee te maken heeft?'

Ik haal mijn schouders op. 'Zou kunnen. Beth is niet naar buiten gekomen met haar klasgenoten. Het gezin heeft een historie van huiselijk geweld en de vader is zoek.' Ik kijk het café rond. 'Ik bedoel, iedereen met een kind op school is hier nu te vinden. Nietwaar? Dus waar is Ray Cragg?'

'Doe je hier iets mee?' vraagt Eric.

Ik leun naar achteren en schud mijn hoofd. 'Dat weet ik niet. We moeten het wel controleren. Maar wie sturen we naar de boerderij van Cragg? Iedereen heeft het al druk genoeg.'

'Ik weet het niet, Meg,' fluistert Eric. 'Hij zou de dader kunnen zijn. Heb jij Darlene weleens gezien na een van zijn woedeaanvallen? Ik ben er op een avond bij geroepen toen hij haar in elkaar had geslagen. Uiteindelijk kreeg ze er genoeg van en is ze met haar dochters bij hem weggegaan. Misschien heeft hij toen zoiets krankzinnigs bedacht als dit.'

'Je hebt gelijk,' zeg ik. 'Het is voorlopig de beste aanwijzing die we hebben. Ik zal er wel naartoe gaan.'

'In je eentje? Geen sprake van, Meg.' Eric schudt nadrukkelijk zijn hoofd.

Maar ik wuif zijn protesten weg. 'Als Cragg de overvaller is, dan zou hij nu in die school zitten. Ik neem gewoon een kijkje op zijn boerderij. Als hij daar is, prima. Zo niet, dan hebben we misschien een idee wie die kinderen gegijzeld houdt. Dat is heel wat meer dan we nu weten.'

'Goed, maar wees voorzichtig en zeg tegen de chief waar je naartoe gaat.'

'Ja, ja. Maar even vlug: hoe zit het met Augie Baker? Wat weet je van haar? Ze had twee kansen om uit de school te ontsnappen, maar dat heeft ze niet gedaan.'

Eric raadpleegt zijn lijst en slaat een paar vellen op zijn klembord om. 'Ja, hier. Augustine Baker, kleindochter van Will Thwaite. Dertien jaar, pas naar Arizona verhuisd met haar broertje' – hij bladert nog even verder – 'P.J. Thwaite.'

'En de ouders?' vraag ik.

'Die wonen in Arizona. De moeder heeft ernstige verwondingen opgelopen bij een brand, daarom zijn de kinderen naar de Thwaites gekomen zolang zij moet herstellen.'

'Oké, dan zal ik proberen om Will Thwaite te vinden.'

'Je hoeft niet ver te zoeken. Hij zit achterin, met Verna.'

Ik sla Eric op zijn schouder. 'Bedankt. Ik ga even met hen praten, daarna rij ik naar de boerderij van Cragg. Hou vol. Hopelijk is het allemaal snel voorbij.'

'Ja.' Eric wrijft in zijn ogen. 'Doe mij maar huisvredebreuk of een koe in de sloot. Alles beter dan dit.'

Als ik naar het tafeltje met Will en Verna loop komt Lonnie, de cafébaas – een zware, vierkante man met vlassig grijs haar dat in een paardenstaart is gebonden – naar me toe met een piepschuimbekertje dampende koffie, dat hij me in de hand drukt. 'Hier, Meg. Volgens mij kun je wel iets gebruiken om warm te worden.'

'Dank je, Lonnie,' zeg ik en ik neem een slok van het hemelse vocht. 'En bedankt dat we jouw café als opvangcentrum voor de families mogen gebruiken. Ik weet niet wat we zonder jou hadden moeten beginnen.'

'Het stelt niets voor. Blij dat we konden helpen.'

'In elk geval doe je goede zaken,' grap ik flauw, terwijl ik in mijn zak naar een paar muntjes voor de koffie zoek.

Hij schudt zijn hoofd. 'Rondje van het huis. Ik kan die mensen toch moeilijk voor koffie en cake laten betalen als dit misschien wel de ergste dag van hun leven is.'

'Bedankt, Lonnie,' zeg ik. Hij wuift het weg en loopt bij me vandaan, schommelend door zijn enorme gewicht. Even later staat hij weer koffie in te schenken en brengt een glimlach op het gezicht van de mensen. Opnieuw besef ik waarom ik van Broken Branch hou en hier ben gaan wonen om te werken en Maria groot te brengen. Ik hoop alleen wel dat we al die leerlingen en docenten veilig uit de school kunnen krijgen. Anders kan misschien negentig procent van de jeugd van Broken Branch in één keer worden weggevaagd. Ondanks de warmte van het café en de koffie in mijn hand glijdt er een huivering over mijn rug. Als dat zou gebeuren blijft er van Broken Branch weinig meer over dan een spookstad, die langzaam zal wegkwijnen en sterven. Dat kunnen wij... dat kan ik... niet toelaten. Maria moet weer thuis kunnen komen, terug naar haar dorp, haar school, haar vrienden en vriendinnen. Terug naar mij.

Holly

'Misschien mag ik wel even naar buiten als Augie en P.J. hier zijn,' zeg ik hoopvol tegen mijn moeder als ze weer terugkomt naar de kamer. Ik ben al bijna acht weken niet buiten geweest en zie de hemel van Arizona alleen door het ziekenhuisraam.

'Misschien,' zegt mijn moeder weifelend. Ik weet dat ze zich zorgen maakt over de hitte en de felle zon hier. De rest van mijn leven zal ik mijn gehavende huid zorgvuldig moeten bedekken tegen zonnebrand. 'O,' zegt ze dan en ze haalt haar mobieltje uit haar tas. 'Wie kan dat nou zijn?' Ze drukt de telefoon tegen haar oor. 'Hallo?' zegt ze, veel te hard, zoals ze altijd doet wanneer ze haar mobiel gebruikt. De laatste keer dat ik mijn moeder zag, lang voor het ongeluk, had ik nog niet eens een mobiel en mijn moeder zeker niet. Ze legt haar hand over het toestel. 'Het is Gloria Warren,' fluistert ze verbaasd en ze staat op om de kamer uit te gaan. 'Ik ben zo weer terug.'

Meg

Als ik naar het tafeltje loop waar Verna Fraise zit, komen de mannen overeind en nemen hun mutsen af als groet. 'Heren. Mevrouw Fraise,' zeg ik.

'Hebt u nieuws over mijn kleinkinderen?' vraagt Verna hoopvol.

'Nee, nee,' zeg ik verontschuldigend, 'maar ik heb wel een paar vragen aan u.'

'Dan laten we jullie even alleen,' zegt Will Thwaite. Hij stapt bij de tafel vandaan en de anderen willen hem volgen.

'Eh, meneer Thwaite, als u erbij zou kunnen blijven...' zeg ik.

Hij aarzelt een moment, maar gaat dan weer zitten.

Will Thwaite moet minstens zeventig zijn, maar hij lijkt jonger, met de gezonde, levendige, blozende uitstraling van mensen die in de buitenlucht werken. Hij heeft een brede borst en kromme benen en is ongeveer een meter vijfenzeventig, maar hij lijkt veel langer. Zijn gezicht is zwaar gegroefd, met hier en daar wat rode vlekken die zelfs voor mijn lekenoog op het begin van huidkanker lijken. Hij draagt zijn werkkleren, een overall met een boerenjack en bemodderde, bruinleren laarzen. Afwezig roert hij wat melk door zijn koffie, terwijl hij wacht tot ik iets zal zeggen.

Maar Verna geeft me niet eens de kans. Ze heeft zelf te veel vragen. 'Hebt u geen idee waar Bethie is?' vraagt ze. 'Waarom is ze niet meegekomen met de rest van haar klas?'

'Ik weet het niet,' moet ik toegeven. 'Een van haar klasgenootjes zei dat Beth opvallend van streek was door het alarm –'

'Ja, wat wil je?' valt Verna me in de rede. 'Er komt een man met een revolver de school binnen stormen. Natuurlijk is ze van streek. Ik zou me zorgen maken als het anders was.'

'Maar dat is het punt,' zeg ik, terwijl ik mijn vingers ineengestrengeld op het tafeltje leg. 'Niemand van de leerlingen uit de klas van Beth en Augie die naar buiten kwamen wist dat er een indringer in de school was. Ze waren op de hoogte van het alarm, maar niemand had een overvaller gezien.' Verna kijkt me van achter haar dikke brillenglazen aan, maar reageert niet. Ik besluit om meteen ter zake te komen. 'Uw dochter en schoonzoon zijn uit elkaar, nietwaar? Ze gaan toch scheiden?'

'Ja,' zegt Verna behoedzaam en ze krijgt een angstige blik in haar ogen.

'Ik vraag me af...' begin ik voorzichtig, zoekend naar de juiste woorden. 'Ik weet dat er bij een scheiding soms verhitte discussies ontstaan over de toewijzing van de kinderen.'

'U vraagt zich af of Ray Cragg misschien de gewapende overvaller is, omdat hij van Darlene de meisjes niet mag zien,' zegt Will Thwaite zonder er doekjes om te winden. Naast hem lijkt Verna ineen te krimpen.

'Dat is precies wat ik dacht, ja,' zeg ik, terwijl ik van de een naar de ander kijk. 'We hebben een school vol kinderen die worden gegijzeld, maar niemand schijnt te weten waarom iemand daar met een vuurwapen is binnengedrongen. En op dit moment lijkt Ray Cragg de enige ouder die ontbreekt.'

Verna's ogen vullen zich met tranen en ze veegt ze weg met een verfrommeld servetje. 'Ik probeer hem al te bereiken sinds dit begon. Ray heeft mijn dochter vreselijk behandeld en ik ben blij dat ze van hem gaat scheiden.' Verna knijpt haar lippen op elkaar en heeft moeite om door te gaan. 'Ray houdt van die kleine meiden en ik kan me niet voorstellen dat hij ze kwaad zou doen, maar ik weet het natuurlijk niet zeker.' Dan schudt ze resoluut haar hoofd, alsof ze probeert zichzelf te overtuigen. 'Nee, hij zou zijn meisjes nooit iets doen. Nooit.'

'Maar zijn vrouw dus wel, nietwaar? Hij heeft haar wel degelijk pijn gedaan, maar die kans krijgt hij nu niet meer. Darlene heeft een straatverbod tegen Ray gekregen, dus kan hij haar fysiek niet langer bedreigen.'

'Denkt u dat Ray zou dreigen zijn dochters iets aan te doen, alleen om zich op Darlene te wreken?' vraagt Will.

Ik haal mijn schouders op. 'Ik weet het niet. Daarom vraag ik het u, mevrouw Fraise.'

Verna steunt met haar kin op haar met ouderdomsvlekken gespikkelde hand en drukt haar vingers tegen haar lippen, die trillen van emotie. Ze knikt. 'Het is mogelijk. Misschien is Ray daartoe in staat.'

'Oké. Ik zal het uitzoeken, dan hoort u zo snel mogelijk van mij. Ondertussen... Gaat alles goed met Darlene? Is er iemand bij haar?'

'Ja, mijn man, Gene. Ze was zo geschrokken toen Beth niet naar buiten kwam met de andere kinderen. Ze is ervan overtuigd dat haar iets is overkomen.'

Ik kijk Will Thwaite aan. 'Uw kleindochter en Beth zijn vriendinnen?' vraag ik. 'Zou dat de reden kunnen zijn waarom Augie niet met de andere kinderen is ontsnapt?'

'Ik weet dat Augie en Beth bevriend zijn,' bevestigt Will, 'maar geen beste vriendinnen of zo. Augie en haar broertje wonen hier pas een week of acht en ze was niet blij dat ze uit Arizona weg moest. Haar moeder had... een ongeluk gekregen, daarom logeren Augie en P.J. bij ons tot ze is opgeknapt.'

'U denkt dus niet dat Augie in de school zou zijn gebleven om Beth te helpen?' vraag ik.

Will schudt zijn hoofd. 'Ik denk eerder dat Augie zou proberen om P.J. te vinden. Die twee kunnen niet zonder elkaar, al zal Augie dat nooit toegeven. Ze zorgt voor die jongen als een moeder. Bovendien is ze zo koppig als een ezel. Zodra ze een idee in haar kop heeft, brengt niemand haar daarvan af. Een familietrekje, denk ik. Als u P.J. hebt gevonden, zal Augie niet ver weg zijn.'

'Dat is misschien de reden waarom ze weer de school in is gegaan nadat ze Faith naar buiten had gebracht. In welke klas zit P.J.?'

'In de derde. Bij mevrouw Oliver,' zegt Will. 'Kijk, daar zit Cal Oliver, de man van Evelyn.' Hij wijst naar een magere man met lange benen, een witte baard en een kaal hoofd, die in zijn eentje aan een hoektafel zit. Ik heb hem nog nooit officieel ontmoet, maar hij heeft wel een bekend gezicht. Op zijn tafeltje ligt een mobiel, waar hij naar staart alsof hij het ding probeert te dwingen om over te gaan.

'Ik moet nu weg,' zeg ik tegen Will en Verna. 'Dank u allebei voor uw hulp. Ik zal u meteen op de hoogte brengen zodra ik iets over uw kleinkinderen te weten kom. Dat beloof ik.'

Ik ben al halverwege het zaaltje als er een gedachte bij me opkomt. 'Meneer Thwaite, nog één ding,' zeg ik verontschuldigend. 'P.J. en Augie hebben verschillende achternamen. Wat kunt u me over hun vaders vertellen?'

'Nou, Augies vader kan het niet zijn. Hij was degene die ons belde om hen te komen halen. En P.J.'s vader heb ik nooit ontmoet. Voor zover ik weet, heeft hij nooit iets te maken gehad met P.J.'s leven. Ik geloof dat P.J. niet eens weet hoe hij heet.'

Tijdens mijn hele gesprek met Will en Verna zag ik uit mijn ooghoeken dat Ed Wingo zich zat te verbijten om ons niet te storen. Nu kan hij zich niet meer beheersen en zwaait met zijn vinger naar me. 'Wat gebeurt er nou eigenlijk, bij de school? Volgens mij hebben jullie geen idee waar je mee bezig bent!'

Ik zou Ed graag de wind van voren geven, maar dat heeft geen zin. 'We doen ons best,' zeg ik vriendelijk, wat hem nog kwader maakt.

'Ach, hou toch je kop, Ed,' zegt Verna voordat ik er nog iets aan kan toevoegen.

'Ik hou jullie op de hoogte,' zeg ik en ik loop haastig het café uit, de sneeuw in. Er is ruim twee centimeter bij gekomen sinds ik bij Lonnie's naar binnen stapte. We hebben nu twee mogelijke kandidaten. Ray Cragg is de meest voor de hand liggende verdachte, en dan is er nog P.J. Thwaites biologische vader, hoewel het erg vergezocht lijkt dat hij hier zijn zoon zou komen opeisen. In elk geval kom ik niet met lege handen bij de chief terug. Ik veeg met mijn arm de sneeuw van mijn voorruit en stap in. De blower produceert een golf koude lucht als ik het sleuteltje omdraai. Ik probeer de meldkamer te bereiken, maar krijg geen verbinding. De communicatie is nog steeds een puinhoop. Ik overweeg om chief McKinney met mijn mobiel te bellen, maar doe het niet. Eerst wil ik weten waar Ray Cragg is, en de chief heeft het al druk genoeg.

Will

Will nam haastig afscheid van Verna en de anderen. 'Waar ga je heen?' vroeg Verna bezorgd.

'Ik moet bij het kalveren gaan kijken. Dennis staat er nu helemaal alleen voor.' Zijn keel voelde dik en rauw, en hij vroeg zich af of hij iets onder de leden had of dat het kwam doordat hij zijn tranen had moeten inslikken toen Augie niet het café was binnen gekomen met de rest van haar klas.

'Ik zal je bellen als ik iets hoor,' beloofde Verna, die ongegeneerd haar tranen de vrije loop liet.

Will duwde de deur van het café open en werd begroet door een wolk ijzig koude lucht en sneeuw die langs zijn gezicht schuurde. Hij was wel blij met het gure weer, als een lichte straf voor de manier waarop hij Augie de laatste tijd had behandeld. Hij zou volwassen moeten zijn, verstandig.

In plaats daarvan had hij dat arme kind geplaagd. Ze was duizenden kilometers van huis, zonder haar moeder, en hij had het lef om haar te pesten met haar haar, haar eetgewoonten en de manier waarop ze zich kleedde.

Will stapte in zijn pick-up en probeerde te bedenken wat hij nu moest doen. Hij was niet van plan al naar de boerderij terug te gaan, omdat hij wist dat Daniel het heel goed in zijn eentje afkon. Nee, eerst moest hij Marlys bellen en erachter komen wat Ray Cragg in zijn schild voerde. Hij zocht net in zijn zak naar zijn mobieltje toen het toestel riedelde – weer zo'n ongepaste ringtone die was ingesteld door Augie.

Marlys.

'Will,' hoorde hij Marlys' stem, verstikt door tranen. 'Gloria Warren belde me net. Wat gebeurt daar allemaal? Zijn P.J. en Augie nog in die school? En Jenny?' Ze doelde op Todds vrouw.

Will vervloekte zichzelf in stilte omdat hij Marlys niet eerder had gebeld. 'Marlys,' zei hij, 'het spijt me vreselijk dat ik je niet gebeld heb. Dat is niet netjes van me. Ik had kunnen weten dat een of andere bemoeial hier stond te popelen om je te bellen met het nieuws. Ik ben naar de school geweest. Het was een gekkenhuis. Daarna vertrok iedereen naar Lonnie's en heb ik wel honderd keer op het punt gestaan je te bellen...'

'Will,' zei Marlys scherp, 'als je in je eigen kuil bent gevallen, moet je niet nog dieper graven.' Will zweeg. 'Vertel me nou maar wat je weet,' vervolgde ze wat milder.

'Ik kan je niet veel zeggen, Marlys,' antwoordde Will hulpeloos en hij wreef over zijn ogen. 'Ik weet alleen dat ze nog in de school zitten. Een kleine groep kinderen is naar buiten gekomen, maar P.J. en Augie waren er niet bij.'

'Het is hier al op het nieuws,' zei Marlys ongelovig. 'Toen Gloria me belde heb ik een televisie gevonden in een van de recreatiezalen in het ziekenhuis, en daar zag ik Broken Branch, met politielinten rond de school. Er was zelfs een opname van Jay Sauters camper op het parkeerterrein. Maar ze hadden niets te melden. Niemand weet wie er in die school zitten en wat ze willen. Het is zelfs niet duidelijk of het meer dan één overvaller is. Wat gebeurt daar?'

'Jij weet net zo veel als ik, Marlys. Ik heb allerlei theorieën gehoord: een van school gestuurde leerling, een ontslagen leraar, een terrorist. Verna denkt zelfs dat het Ray kan zijn.'

Marlys zweeg een moment en Will dacht dat ze al had opgehangen om in het eerste vliegtuig terug naar Broken Branch te stappen.

'Ik begrijp het,' zei Marlys toen zacht. 'Maar wat moet ik tegen Holly zeggen?' Ze wachtte even. 'Ik weet niet eens óf ik het haar moet zeggen,' vervolgde ze, meer tegen zichzelf dan tegen Will. 'Die kinderen moeten veilig uit die school weg,' zei ze toen ferm. Will wist precies wat ze bedoelde. Eindelijk hadden ze hun dochter teruggezien en hun kleinkinderen leren kennen. Daar was wel een catastrofe voor nodig geweest, maar zo lag het nu eenmaal en dit was hun kans – Wills kans – om het weer goed te maken met Holly. Het was uitgesloten dat hij haar ziekenhuiskamer zou binnen stappen zonder de kinderen die ze hem had toevertrouwd.

'Marlys, zeg nog maar niets tegen Holly,' zei Will. 'Ik zal alles doen om erachter te komen wat daar precies gebeurt. Holly moet zich geen zorgen maken, daar schiet ze niets mee op. Ze heeft al haar energie nodig om beter te worden. Ik zal je elk uur bellen hoe het er voor staat. Oké?'

'Oké,' antwoordde Marlys, maar ze klonk niet overtuigd. 'Op de televisie lijkt het flink te sneeuwen bij jullie,' besloot ze.

Will veroorloofde zich een lachje. Als Marlys over het weer begon, wist hij dat ze hem had vergeven. 'Ja, we zijn ingesneeuwd,' zei hij opgelucht. Toen stak hij de telefoon weer in de borstzak van zijn overall, draaide de hoofdweg op en reed naar de boerderij van Cragg, twintig minuten van het stadje.

Meg

Ik probeer Randall nog eens, zonder succes, terwijl Stuart me het ene onnozele sms'je na het andere stuurt. Ik wist al dat hij fanatiek achter elke primeur aan jaagt. Niets is hem te veel. Een paar jaar geleden stuurde de *Des Moines Observer* hem naar Afghanistan om zich aan te sluiten bij een eenheid van de National Guard uit Iowa. Daar deed hij verslag van de onderstroming van terreur en de geestdodende routine van het dagelijkse leven in een oorlogszone, door de ogen van de eenentwintigjarige militair Rory Denison. Stuarts artikel richtte zich vooral op het onwaarschijnlijke liefdesverhaal van Denison en een jong Afghaans meisje. Het was heel roerend en bracht zelfs tranen in mijn cynische ogen toen Stuart me erover vertelde aan het begin van onze relatie. Helaas werd Denison gedood door een bermbom. Het meisje bleef eenzaam en zwanger in Afghanistan achter. Toen het stuk in de krant was verschenen, gingen Denisons ouders fanatiek op zoek naar het meisje en hun kleinkind, maar tevergeefs. Stuart won de Pritchard-Say Prize en mocht zich daarmee de meest gevierde onderzoeksjournalist in Iowa noemen.

Toen ik me enigszins had hersteld van Stuarts laatste artikel over de verkrachting van Jamie Crosby en zijn gebrek aan spijt daarover besloot ik haar te bellen. Ik wist dat ik behoedzaam moest zijn. De toon van het artikel suggereerde dat Jamie gewillig, zelfs enthousiast, aan het interview had meegewerkt. Dat was niet Jamie zoals ik haar kende: een teruggetrokken meisje dat niet graag over de pijnlijke details wilde praten. Maar in de krant werd er weinig aan de verbeelding overgelaten. De kern van het artikel was wel juist, maar bepaalde elementen klopten niet.

'Ik heb het stuk gelezen,' zei ik toen Jamie opnam. Ik probeerde geen oordeel in mijn stem te leggen, hoewel ik teleurgesteld was dat ze met Stuart had gesproken – of met welke journalist dan ook. Dit artikel kon haar achtervolgen en zelfs de rechtszaak compromitteren, als het ooit zo ver zou komen.

'Ik weet het,' zei Jamie en ik hoorde hoe bezorgd ze klonk. 'Ik heb het helemaal niet gezegd zoals het in de krant staat. Het is afschuwelijk. Mensen zullen het ergste van me denken.' Ze begon te huilen.

'Niemand weet dat jij het bent, Jamie,' probeerde ik haar te kalmeren. 'De krant kan je naam niet bekendmaken. Het komt wel goed,' mompelde ik, hoewel ik geen enkel recht had dat te beloven.

Ik luisterde een paar seconden naar haar gehuil en stelde haar toen de vraag waarop ik eigenlijk geen antwoord wilde: 'Jamie, waarom heb je met die journalist gepraat?'

Jamie snotterde en schraapte haar keel. 'Hij leek zo aardig en hij zei dat jullie goede vrienden waren. Ik dacht dat het geen kwaad kon.'

Het was dus nog erger dan ik dacht. Stuart had Jamie gevonden via mij. Hij moest me naar haar huis zijn gevolgd op de avond dat de familie me in paniek had gebeld en bovendien had hij het lef gehad mijn naam te misbruiken om haar uit haar tent te lokken, zodat ze hem vertrouwde.

'O, Jamie,' zei ik zacht. 'Ik ken hem, dat is waar, maar hij is zeker geen vriend van me. En ik zweer je dat ik nooit, helemaal nooit, met hem over jouw zaak gesproken heb, je naam heb genoemd of heb gezegd dat hij met jou moest gaan praten.'

'Dat weet ik.' Jamie slikte moeizaam, haar stem verstikt door tranen. 'Het punt is dat hij zo aardig was. Maar het verhaal klopt van geen kant. De helft van die dingen heb ik helemaal nooit gezegd, in elk geval niet zoals ze nu klinken.'

'Jamie, ik zal dit tot op de bodem uitzoeken, dat beloof ik je,' zei ik tegen haar. 'Praat er met niemand over. Alles komt wel in orde.'

Dat gesprek was nu twee weken geleden. Ik had graafwerk gedaan, telefoontjes gepleegd, met mensen gesproken en meer over Stuart ontdekt dan me lief was. Als het om een goed verhaal ging kon hij meedogenloos zijn. Dit bleek niet de eerste keer dat hij slachtoffers had verleid hem een exclusieve primeur te geven over hun beproeving. Maar de enige die beter werd van hun openhartigheid was Stuart zelf.

Nu moest Jamie niet alleen de gevolgen van de verkrachting verwerken, maar werden haar broers gegijzeld op school door een overvaller met onbekende bedoelingen. Hoeveel ellende kon een gezin aan?

We moeten de leerlingen uit die school halen voordat het avond wordt. Het blijft nog maar een paar uur licht. Ik denk aan al die kinderen in een pikdonkere school, weggedoken in hoeken en gaten, zonder enig idee wat er precies aan de hand is.

Ik aarzel maar een moment als de kruising met de landweg opdoemt. Ik kan rechts afslaan, terug naar de school, of linksaf gaan naar de boerderij van Cragg. 'Links dus,' mompel ik bij mezelf en ik haal diep adem.

Will

De boerderij van Cragg was een oud familiebedrijf, net als die van de Thwaites. Will herinnerde zich Theodore Cragg, Rays vader, als een ernstige, zuinige man die helemaal voor zijn boerderij leefde en hoopte dat zijn vier zoons in zijn voetsporen zouden treden. Maar drie van de broers Cragg vertrokken uit Broken Branch om andere dingen te gaan doen. Alleen Ray bleef achter om de erfenis van hun vader voort te zetten. Maar hoewel Ray een goede veehouder was en veel van zijn dieren en zijn grond hield, ontbrak het hem aan zakelijk inzicht. Er gingen geruchten in de stad dat Ray op het punt stond de boerderij die al meer dan honderd jaar in zijn familie was te verliezen. Na twee seizoenen van droogte, gevolgd door een totaal verregende zomer, waren de Craggs diep in de schulden geraakt. Theodore Cragg, die nog bij zijn zoon inwoonde, stak zijn mening over het vermeende wanbeleid van Ray niet onder stoelen of banken. Bij Lonnie's of in gesprek met andere boeren bij de veevoerhandel had Will meer dan eens meegemaakt dat Theodore zijn zoon uitfoeterde waar iedereen bij was. Achteraf had Will spijt dat hij niet tussenbeide was gekomen en de oude man had gezegd zijn mond te houden. Er waren zo veel boeren die moeilijke jaren doormaakten maar zichzelf en hun boerderij er toch weer bovenop wisten te krijgen. In 1988 hadden Will en Marlys op een middag vanaf hun veranda machteloos toegekeken hoe de rijke, goudgele maïsstengels zienderogen verbleekten in de meedogenloze augustuszon. Alle boeren, zo scheen het, leefden altijd op de rand van het faillissement, maar Marlys en hij hadden het volgehouden, net als het land. En het jaar daarop hadden ze een schitterende oogst binnengehaald.

Will parkeerde zijn pick-up voor het huis. Het viel hem op hoe eenzaam de boerderij erbij stond. De Craggs hadden twee kleine meiden. Er zouden sporen moeten zijn van hun aanwezigheid, paasversieringen achter de ramen, sleetjes, speelgoed, iets wat bij kinderen paste. Verna had hem gezegd dat Darlene en haar dochters waren vertrokken, maar Will had gedacht dat het na een paar dagen wel goed zou komen, als de emoties wat waren bedaard. Will wist dat Rays vader een onaangenaam mens was, met een opvliegend karakter, maar Ray zelf leek veel rustiger en had meer gevoel voor humor. Verna zag dat anders. Zij beschreef Ray Cragg als een jaloerse, gewelddadige man. Zo zie je maar weer, dacht Will, dat je nooit wist wat zich achter gesloten deuren afspeelde.

Will was al een paar keer bij de Craggs op bezoek geweest. Hij liep naar de zijkant van het huis en klopte op de keukendeur. Er kwam geen reactie, maar hij hoorde wel het scherpe keffen van de hond. Hij wilde het al opgeven en terugrijden naar het café toen hij door het ruitje van de deur een glimp opving van de golden retriever. De hond snuffelde fanatiek aan iets wat op de grond lag, nu eens blaffend, dan weer jankend. Will drukte zijn gezicht tegen het glas om beter te kunnen zien en ontdekte helderrode spetters op het witte linoleum van de keukenvloer. Bloed, dacht Will met een toenemend gevoel van onrust. Hij rende terug naar zijn pick-up, rukte het portier open en stapte in. Haastig zocht hij in zijn overall naar zijn telefoon en toetste de eerste twee cijfers van het alarmnummer in, voordat hij aarzelde. Een telefoontje naar de politie op dit moment zou betekenen dat iemand de school moest verlaten om op deze oproep te reageren, waardoor de toch al onderbezette politiemacht weer een man of vrouw minder zou hebben om de gegijzelde kinderen te helpen.

Hij wist niet eens waar het bloed vandaan kwam. De hond kon wel zijn poot hebben verwond, of misschien had de oude Cragg zich gesneden toen hij brood klaarmaakte. Will klapte zijn telefoon weer dicht en zonder over de consequenties na te denken greep hij zijn geweer van de stoel naast zich en liep terug naar de zijdeur van de Craggs. Hij probeerde de deurkruk, die meegaf, en de deur zwaaide gemakkelijk open. De hond kwispelstaartte naar Will en rende met slippende poten door de rode druppels, waardoor hij rode strepen op het zeil achterliet, als de warrige vingertekening van een klein kind.

'Ga maar naar buiten, meid,' beval hij de hond, terwijl hij haar zachtjes de deur uit duwde. Er stonden wat vuile borden in de gootsteen en een halfvolle kop koffie op de keukentafel. 'Ray!' riep Will. 'Theodore! Ik ben het, Will Thwaite.' Hij hield zijn hoofd schuin en luisterde, maar alles bleef stil. Langzaam liep hij de keuken door naar de huiskamer, waar een soapserie bezig was op de breedbeeldtelevisie, met het geluid uit. Will voelde zijn nekharen overeind komen. Er moest toch iemand thuis zijn? Hij wierp een blik in de eetkamer en het slaapkamertje dat Ray als kantoor gebruikte. Een stoffige computer stond op een al even stoffig bureau, naast stapels ongeopende post – rekeningen, zo te zien. Will stapte het kantoortje uit en bleef voor de trap naar de eerste verdieping staan. Als hij die trap beklom zou hij het huis niet zo gemakkelijk meer kunnen verlaten. Hij haalde diep adem en dwong zichzelf zijn voet op de trap te zetten. Net toen hij de bovenste tree had bereikt hoorde hij een kreet van beneden.

'Is daar iemand?' riep hij en hij voelde zijn ademhaling sneller gaan. 'Alles goed daar?'

Iemand kreunde als antwoord. Will daalde de trap af, liep in de richting van het geluid en kwam bij een deur aan de andere kant van het kantoortje. Een badkamer, vermoedde Will, terwijl hij probeerde zich de indeling van het huis voor de geest te halen.

'Wie is daar?' riep hij door de deur heen. 'Gaat het wel?' Hij voelde de kolf van het geweer door zijn vingers glijden, nam het wapen in zijn andere hand en veegde zijn handpalm af aan zijn broek. Met een snelle beweging duwde hij de deur open en stapte meteen weer terug, bang voor wat hij zou aantreffen.

Theodore Cragg zat op de vloer van de badkamer, met een verfrommelde, bloeddoordrenkte handdoek tegen zijn hoofd gedrukt. 'Theodore!' hijgde Will. Hij rende naar de bejaarde man toe en knielde bij hem neer. 'Wat is er gebeurd?'

Theodore trok de handdoek van zijn hoofd weg, waardoor er een snee zichtbaar werd die zeker gehecht moest worden. 'Ray,' was alles wat hij wist uit te brengen, met een schorre stem die bijna brak. Toen vielen zijn ogen dicht.

Mevrouw Oliver

Mevrouw Oliver opende één oog, tilde haar kin op en zag de overvaller en P.J. over haar heen gebogen staan. De man keek nog altijd bezorgd, P.J. niet. Mevrouw Oliver draaide zich op haar rug en stak een hand naar de man uit, zodat hij haar op de been kon helpen. Hij schudde zijn hoofd, liep naar haar bureau en opende haar tas. P.J. bukte zich, pakte mevrouw Olivers hand en zette zich schrap om haar overeind te trekken.

Toen ze eindelijk weer stond streek ze haar haar glad en zag een beetje droevig dat er nog meer kleurige kraaltjes van haar overgooier waren gevallen. 'Alles goed met mij, iedereen.' Ze glimlachte bemoedigend, maar inwendig vloekte ze. De man stond bij haar bureau en doorzocht haar tas. Ze vroeg zich af wat hij zou doen als hij haar telefoon vond. 'O, u gelooft niet in mobieltjes?' Zou hij het ding omhoog gooien als zo'n kleiduif en het aan scherven schieten? Of zou hij haar zelf neerknallen? Ze overwoog serieus weer op de grond in elkaar te zakken toen P.J. Thwaite naast haar bleef staan en ze iets in de grote zak van haar jurk voelde vallen. P.J. veroorloofde zich een lichte grijns en liep terug naar zijn plaats. De man was klaar met haar tas, gooide hem opzij en keek haar aan.

'Gaat het weer?' vroeg hij op een toon die mevrouw Oliver duidelijk maakte dat het hem koud liet of ze hier voor de ogen van haar leerlingen zou bezwijken.

'Ik red het wel,' antwoordde ze, getroost door het vertrouwde gewicht van de telefoon in haar zak. 'Ik ga daar even zitten om uit te rusten.'

'Goed idee,' zei hij. 'Ik moet bellen.'

Ik ook, dacht mevrouw Oliver.

Augie

Het is zo stil in de gangen dat ik nauwelijks kan geloven dat er nog leerlingen of zelfs leraren in het gebouw zijn. Heel even vraag ik me af of ik soms de laatste ben en de anderen allang thuis zijn en tegen elkaar verzuchten: *nou, dat scheelde niet veel!* Misschien heeft opa P.J. al opgehaald en zijn ze langs Lonnie's gegaan voor een cheeseburger met patat. Halverwege zijn chocolademilkshake houdt P.J. misschien op met slurpen en zegt: *wat zou er met Augie zijn gebeurd?* En opa haalt zijn schouders op en antwoordt: *nou ja, ze maakte het leven hier wel interessant, voor zolang als het duurde.* Natuurlijk weet ik ook wel dat het zo niet zou gaan, maar als er ooit een vijfde wiel aan de wagen was, ben ik het wel. Ik begrijp hoe P.J. zich moet hebben gevoeld als mijn vader mij kwam ophalen en we privégrapjes maakten waar P.J. niets van begreep. Vanaf het eerste moment waren opa en P.J. de beste vrienden. Dat ergerde me mateloos. Ik had mijn eigen stad, mijn vriendinnen en mijn moeder opgegeven, enkel en alleen voor P.J., en hij dumpte me meteen voor een oude man en zijn boerderij! Als mama over haar vader sprak, kwam er altijd een scherpe klank in haar stem. *Wees maar blij dat je mij als ouder hebt,* zei ze dan. *Het enige wat ik als kind op die boerderij deed was werken, werken en nog eens werken.* Ze vertelde ons dat ze nooit mee mocht doen met naschoolse activiteiten of bij vriendinnetjes mocht spelen vanwege al het werk dat opa haar liet doen. *En de stank!* zei ze, terwijl ze haar neus dichtkneep. Nog voordat we onze grootouders ontmoetten hadden P.J. en ik een lange discussie over hoe we dachten dat opa en oma Thwaite zouden zijn. En samen besloten we dat we hen niet zouden mogen. Maar binnen een uur had P.J. er twee beste vrienden bij. Dat had ik kunnen verwachten, want P.J. mag iedereen. Hij is net een jong hondje:

hij smeekt mensen bijna om van hem te houden. Maar ik bleef in elk geval loyaal aan mama. Dat ik van haar afscheid moest nemen vond ik nog het ergst. Je zou denken dat het een geruststelling was om haar aan de zorgen van haar eigen moeder toe te vertrouwen, maar zo voelde ik dat niet. Oma Thwaite is een vreemde voor me. En voor mijn moeder eigenlijk ook. Ze hadden elkaar meer dan vijftien jaar niet gezien en spraken elkaar maar een paar keer per jaar. Dus was ik nogal verbaasd dat mijn moeder tranen in haar ogen kreeg toen oma haar ziekenhuiskamer binnen kwam. *Mam*, zei ze met een klank als honing op haar tong. Ik denk dat het door de medicijnen kwam. *Wat maak je me nou?* wilde ik tegen haar zeggen. *Dit is de vrouw van wie je zei dat ze nooit tegen je vader durfde in te gaan, alle beslissingen aan hem overliet, zich als een bleke schim gedroeg.* Het grappige is dat oma Thwaite helemaal niet op een schim lijkt. Ze is groot en rond, en ze heeft roze wangen en een luide, blije lach.

Dus hoewel mijn broertje en mijn moeder zich gedroegen alsof alles koek en ei was, besloot ik vol te houden waar mijn moeder het had opgegeven. Ik zou die man niet over me heen laten lopen. Maar elke dag, voordat we 's ochtends naar school gaan, zegt hij dat ik goed op mijn broertje moet passen, en hoewel ik het liefst zou antwoorden dat hij dood kan vallen, pas ik toch op P.J. Niet omdat mijn opa dat zegt, maar omdat ik dat altijd heb gedaan.

Mevrouw Oliver

Mevrouw Oliver betastte heimelijk het mobieltje in haar zak. Ze wist hoe ze moest sms'en, maar haar vingers voelden zo groot en onhandig op de kleine toetsen dat ze het maar zelden probeerde. Ze overwoog een paar willekeurige cijfers in te drukken en daarna de VERZEND-knop, maar God mocht weten wie de oproep dan zou ontvangen. Spreken was een nog groter probleem. Ze had geen idee hoe ze dat voor de indringer verborgen zou kunnen houden. Ze vroeg zich af of ze nog een afleidingsmanoeuvre kon bedenken. Ze keek eens naar P.J. Thwaite, die naar haar omkeek en zijn wenkbrauwen optrok alsof hij wilde zeggen: *bel nou!* Mevrouw Oliver trok ook haar wenkbrauwen op, als vraag. P.J. krabde zich op zijn hoofd, rekte zijn nek en begon heen en weer te wiebelen als een soort slangenbezweerder. Daar ging hij mee door totdat de man geïrriteerd zijn kant op keek.

'Wat doe je, verdomme?' vroeg hij aan P.J.

'Ik probeer alleen te zien wat voor kleur ogen u hebt,' antwoordde P.J. onschuldig.

'Om me straks bij een confrontatie te kunnen herkennen?' snoof de man.

'Nee. Ik...' P.J. keek verward naar zijn lerares.

'Maak je maar niet druk over een confrontatie,' zei de man en mevrouw Oliver voelde de pillen die ze had geslikt weer in haar maag omhoogkomen. 'Blauw!' snauwde de man tegen P.J. 'Mijn ogen zijn blauw,' herhaalde hij kortaf en hij zocht in zijn rugzak naar een fles water.

'P.J., niet doen,' zei mevrouw Oliver.

'Weet u zeker dat u nooit in Revelation in Arizona, bent geweest?'

vroeg P.J. zonder op zijn lerares te letten. 'Het is vlak bij Phoenix.'

'Nee, nooit geweest.'

'U zou zich mijn moeder zeker herinneren. Ze is zo knap. Ze heeft bruin haar. Dat klinkt niet zo mooi, zoals ik het zeg, maar het is echt prachtig, heel glanzend en zacht. Ze heeft blauwe ogen en ze is mager, maar niet té.' P.J. boog zich naar voren op zijn stoel. 'Negen jaar geleden moet u haar hebben gekend, zo ongeveer.' De man besloot P.J. te negeren en nam nog een slok uit zijn fles water. 'Zat u bij de mariniers? Dat zou best kunnen, als ik u zo zie. Mijn moeder zei dat mijn vader marinier was en de oorlog in moest. Hebt u in de oorlog gevochten?'

Mevrouw Oliver was zo gefascineerd door P.J.'s verhaal dat ze er niet meteen aan dacht dat ze moest bellen.

'Hoor eens... Parker,' zei de man, bijna vriendelijk en met een blik naar het naamplaatje op P.J.'s tafel.

'Ik heet P.J.,' antwoordde P.J. stug. Hij waagde een blik naar mevrouw Oliver, die nu druk in de zak van haar overgooier grabbelde. P.J. had haar al zo vaak om een nieuw naamplaatje gevraagd, met P.J. in plaats van PARKER.

'Oké, P.J.,' herstelde de man. 'Ik ben nooit in Revelation in Arizona, geweest en ik heb je moeder nooit ontmoet.' Opeens brak het begrip door in zijn ogen. 'En ik ben zeker niet je vader. Ik ben hier niet gekomen om jou te ontvoeren zodat wij samen nog lang en gelukkig kunnen leven. Heb je ooit in de spiegel gekeken? Wij lijken totaal niet op elkaar. Ik heb blauwe ogen. Jouw moeder ook, zeg je. Twee blauwe ogen maken geen bruine ogen. En die van jou zijn bruin. Vergeet het nou maar, Parker. Als je vader nog steeds niet naar je op zoek is gegaan, dan komt hij niet meer. En hou nou je kop en laat me met rust.'

Een storm van emoties trok over P.J.'s gezicht, waarvan woede uiteindelijk de overhand kreeg. 'Nou, ik ben blij dat je niet mijn vader bent,' zei P.J., zo zacht dat de man zich moest inspannen om het te verstaan. 'Mijn vader was marinier en hij zou nooit een school zijn binnen gekomen met een revolver om de mensen angst aan te jagen. Je bent een lul.'

Tot P.J.'s grote verlegenheid begon de man te lachen. 'Ze hebben me wel ergere dingen naar mijn hoofd geslingerd, Parker, maar je hebt gelijk. Ik ben een lul. En hou nou je smoel.'

'Ik heet P.J.,' zei P.J. moedeloos. Hij liet zich op zijn stoel terugzakken, boog zich over zijn tafeltje en begroef zijn hoofd in zijn handen.

Mevrouw Oliver voelde haar hart breken voor P.J. De man had best wat vriendelijker kunnen zijn. Nu besefte ze ook wat voor een offer P.J. voor haar en zijn klasgenoten had gebracht. Al die weken dat hij hier op school zat had hij nog nooit iets over zijn vader gezegd. Wel over zijn moeder, zijn zus en zijn grootouders, maar nooit over zijn vader. De andere kinderen vroegen hem er soms naar, maar dan haalde P.J. zijn schouders op en bracht het gesprek snel op een ander onderwerp.

Doordat P.J. de aandacht van de man een paar seconden had afgeleid, had mevrouw Oliver de kans gekregen de eerste naam van haar telefoonboek in te toetsen en op VERZENDEN te drukken. Met een beetje geluk hoorde Cal nu wat er in het lokaal gezegd werd.

Will

'Theodore!' Will schudde hem zachtjes bij zijn schouder. De oudere man sloeg moeizaam zijn ogen op en staarde hem wazig aan. 'Theodore, heeft Ray dit gedaan?' vroeg Will. Theodore knikte en zijn onderkin trilde bevestigend. 'Ik zal om hulp bellen.' Voorzichtig nam hij de bebloede handdoek uit Theodore's hand, pakte een andere van het handdoekenrek en drukte die zachtjes tegen Theodore's hoofd.

Weer haalde Will zijn telefoon uit zijn overall. Zonder aarzelen nu belde hij het alarmnummer. Bezet. 'Jezus,' mompelde Will. Hij verbrak de verbinding en probeerde het nog eens, maar opnieuw hoorde hij de irritante bezettoon.

Hulpeloos keek hij om zich heen. Theodore woog meer dan honderd kilo. Hij was niet in staat op eigen gelegenheid naar Wills pick-up te lopen en zonder assistentie zou Will hem niet kunnen dragen.

Hij overwoog wie van zijn zoons hij moest bellen om hem te helpen Theodore naar het ziekenhuis in Mason City te brengen. Todd woonde in Broken Branch, maar Will wilde hem niet bij de school wegroepen, waar hij op nieuws over zijn vrouw wachtte, die daar opgesloten zat. Zijn volgende keus was zijn oudste zoon, Joe. Het nadeel was dat Joe een halfuur verderop woonde, op een boerderij bij Walton, en Will vroeg zich af of Theodore wel zo lang op medische hulp zou kunnen wachten. Ten slotte belde hij zijn vriend Herb Lawson, die beloofde zo snel mogelijk hulp naar de boerderij van de Craggs te sturen.

Het volgende telefoontje was moeilijker. Hij belde Verna's nummer. De beste vriendin van zijn vrouw nam meteen op. 'Heb je nieuws?' vroeg ze buiten adem.

'Luister, Vera,' zei Will en hij probeerde zijn stem zo rustig mogelijk te laten klinken. 'Breng Darlene naar een veilige plek.'

'Waarom?' vroeg Verna ontsteld. 'Wat is er dan?'

'Ik ben op de boerderij van Ray en Theodore heeft een lelijke buil op zijn hoofd. Hij zegt dat Ray hem heeft aangevallen, maar Ray is nergens te bekennen.'

'O, hemel,' zei Verna angstig. 'Dan moet ik Gene en Darlene bellen. Ik zei je toch dat die man gestoord is?'

'Doe dat. Ik zal ervoor zorgen dat Theodore in het ziekenhuis komt. En Verna, pas goed op jezelf. Marlys heeft je nodig. Begrepen?' Will slikte een golf van emotie in. Wat had deze afschuwelijke dag nog meer in petto?

Meg

De omstandigheden worden met de minuut slechter en ik kan nauwelijks de weg meer zien. Het loopt tegen vieren en ik heb geen idee wat zich in de school afspeelt. Opeens maak ik me zorgen omdat ik zomaar naar de boerderij van Cragg ben gereden zonder mijn collega's te waarschuwen. Straks kom ik nog in een greppel terecht en vries ik dood. Cragg kan wel in een moordzuchtige bui zijn en me ter plekke neerschieten als ik onverwachts bij zijn huis opduik, zonder versterkingen. Stel dat er belangrijke ontwikkelingen zijn bij de school en iedereen daar op me rekent? Ik probeer de meldkamer nog eens en eindelijk hoor ik Randalls vertrouwde stem, een beetje schor door alle gesprekken die hij de afgelopen uren heeft gevoerd. 'Hé, Randall, met Meg. Ik wil me even melden.'

'Meg, waar zit je? We zijn je al een tijdje kwijt,' zegt Randall een beetje snibbig. 'Chief McKinney was naar je op zoek.'

'Ik heb geprobeerd contact op te nemen,' zeg ik defensief, 'maar je was niet te bereiken.'

'Ik weet het,' zegt Randall wat milder. 'Het is nog steeds een gekkenhuis. De ouders en de kinderen in de school bellen voortdurend. De ouders willen weten wat er aan de hand is en waarom we de kinderen daar niet weghalen. Ik probeer ze uit te leggen dat we de lijnen vrij moeten houden en dat we iedereen op de hoogte zullen brengen zodra er nieuws is, maar niemand luistert.'

'Zit er al schot in?' vraag ik. Ik ben nog maar acht kilometer van de boerderij en het zweet staat in mijn handen.

'Chief McKinney heeft geprobeerd contact te krijgen met de overvaller via de telefoon en de megafoon, maar de man reageert niet. Uit de telefoontjes naar het alarmnummer vanuit de school heb ik nu wel een idee welke klassen blijkbaar geen enkel contact hebben gehad met de indringer.'

'En welke klassen zijn dat?' vraag ik met bonzend hart, denkend aan Maria's klasgenootjes.

'Verrassend genoeg heeft niemand in de bovenbouw iets gehoord of gezien. De hoogste klassen hebben nog helemaal niets met de man te maken gehad. Hetzelfde is af te leiden uit de telefoontjes vanuit de laagste klassen. Daar heeft ook niemand de indringer gezien.'

'Oké. En de derde tot en met achtste klas?' vraag ik, op het moment dat ik de grindweg naar de boerderij van de Craggs op draai.

'Dat is juist zo raar,' zegt Randall een beetje verbaasd. 'Aanvankelijk kwamen daar de meeste telefoontjes vandaan. Maar opeens stopte dat. Er belde niemand meer uit die klassen en de ouders van de leerlingen en de partners van de docenten meldden dat ze geen contact meer kregen met –'

'De overvaller heeft alle telefoons verzameld,' val ik hem in de rede. 'Faith Garrity had de man op de gang gezien en hij liet een heel stel mobieltjes vallen. Ik durf te wedden dat hij de bovenbouw heeft gemeden, uit angst dat de oudere leerlingen hem zouden overvallen. Vervolgens heeft hij alle telefoons van de leerlingen van de middelste klassen verzameld. Hij is niet naar de onderbouw gegaan – omdat hij daar niet veel telefoons verwachtte of omdat er iets tussenkwam.'

'Dat klinkt logisch,' beaamt Randall. 'Hoor eens, je moet de chief bellen, want hij wil je dringend spreken.'

'Ik zal het doen. O, Randall ik ben even naar de boerderij van Cragg om poolshoogte te nemen, oké? Als ik me binnen een halfuur niet heb gemeld, stuur dan versterking.'

'Wat is er aan de hand, Meg? Wat moet je daar?'

'Ik heb informatie dat het nuttig zou zijn om een kijkje te nemen bij de Craggs. Meer weet ik ook niet op dit moment. Akkoord?'

'Goed, maar meld je binnen een halfuur. Bel mijn mobieltje, dan krijg je me in elk geval te pakken. En bel de chief!' roept hij als ik ophang.

Mevrouw Oliver

Mevrouw Oliver stond op en liep naar P.J. toe. Met haar hand tegen de zak van haar denim jurk smoorde ze het trillen van het mobieltje toen het Cals nummer belde. P.J.'s uitbarsting was net zo abrupt geëindigd als hij begonnen was.

De man keek haar ongelovig aan. 'Ga zitten. Nu!'

'Ik wil alleen kijken hoe het met P.J. is. U hebt hem behoorlijk van streek gemaakt.'

'Hij mankeert niets,' zei de man schamper met een blik naar P.J., die nog altijd met zijn hoofd op zijn armen lag.

'Dit is belachelijk,' verklaarde mevrouw Oliver luid, met haar kin omlaag en haar stem in de richting van de telefoon. 'Hoe durft u mijn klas binnen te komen, met een revolver nog wel, en mijn leerlingen de stuipen op het lijf te jagen zonder enige goede reden! We mogen blij zijn dat er geen slachtoffers zijn gevallen. En dan die arme Lucy. Het is een schandaal dat u haar in die kast hebt opgesloten.' Mevrouw Oliver wist dat ze te ver ging, maar ze kon er niets aan doen. Nu ze contact met de buitenwereld had wilde ze zo veel mogelijk informatie doorgeven. 'U zei dat dit allemaal zo voorbij zou zijn. Waarom zitten we hier dan nog?' Mevrouw Oliver deed voorzichtig nog een stap naar de man toe. Ze prutste aan de stof van haar overgooier om de zak met het mobieltje wat verder open te trekken, in de hoop dat Cal het gesprek kon horen.

'Ga zitten,' herhaalde de man op zachte, dreigende toon.

'Ik ga pas zitten als u ons vertelt wat hier aan de hand is en wanneer u ons laat gaan.'

Opeens stak de man zijn arm uit en greep mevrouw Oliver bij de voorkant van haar jurk, waardoor de laatste regenboogkraaltjes over de vloer kletterden. Mevrouw Oliver slaakte een luide kreet, meer uit spijt over alle moeite die Charlotte aan de overgooier had besteed dan uit angst. 'Ga zitten en hou je smoel, anders jaag ik jou en al die kinderen hier een kogel door de kop!' snauwde de man met zijn neus bijna tegen de hare. Op zijn dreigement kracht bij te zetten drukte hij de loop van de revolver tegen haar slaap.

Vanuit haar zak klonk Cals stem, die riep: 'Evelyn, Evelyn, ben je daar nog?' Voor het eerst besefte mevrouw Oliver dat dit weleens de laatste keer kon zijn dat ze de stem van haar man hoorde.

De overvaller keek verbaasd in de richting van de stem, stak ruw zijn hand in haar zak en haalde het mobieltje tevoorschijn, waaruit Cal nog steeds machteloos naar zijn vrouw riep. 'Ik hou van je, Cal,' wist ze nog uit te brengen voordat de man de verbinding verbrak. Met kracht ramde hij de loop van het wapen tegen haar wang. Mevrouw Oliver kneep haar ogen dicht en wachtte op de oorverdovende knal.

Augie

Ik besluit niet het risico te nemen om de leraressen van de onderbouw te zeggen dat de man met het wapen boven is. Misschien is hij daar alweer verdwenen of loopt er nog een psychopaat door de school. Ik zou het niet overleven als er slachtoffers vielen omdat ik gezegd had dat ze veilig naar buiten konden gaan.

Ik haal diep adem en sluip de trap op. Mijn natte schoenen heb ik in de gymzaal achtergelaten en de koude vloertegels doen mijn voeten tintelen. Ik heb geen idee wat ik moet doen als ik boven ben. Ik kan moeilijk op de deur kloppen en beleefd vragen of ik binnen mag komen. Wie wil er nou een kogel? Ik niet.

Als ik een paar treden heb beklommen hoor ik een deur opengaan. 'Hé, wat doe je daar?' zegt een zachte, hese stem. Van schrik struikel ik naar voren en stoot mijn knie tegen de volgende tree. Ik draai me half om, ga op de trap zitten en wrijf over mijn knieschijf. Het is een van de leraressen van de tweede klas, die om de deur van haar lokaal kijkt. Ik leg een vinger tegen mijn lippen en kijk over mijn schouder om te zien of iemand ons heeft gehoord. 'Is de kust veilig?' vraagt ze. Ze is jong en hoogzwanger. Ze lijkt doodmoe en leunt tegen de deurpost alsof die het enige is wat haar nog op de been houdt. Ik schud mijn hoofd en ze bijt op haar lip alsof ze moeite heeft niet in tranen uit te barsten. 'Heeft hij een wapen?' vraagt ze. Ik knik. Ze spert haar ogen wijd open van angst en kijkt snel de gang door. 'Weet je waar hij nu is?' Ik wijs naar boven, nog steeds zonder een woord te zeggen. 'Kom naar beneden, bij ons in de klas,' zegt de lerares met opeengeklemde kiezen. 'Snel. Straks komt hij deze kant op.'

Ik schud mijn hoofd en hijs mezelf weer overeind. Haast heb ik niet, want ik weet dat ze niet achter me aan zal komen. Bovendien kan ik haar gemakkelijk voor blijven, met haar dikke buik. 'Kom terug!' zegt ze, blijkbaar luider dan ze wilde, want ze slaat meteen een hand over haar mond en fluistert: 'Alsjeblieft.' Ik schud nog eens mijn hoofd en draai haar mijn rug toe. Langzaam en geruisloos loop ik weer de trap op, in de richting van P.J.'s lokaal, hoewel ik nog altijd niet weet wat ik daar moet doen.

De laatste keer dat ik P.J. moest redden was op de avond van de brand. Ik zat op mijn kamer te sms'en met mijn vriendin Taylor. We maakten plannen om later die avond naar de film te gaan toen de geur van knoflook onder mijn deur door zweefde, waardoor mijn maag begon te rammelen. Mam bakte groente in olijfolie op het fornuis en P.J. zat aan de keukentafel, bezig met zijn natuurkunde-project. Voor hem lagen een paar piepschuimballen die de planeten moesten voorstellen. Hij schilderde ze in verschillende kleuren.

'Honger, Aug?' vroeg mijn moeder, terwijl ze een schaaltje gesneden courgettes in de pan gooide.

'Zoals altijd,' pestte P.J.

'Zeikerd,' snauwde ik. Hij reageerde niet, maar zo gemakkelijk kwam hij er niet van af. 'Moet je horen wie het zegt. Mijn buik puilt tenminste niet over mijn riem.'

'Kop dicht,' mompelde P.J.

'Hé,' zei onze moeder. 'Ophouden, allebei. Augie, geef me even een warmhoudplaatje uit de la.'

'Vraag het maar aan die vetklep daar,' zei ik. 'Hij kan wel wat beweging gebruiken.'

'Ha, ha.' P.J. keek me nijdig aan terwijl hij opstond, een pak melk uit de koelkast haalde en het met een klap op het aanrecht zette, waar mama de courgettes stond te roeren. 'Gelukkig heb ik niet zo'n puistenkop waar de mensen van moeten kotsen.'

Nog elke dag denk ik aan wat ik toen deed. Het was maar een piepschuimbal en ik wist dat het hem geen pijn zou doen, zelfs als ik hem in zijn gezicht zou raken. 'Hou toch je bek, sukkel,' schreeuwde ik en ik smeet de bal naar hem toe. Niet eens hard.

'Ha!' P.J. stak triomfantelijk zijn handen in de lucht toen de bal hem miste. In plaats daarvan raakte hij de open fles olijfolie die mijn moeder in een reflex probeerde op te vangen toen hij viel. Ik zag de dikke, gele olie uit de opening spatten, over haar handen, haar shirt en haar haar. P.J. stond nog steeds tegen me te lachen toen mijn moeder uitgleed over de olie die op de grond terecht was gekomen. Ze probeerde op de been te blijven door zich vast te grijpen aan het aanrecht, waarbij ze de pan met courgettes van het fornuis stootte en er nog meer olie over haar heen spatte. Het ging allemaal zo snel. Haar mouw raakte nauwelijks de gaspit, maar toen dat gebeurde schoten de vlammen langs haar arm omhoog als rennende insecten. Ik zie nog haar gezicht voor me in de seconde voordat het vuur haar haar bereikte. Haar mond leek verstard van verbazing, in een volmaakte 'O!', maar het waren vooral haar ogen die ik nooit zal vergeten: de schok, die gedachte van *dit kan mij toch niet overkomen!*

Het vuur verteerde alles wat door de gemorste olijfolie was aangeraakt, als een bizar soort domino – een stapeltje kranten en tijdschriften op het aanrecht, de hoek van de gordijnen, de keukenkastjes. Instinctief stapte mijn moeder naar de gootsteen en probeerde de brand te blussen door water over haar handen te spoelen en in haar gezicht te plenzen, maar opeens herinnerde ik me het jaar dat ik bij de padvinderij gezeten had. Olie en water mengen niet. Bloem! Ik greep de bus in de vorm van een haan, die mijn moeder het jaar daarvoor op een rommelmarkt in Phoenix had gekocht, rukte het deksel eraf en gooide een wolk bloem over haar heen. Het witte poeder bedekte haar gezicht en doofde de vlammen die het haar aan de linkerkant van haar hoofd al hadden weggeschroeid. Haar oor was half verkoold. Ik kokhalsde door de stank van verbrand vlees en haar, maar probeerde toch de rest van de bloem over haar arm te gooien, die nog in brand stond.

'Stop! Laat je vallen en rol over de grond,' hoorde ik P.J. roepen, en blijkbaar hoorde mijn moeder het ook, want ze liet zich op haar knieën zakken en kronkelde over de vloer totdat het vuur gedoofd was. Maar de gordijnen en de keukenkastjes brandden nog en een dikke rook vulde de keuken en drong in mijn longen. Mijn moeder kwam wankelend overeind en riep om P.J., die opeens verdwenen was.Ik zei dat ik hem zou zoeken en duwde haar naar de voordeur.

En hier sta ik dan weer, om P.J. te zoeken en in veiligheid te brengen. In elk geval is het deze keer niet mijn schuld.

Mevrouw Oliver

Mevrouw Oliver was blij dat ze nog de kans had gekregen om Cal te zeggen dat ze van hem hield, maar ze schaamde zich wel dat zij nu misschien de reden was waarom haar leerlingen diezelfde woorden nooit meer zouden kunnen uitspreken tegen de mensen van wie ze hielden.

Ze had gedacht dat de knal harder zou zijn, en pijnlijker.

Het enige wat ze hoorde was een luide tik en eigenlijk voelde ze niets. Doodgeschoten worden was heerlijk pijnloos, dacht ze.

Eindelijk durfde ze haar ogen weer open te doen en onder de arm van de overvaller door zag ze de deur van het lokaal opengaan. De druk tegen haar wang verdween en een stem verscheurde de stilte.

Meg

Ik stop naast het pad naar het huis van de Craggs en schakel de motor en de koplampen uit. Ik wil zeker weten dat ik snel weer weg kan rijden als het nodig is. De sneeuw op het pad lijkt kortgeleden verstoord. Hier moet het afgelopen uur nog een auto voorbij zijn gekomen. Voor het huis staat een pick-up geparkeerd met een dun laagje sneeuw, maar dat zegt niet veel. De meeste boeren hebben meer dan één auto en misschien is Cragg eerder op de dag nog weggeweest. De wagen kan ook van Craggs vader zijn, die nog altijd autorijdt, tegen het advies van iedereen in.

Er brandt nergens licht, voor zover ik kan zien, maar op de veranda van het huis zit een ruigharige golden retriever te huiveren. Geweldig, een hond. Hij lijkt vriendelijk genoeg, maar ik haal toch uit mijn dashboardkastje een paar hondenkoekjes, die ik speciaal voor zulke momenten heb. De hond begint woest te kwispelen als ik naderbij kom. Ik breek een koekje doormidden en gooi haar de helft toe. Ze werkt het met één hap naar binnen en kijkt me verwachtingsvol aan of er nog wat komt.

'Rustig aan, meid,' zeg ik tegen haar als ik het trapje beklim. De boerderij van de Craggs is een mooi huis van twee verdiepingen, witgeschilderd met zwarte luiken. Beneden hangen bloembakken voor de ramen, die 's zomers waarschijnlijk uitpuilen met viooltjes en geraniums, maar nu vol zitten met sneeuw. Ik laat de hond even aan mijn hand snuffelen en als ik zeker weet dat ze niet zal aanvallen druk ik op de bel. Ik wacht op een reactie, maar hoor niets anders dan het huilen van de wind en de snuivende ademhaling van de hond. Ik open de hor en bons met mijn vuist op de dikke eiken voordeur. Niets. 'Waar is hij?' vraag ik de hond, alsof zij het me kan vertellen.

Als ik geen antwoord krijg daal ik het trapje weer af en loop naar het raam aan de voorkant. Daar ga ik op mijn tenen staan om naar binnen te kijken. De huiskamer is donker. Op een koffietafeltje staan een paar frisdrankblikjes en bierflesjes. Het is geen puinhoop, maar wel zo rommelig dat je kunt zien dat er geen vrouw meer woont.

Als ik naar de zijkant van het huis loop zie ik dat de hor gesloten is, maar de zijdeur op een kier staat. 'Blijf,' beveel ik de hond als ik de keuken binnen stap. Op de vloer zie ik rode vegen. Geronnen bloed, is mijn eerste gedachte. Ik trek de Glock uit mijn holster en loop naar een soort kantoortje, waar ik de gebruikelijke papieren en rommel vind, maar mijn blik gaat vooral naar de grote wapenkluis in de hoek. Ik trek aan het metalen kruk en de deur zwaait gemakkelijk open. De kluis is groot genoeg voor een paar geweren, die allemaal in hun groenfluwelen nissen hangen. Eén lege plek staart me opvallend aan – niet groot, de juiste afmetingen voor een pistool of revolver. 'Jezus,' mompel ik. 'Het is inderdaad Ray Cragg.'

'Dat denk ik ook,' hoor ik een stem achter me en ik draai me bliksemsnel om, met mijn Glock voor me uit en mijn vinger instinctief tegen de trekker als ik mijn wapen richt.

Will

'Niet schieten!' riep Will toen hij zag dat agent Barrett haar Glock op hem richtte.

'Verdomme,' blafte ze, terwijl ze met haar andere hand naar haar borst greep. 'Dat is dé manier om je te laten neerknallen.'

Will zocht steun bij het bureau. Zijn hart bonsde in zijn keel en zijn vingers lieten afdrukken na in het stof. 'Sorry,' hijgde hij, en hij hoopte dat hij niet aan een hartaanval zou bezwijken nu hij op het nippertje een kogel had weten te vermijden.

'Wat doet u hier, verdomme?' vroeg agent Barrett venijnig, terwijl ze met trillende hand haar wapen weer in de holster stak.

'Verna Fraise maakte zich zorgen over haar schoonzoon. Ik wist dat jullie het druk hadden bij de school, dus ben ik zelf maar gaan kijken,' verklaarde Will. Nu hij het zichzelf hoorde zeggen, besefte hij wat een stomme streek het was geweest om hiernaartoe te gaan. Hij haalde bevend adem en vervolgde: 'Ik heb Theodore Cragg daar gevonden...' Hij wees naar de badkamer. 'Bloedend. Hij zei dat zijn zoon het had gedaan.'

Agent Barrett duwde Will opzij en stapte de badkamer in. Theodore Cragg lag half tegen de muur, nauwelijks bij bewustzijn, met een bebloede handdoek tegen zijn voorhoofd gedrukt.

'Heeft uw zoon dit gedaan?' vroeg Barrett aan Cragg, die versuft knikte. Ze draaide zich om naar Will. 'Hebt u een ziekenwagen gebeld?'

Will schudde zijn hoofd. 'Ik heb het een paar keer geprobeerd, maar ik kon de alarmcentrale niet bereiken. Ik denk dat de lijnen overbelast zijn door al die families die informatie willen. Of misschien zijn er een paar telefoonkabels gebroken in de storm. Herb

Lawson kreeg ik wel te pakken. Hij zou proberen een ambulance hiernaartoe te sturen.'

'Hebt u ook een spoor van Ray gezien?'

'Nee, niets. Maar ik heb alleen hierbeneden gekeken. Ik ben niet boven geweest of in de schuren.'

'Ik zal even op de bovenverdieping gaan kijken. Blijf het alarmnummer bellen voor die ambulance,' beval Barrett en zé verdween.

Meg

Als ik de bovenverdieping heb doorzocht en de ambulance is gearriveerd om Theodore Cragg naar het ziekenhuis te brengen stap ik weer naar buiten. De golden retriever duwt haar neus tegen mijn been. Ik geef haar de andere helft van het koekje en kijk op het naamplaatje aan haar halsband. Ze heet Twinkie. 'Wat denk jij, Twinkie?' vraag ik. 'Waar moeten we zoeken? Die grote, griezelige schuur rechts, of die grote, griezelige schuur links?' Ik aai de ruwe vacht van de hond met mijn gehandschoende hand en loop naar de kleinste van de stallen. Dan werp ik een blik op mijn horloge. Ik heb nog vijf minuten voordat ik Randall moet bellen. Ik loop wat sneller, blij dat ik mijn kniehoge winterlaarzen draag. De scherpe, koude wind duwt me naar de deur van de rood geschilderde, afbladderende schuur en ik ga over in looppas. Twinkie rent voor me uit en blijft om de paar meter staan om te zien of ik wel volg. Ze is veel eerder bij de schuur dan ik en begint jankend aan de rode deur te krabbelen. Ik probeer wat sneller te lopen, maar de sneeuw is te diep, mijn benen doen pijn en mijn longen dreigen te barsten.

Twinkie kijkt me met droevige ogen aan en een onheilspellend gevoel bekruipt me. Ik leg mijn hand op de kruk en langzaam open ik de deur. Verder dan een kier krijg ik hem niet open, omdat de onderkant blijft steken in een berg sneeuw op de grond. Ik schop de sneeuw weg met mijn laars en trek de deur ver genoeg open voor Twinkie om zich naar binnen te wringen. Meteen begint ze te blaffen, hoog, hard en wanhopig. Ik kijk weer op mijn horloge. Nog twee minuten voordat Randall assistentie zal sturen. 'Politie,' roep ik, maar er komt geen reactie, behalve het geblaf van de hond. 'Politie!' herhaal ik, wat luider nu, maar nog altijd word ik overstemd door

Twinkies blaffen. 'Stil!' roep ik tegen haar. Ze zwijgt meteen, komt weer naar buiten en blijft naast me staan. 'Zit,' beveel ik haar en ze gehoorzaamt. Ik schop nog wat sneeuw weg, zodat ik de deur zo ver mogelijk kan openen. Met mijn wapen in de hand kijk ik om de hoek, de schuur in. De muffe lucht van hooi dringt in mijn neus en een wolk van kleine stofjes dwarrelt om mijn hoofd.

Ik stap naar binnen, werp een blik door het halfduister en blijf staan als ik zie wat er voor me ligt. Dan laat ik mijn Glock zakken, pak mijn mobiel en druk op de sneltoets voor Randall.

Augie

Ik ben net boven aan de trap als ik Beth voor de deur van P.J.'s klas zie staan. Haar lange bruine haar is losgeraakt uit haar paardenstaart en het lijkt alsof ze heeft gehuild. Ik probeer haar aandacht te trekken door met mijn armen te zwaaien, maar ze ziet het niet. Ze klopt twee keer op de glazen ruit in de deur, legt haar hand op de kruk en stapt naar binnen.

'Papa?' hoor ik haar zeggen. 'Niet doen, alsjeblieft.'

Meg

'Jezus, Meg,' zegt Randall met opluchting in zijn stem. 'Ik wilde net de chief bellen. Hij had mijn ballen eraf gehakt als ik iemand bij de school vandaan had moeten halen om jou te zoeken.'

'Randall,' probeer ik hem te onderbreken.

'Ik kan niet geloven dat je me zo veel last bezorgt. Ik heb al genoeg stress met al die...'

'Randall,' zeg ik nog eens, wat nadrukkelijker nu, 'Ray Cragg heeft een 9mm-kogel ingeslikt. Ik heb Fred hier nodig.' Fred is onze politiearts.

Het blijft stil op de lijn.

'Randall?' Nog steeds geen antwoord.

'Randall,' snauw ik, 'luister naar me! Stuur de dokter naar de boerderij van Cragg.'

'Ik zal Fred bellen, maar je belt zelf maar de chief.'

'Goed.' Ik verbreek de verbinding en kijk weer opzij naar het lichaam van Ray Cragg. Hij zit met gespreide benen op de grond, zijn hoofd voorover. Ik buk me om zijn gezicht te kunnen zien, of wat ervan over is. De onderste helft is weggeschoten. Zijn levenloze ogen staan wijd open, alsof hij verbaasd is dat hij zichzelf – en zijn familie – zoiets verschrikkelijks heeft aangedaan. Bloedspatten en weefselresten kleven aan de balen hooi waar hij tegenaan zit en ik ben blij dat ik degene ben die hem zo gevonden heeft. Ik moet er niet aan denken dat een van zijn dochters hem zou hebben aangetroffen. Achter me hoor ik voetstappen. Snel draai ik me om. 'Blijf daar!' beveel ik.

De voetstappen houden abrupt halt en ik zie Will Thwaite in de deuropening staan, met zijn hand op Twinkies halsband. 'Jezus,' zegt hij schor als zijn blik op de groteske gestalte achter me blijft rusten.

'Ga naar buiten, meneer Thwaite,' zeg ik zo rustig mogelijk. 'Ik kom er zo aan.'

Mevrouw Oliver

'Beth?' klonk een klein stemmetje van achter uit het lokaal. Mevrouw Oliver draaide zich om, hoewel de man haar bovenarm nog stevig in zijn greep hield. Natalie Cragg keek verrast naar haar oudere zus. De punt van haar vlecht was nog vochtig; in haar zenuwen had ze erop zitten kauwen.

'Godallemachtig,' zei de man verslagen. 'Wat is dit voor een dorp? Weet niemand hier wie zijn vader is?'

Beth stond sprakeloos. Ze keek van haar kleine zus naar de overvaller en weer terug. De man liet mevrouw Olivers arm los en duwde haar opzij, met zo veel kracht dat ze tegen de ijzeren radiator onder het raam viel. Een felle pijn schoot door haar heup, tot in haar been. De man greep Beth bij haar paardenstaart, dwong haar op de knieën en zwaaide nonchalant met zijn revolver. 'Wie zijn daar nog meer, op de gang?' vroeg hij.

'Niemand. Alleen ik,' stamelde Beth. 'Ik dacht... Ik dacht dat u...'

'Nee, ik ben je vader niet, stom rund,' snauwde de man en hij gaf zo'n ruk aan Beths paardenstaart dat ze begon te jammeren van angst. 'Waag het niet tegen me te liegen.' Hij stond zwaar te hijgen en had een dreigende uitdrukking op zijn gezicht.

'Nee! Ik lieg niet,' verzekerde Beth hem wanhopig.

Mevrouw Oliver had het gevoel dat de zaak snel uit de hand dreigde te lopen en ze hinkte naar de man terug. 'Ziet u niet hoe bang ze is?' vroeg ze. 'Kijk dan naar haar.' De blik van de man scheen wat op te helderen. Hij liet Beths haar los en ze zakte snikkend in elkaar. Mevrouw Oliver bukte zich en fluisterde haar sussend toe: 'Ga maar naar Natalie, Beth. Het komt wel goed. Zie je?' Met een teder gebaar veegde ze Beths haar van haar bezwete voorhoofd. 'Hij is je vader niet. Ga maar bij je zusje zitten.' Beth knikte en liep nog altijd huilend naar haar zus, achter in de klas.

Mevrouw Oliver voelde een geweldige woede in zich opkomen. Ze rechtte haar rug, verhief zich in haar volle lengte en probeerde de stekende pijn in haar heup te negeren. Verontwaardigd wendde ze zich tot de overvaller: 'Als u nog één vinger durft uit te steken naar een van deze kinderen –'

Voordat ze haar zin kon afmaken haalde de man al uit. Mevrouw Olivers laatste gedachte voordat hij haar met de revolver tegen de zijkant van haar hoofd raakte was dat Cal opnieuw gelijk had gekregen. De eenvoudigste manier om je gezicht te redden was de onderste helft gesloten te houden.

Meg

De politiearts, Fred Ramsey, woont ongeveer twintig minuten van Broken Branch en kan elk moment arriveren. Ik trek haastig de conclusie dat niemand hier het lichaam zal verstoren, dus loop ik door de sneeuw naar mijn auto terug, met Twinkie op mijn hielen, om Fred en de ambulance op te vangen en zelf weer warm te worden. Ik zet Twinkie op de achterbank, me ervan bewust dat iedereen me sentimenteel zal vinden, maar ik kan haar toch moeilijk in de kou laten staan. De temperatuur begint flink te zakken en de wind wakkert aan. Het moet al onder nul zijn, de windfactor meegerekend, en ik kan me de logistieke problemen bij de school goed voorstellen. Ik haal het plastic zakje met hondenkoekjes uit mijn dashboardkastje en geef ze allemaal aan Twinkie, die er korte metten mee maakt en zich dan tot een blonde bal oprolt en haar ogen sluit. Graag zou ik haar voorbeeld volgen.

In de auto is het warm genoeg om mijn handschoenen uit te trekken, zodat ik aantekeningen kan maken over mijn vondst van Ray Craggs lichaam. Ik kan zelfs mijn tenen weer voelen als mijn mobieltje gaat. Hopelijk is het Maria. Nee, Stuart, zie ik op de display. Mijn nieuwsgierigheid krijgt opeens de overhand en ik neem op. 'Ja, Stuart? Ik heb het beestachtig druk.'

'Hé, Meg,' fluistert Stuart. 'Ik heb twee snelle vragen voor je...'

'Geen commentaar. En geen commentaar,' antwoord ik verveeld.

'Ha. Heel geestig. Maar serieus. Officieus, als je wilt...' zegt hij zacht.

'O, dat wil ik zeker,' zeg ik, kwaad op mezelf dat ik me toch weer in Stuarts netten laat verstrikken. 'Waarom fluister je, Stuart?'

'Omdat Bricker dit niet mag horen. Hij probeert me altijd mijn verhalen af te troggelen. Vraag één: mis je me nog weleens?'

'Hoe is het met je vrouw, Stuart?' snauw ik.

'Oké, sorry. Ze maakt het goed.'

'Blij het te horen. Dat was je eerste vraag? Nog maar één te gaan.'

'Ik heb het gevoel dat je dit nieuws nog niet gehoord hebt.' Stuart aarzelt alsof het misschien niet zo'n goed idee is om met dit gesprek door te gaan.

'Zeg het nou maar, Stuart.'

'Heb je het al gehoord over je ex-man?'

Ik schiet overeind in mijn stoel. In de verte zie ik een auto langzaam naar de boerderij toe komen. De koplampen glinsteren vaag tegen de heldere sneeuw. 'Tim? Wat dan? Is er iets met hem?'

'Dat is het punt juist. Niemand schijnt te weten waar hij is. Volgens mijn bron is er een telefoontje binnengekomen bij de politie van Waterloo en is hij sindsdien verdwenen.'

Het duizelt me. Waar zou Tim kunnen zijn? Het is niets voor hem om ervandoor te gaan, zeker niet als hij Maria bij zich heeft.

'Meg,' zegt Stuart vriendelijk, bijna teder, alsof hij nog oprecht iets voor me voelt. 'Mijn bron vroeg zich af of hij misschien, heel misschien, de overvaller in de school zou kunnen zijn.'

'Dat slaat nergens op,' zeg ik hardop, voordat ik me herinner dat ik tegen een journalist praat, een journalist van wie ik ooit dacht dat ik van hem kon houden, maar die ik zeker niet kan vertrouwen. 'Geen commentaar,' besluit ik en ik verbreek de verbinding. Als ik erachter kom wie Stuarts bron is zal ik hem persoonlijk arresteren.

Als de auto dichterbij komt herken ik Fred Ramseys witte suv, gevolgd door een andere wagen, vermoedelijk een dienstauto van de sheriff van Stark County.

Mijn benen voelen als lood. Ik ben nog steeds ontdaan door Stuarts mededeling. Tim als indringer op Maria's school? Uitgesloten. Stuart probeert me op stang te jagen. Ik dwing mezelf uit te stappen om de mannen te begroeten.

'Fred,' zeg ik, 'bedankt dat je zo snel kon komen. Het lichaam ligt daar, in de schuur.' Ik wil hem erheen brengen als er een hulpsheriff uit de andere auto stapt. Het is ongebruikelijk dat een hulpsheriff uit een ander district zich ermee bemoeit. Ik probeer te bedenken dat dit een heel ongebruikelijke dag is, met heel ongebruikelijke omstandigheden, maar toch slaat de ongerustheid toe.

'Agent Barrett?' vraagt hij formeel. Ik knik. 'Ik ben hulpsheriff Robert Hine van het bureau in Stark County. Wij bieden hulp vanwege de situatie in de school. Uw chief vroeg me het onderzoek hier over te nemen, zodat u weer terug kunt naar Broken Branch.'

'Zei hij ook waarom?' vraag ik.

'Nee, alleen dat u zich moest melden op de commandopost bij de school.'

Ik stap weer in mijn auto en schakel met bevende handen de pook naar DRIVE. Achter me hoor ik Twinkie geeuwen. Ik ben die arme hond totaal vergeten. Maar ik heb nu geen tijd haar naar het asiel of het huis van Darlene Cragg te brengen zonder daar een uitvoerige verklaring voor te geven.

Gelukkig sneeuwt het niet meer, maar er staat nog steeds een harde wind, waardoor het zicht maar beperkt is. Ik probeer Tim te bellen op zijn mobiel, maar ik krijg meteen zijn voicemail. 'Tim,' zeg ik, 'bel me alsjeblieft direct terug als je dit bericht hoort.'

Dan bel ik Judith, Tims moeder, in de hoop op meer informatie, maar zij neemt ook niet op. Ik overweeg Maria te bellen, maar ik heb geen idee wat zij wel of niet weet, en ik wil haar niet van streek maken.

Ik weet dat Tim niet de man in de school kan zijn. Daar heeft hij geen enkele reden voor. Bovendien bezit hij geen wapen en zou hij nooit een vlieg kwaad doen – niet de man met wie ik ooit getrouwd was.

Ik heb er weinig zin in, maar toch bel ik chief McKinney.

Will

Will dacht dat hij nog uren op de boerderij van Cragg zou worden vastgehouden om de hulpsheriff uit te leggen waarom hij naar het huis van de Craggs was gereden, hoe hij de gewonde Theodore had gevonden en hoe ze uiteindelijk Rays zelfmoord hadden ontdekt, maar verrassend genoeg noteerde de politieman gewoon zijn verklaring, met zijn gegevens, en stuurde hem toen weg.

Will besloot naar de boerderij terug te rijden om een kijkje te nemen bij Daniel en het kalveren. Ook in de gunstigste weersomstandigheden deden zich soms complicaties voor en bij deze bittere kou konden die dodelijk zijn. Hij wist dat hij eigenlijk terug moest naar Lonnie's, maar de gedachte om daar werkeloos te moeten afwachten maakte hem nerveus. Het huis van Cragg lag maar een paar minuten rijden van Wills boerderij, maar de sneeuw waaide in grillige gordijnen over de weg en bracht het zicht bijna terug tot nul. Net toen hij zijn boerderij naderde zag hij de vage koplampen van een tegenligger. Daniel. En hij had de veewagen achter zijn pick-up. De auto met aanhanger stopte en Will liet zijn raampje zakken. De kou sloeg meedogenloos toe; hij was meteen verkleumd tot op het bot.

'Ik rij naar dokter Nevara. Nummer 421 heeft problemen en ik denk dat het een keizersnee moet worden,' legde Daniel uit. 'Herb Clemens houdt toezicht op de rest, dus daar hebben we geen zorgen over.'

Will voelde een grote dankbaarheid tegenover zijn vrienden en buren, op wie hij altijd kon rekenen. Of je nu hulp nodig had bij het planten van maïs of het kalveren van het vee, ze stonden altijd voor je klaar. 'Ik rij achter je aan naar dokter Nevara, dan ga ik daarna weer terug naar Lonnie's.' Will aarzelde even of hij Daniel moest vertellen over de zelfmoord van Ray Cragg, maar dat kon wachten, besloot hij. Het leek hem beter dat Verna en Darlene het eerder zouden horen dan de rest van de stad.

Will keerde, behoedzaam om niet weg te glijden in een greppel met sneeuw, en volgde Daniel over de landweg naar de veeartsenpraktijk van dokter Nevara, aan de westelijke rand van Broken Branch.

Als hij Daniel niet was tegengekomen, zou Will nooit de zwarte banden en verchroomde wielen van de auto hebben gezien die op zijn kop in de greppel lag, bijna geheel bedolven onder sneeuw.

De twee mannen sprongen uit hun auto's. Hier en daar was de sneeuw kniehoog, op andere plaatsen lag er nauwelijks een laagje. Samen veegden ze met hun handen de sneeuw van het linkerraampje van de omgeslagen auto, in de hoop iets te kunnen zien. Toen ze eindelijk een voldoende groot vlak hadden vrijgemaakt, drukte Daniel zijn gezicht tegen de ruit en probeerde zijn ogen af te schermen tegen de schittering van de sneeuw. 'Er zit nog iemand in,' bevestigde Daniel en hij tastte al naar zijn mobiel. 'Hij beweegt niet meer.'

Terwijl Daniel probeerde hulp te krijgen tuurde Will in de auto. De man hing ondersteboven, op zijn plaats gehouden door de gordel. Bloed droop uit zijn neus en een van zijn benen lag in een vreemde hoek. Will probeerde zijn moeizame ademhaling onder controle te krijgen, zodat hij zich kon concentreren op de borst van de man, om vast te stellen of hij nog ademde. Na een tijdje zag hij de borstkas van de bestuurder vaag op en neer gaan. Hij leefde dus nog.

'Ze willen weten of hij nog ademt,' riep Daniel boven het geloei van de wind uit.

'Ja, hij ademt,' bevestigde Will. 'Maar hij is bewusteloos en zo te zien heeft hij een gebroken been.'

'Ze proberen hier zo snel mogelijk te zijn,' zei Daniel zodra hij de verbinding had verbroken. 'Ze sturen een takelwagen uit de stad en een ambulance uit Conway. Ken je hem?'

'Nee,' antwoordde Will, 'maar het is moeilijk te zeggen. Hij is er behoorlijk slecht aan toe. Ik hoop dat ze op tijd zijn.'

Augie

Ik zie Beth de klas in stappen en probeer me voor te stellen hoe het is om te geloven dat je vader zo veel van je houdt dat hij bereid zou zijn daarvoor een hele klas te gijzelen. Dan komt er een andere gedachte bij me op en opeens voel ik me misselijk. Misschien is Beths vader de school wel binnen gedrongen omdat hij Beths moeder zo haat. Zou hij zijn eigen dochters kunnen neerschieten uit woede tegenover zijn vrouw? Dat hoor je weleens op de televisie: een vrouw die haar kind van zes wurgt omdat het brutaal is, of haar baby van acht maanden in bad verdrinkt, of een vader die zijn hele gezin uitmoordt en dan het huis in brand steekt.

Ik voel mijn knieën knikken bij de gedachte en voor het eerst vandaag ben ik echt bang; het soort angst dat begint als een knoop in je maag en steeds groter wordt, totdat er niets anders meer is en er geen ruimte overblijft om te ademen. Dezelfde angst als op de dag van de brand. De angst om te beseffen hoe gemakkelijk en hoe ernstig we iemand anders kunnen verwonden.

Ik weet dat ik onmogelijk die klas kan binnen gaan. Het was een stom idee om te denken dat ik P.J. daar in mijn eentje zou kunnen weghalen. De man met de revolver zou ons natuurlijk nooit laten gaan. Wat moet ik zeggen? 'Neem me niet kwalijk, maar het is bijna etenstijd en ik moet met mijn broertje naar huis.' Hij zou waarschijnlijk lachen en me bevel geven om te gaan zitten en mijn kop te houden. Misschien zou hij wel schieten.

De beste manier om P.J. en zijn hele klas te helpen is gewoon bij de deur te gaan zitten wachten en mijn oren open te houden. Dan zou ik iets kunnen horen om de politie mee te helpen. Ik sluip de gang door en duik weg in de kleine ruimte onder het fonteintje, vlak naast P.J.'s klas. Ik leun tegen de koude muur, trek mijn knieën op en probeer me zo klein mogelijk te maken. Hopelijk krijgt de man geen dorst en komt hij niet de gang op, zodat hij me ziet.

Mevrouw Oliver

Het was niet de bonzende, dreunende pijn in haar kaak die mevrouw Oliver wekte, hoewel dat ook meespeelde. Maar zoals altijd waren het vooral de kinderen en hun welzijn waardoor mevrouw Oliver weer wakker schrok uit haar moeras van halve bewusteloosheid en zich van de grond omhoog hees naar een leeg tafeltje. De man begon duidelijk de controle te verliezen, als je zag hoe hij de zus van Natalie Cragg had gegrepen en haarzelf had geslagen met zijn revolver. Mevrouw Oliver kon de leerlingen niet met hem alleen laten. Ze was zich vaag bewust van een warm straaltje dat langs haar wang in haar hals liep. Voorzichtig raakte ze de zijkant van haar gezicht aan en het verbaasde haar niet dat ze bloed op haar vingers zag. 'Niets aan de hand,' wilde ze tegen de kinderen zeggen, maar haar onderkaak leek niet te gehoorzamen en het enige wat ze kon uitbrengen was een optimistisch maar onverstaanbaar gebrabbel. Ze zocht naar iets om haar kleverige, met bloed besmeurde vingers schoon te vegen en koos mismoedig voor haar denim jurk. Met het oog dat niet dichtzat zag ze dat haar leerlingen en Beth Cragg haar geschrokken aanstaarden. Met een scheve grijns stak ze haar duimen op. De man keek haar kant uit, met een mengeling van ergernis en bewondering. Hij had blijkbaar gedacht dat ze geen gevaar meer vormde, want hij had haar laten zitten en hield nu zijn telefoon tegen zijn oor gedrukt. Mevrouw Oliver probeerde overeind te blijven en dacht aan haar abrupt afgebroken telefoongesprek met Cal. Natuurlijk zou hij de politie melden wat hij had gehoord. Elk moment konden ze de klas binnen stormen of zou een scherpschutter een kogel dwars door de ruit jagen, recht in het voorhoofd van de overvaller.

Dan zou ze naar het ziekenhuis worden gebracht, maar niet voordat al haar leerlingen veilig met hun familie waren herenigd. Cal zou al op haar staan wachten. Hij zou zich glimlachend over het ziekenhuisbed buigen en haar zeggen dat ze de mooiste vrouw was die hij ooit had gezien – net als zoveel jaar geleden, in haar kraambed. Met zijn ene hand hield hij haar gezwollen vingers vast en in zijn andere arm lag George' baby.

Tot haar verwondering had mevrouw Ford die snelle verkering tussen Evelyn en Cal juist aangemoedigd. 'Evelyn,' had ze gezegd, kort na dat rampzalige etentje toen Evelyn naar haar kamer was gevlucht, 'het is niet verboden om gelukkig te zijn.'

'Hoe bedoelt u?' vroeg Evelyn.

'George zou je graag gelukkig hebben gezien.' Mevrouw Fords kin trilde van emotie. 'Hij zou een goede, lieve man voor je hebben gewild om je te helpen zijn kind groot te brengen.'

Evelyn draaide haar hoofd van links naar rechts om die gedachte van zich af te schudden. Het leek te wreed, te vroeg nog. 'En, Evelyn...' plaagde mevrouw Ford haar een beetje, 'het is wel duidelijk dat Cal Oliver gek op je is. Je bent nog jong en je hebt een heel leven voor je.'

'Maar ik hou nog steeds van George,' zei Evelyn met een klein, gewond stemmetje.

'Natuurlijk,' zei mevrouw Ford en ze sloeg een arm om haar schoondochter heen. 'Dat zal altijd zo blijven. Dat is juist zo mooi aan het menselijk hart. Het heeft ruimte genoeg voor allerlei soorten liefde.'

Evelyn had daar geen antwoord op. Ze kon niet uitleggen hoe toegewijd ze nog was aan George, maar hoe er toch een vonkje van vreugde door haar aderen ging als ze Cal zag.

'Beloof me één ding, Evelyn,' zei mevrouw Ford vriendelijk. Evelyn knikte en snotterde. 'Vertel de baby alles over George. Zeg hem... of haar,' herstelde ze, 'dat zijn vader een lieve jongen was die van getallen en van Coca-Cola hield. Dat hij slim en soms een beetje mal was. En dat hij in een heel ver land is gestorven omdat het de juiste keuze was om daarheen te gaan.'

Evelyn voelde mevrouw Fords vochtige tranen tegen haar kruin en greep de handen van de oudere vrouw nog steviger vast.

'Dat zal ik doen,' zei ze. Omdat ze ervan overtuigd was dat het een jongetje zou worden voegde ze eraan toe: 'Ik zal het hem vertellen, en u ook.'

Evelyn en Cal trouwden een paar weken nadat Georgiana Elizabeth Ford was geboren. Ze was verbaasd toen de dokter haar vertelde dat ze het leven had geschonken aan een gezonde dochter, maar die verbazing maakte al gauw plaats voor diepe dankbaarheid. Vreemd, eigenlijk, dat dit kleine wezentje met haar roze gezichtje nog geen jaar nadat haar vader deze wereld had verlaten zelf ter wereld was gekomen. Wat een geschenk, dacht Evelyn maar steeds. En alsof hij haar gedachten las keek Cal op hen allebei neer en toen omhoog. 'Ik zal goed voor ze zorgen,' fluisterde hij. 'Dat beloof ik.'

Meg

'Verdomme, Meg,' briest de chief door de telefoon. 'Wat heb je nou weer gedaan?'

Ik weet dat ik snel moet zijn en het kort en zakelijk moet houden. 'Ik had reden om aan te nemen dat Ray Cragg de indringer kon zijn in de school. Ik ben op onderzoek uitgegaan en vond hem op de grond met een kogel in zijn gezicht.' Ik aai Twinkies flank terwijl ik op McKinneys reactie wacht.

'Dus Ray Cragg is dood?' vraagt hij zacht.

'Ja. Zelfmoord, blijkbaar. Rays vader, Theodore, was in elkaar geslagen door zijn zoon. Hij is net afgevoerd door de ambulance.' Twinkie kijkt met trieste bruine ogen naar me op. Ray Cragg had alles verloren – zijn vrouw, zijn kinderen en zijn leven – maar zijn hond hield nog van hem.

Chief McKinney slaakt een diepe zucht. 'Deze dag wordt mooier en mooier. Is die hulpsheriff al gearriveerd om je af te lossen?'

'Ja, hij is hier. Hij zei dat ik me zo snel mogelijk bij de school moest melden.'

'Ja, kom meteen terug, maar rij voorzichtig.'

Ik aarzel voordat ik verderga. 'Chief, hebt u al iets op de scanner gehoord over mijn ex?'

Hij zwijgt. Geen goed teken. 'We praten wel als je terug bent,' zegt hij ten slotte.

'Chief, u denkt toch niet –'

'Kom naar de school terug, Meg,' zegt hij vermoeid.

Will

Will probeerde buiten bij de over de kop geslagen auto te blijven voor het geval de bestuurder zou bijkomen, maar de kou dreef hem terug naar zijn eigen wagen. Hij stuurde Daniel met de benauwde koe op weg, om op tijd bij de dierenarts te zijn voordat het kalf kwam. Maar vandaag, met alles wat er gebeurde, leek het lot van een koe en haar kalfjes niet zo belangrijk, vergeleken bij het leven van zijn kleinkinderen en zijn schoondochter.

Will besloot even de tijd te nemen om Marlys te bellen. Hij had beloofd haar elk uur op de hoogte te houden, maar door de situatie op de boerderij van Cragg was hij al te laat.

'Is er nieuws?' vroeg Marlys bij wijze van begroeting.

'Niet over de school,' antwoordde Will en hij zette de blower wat zachter om zijn vrouw beter te kunnen verstaan.

'Maar...' begon Marlys.

'Ray Cragg heeft zelfmoord gepleegd.'

'Nee!' riep Marlys uit. 'Die arme kinderen.'

'Ja. Ik zit nu ergens op een landweg, in afwachting van een takelwagen om iemand te helpen die met zijn auto over de kop geslagen is.' Will drukte zijn vingers tegen zijn slaap. Hij voelde een zware hoofdpijn opkomen.

'Wat een narigheid allemaal,' zei Marlys sussend.

'Nou ja, ik ben er een stuk beter aan toe dan Ray en die man in de Ford.' Will probeerde een luchtige toon aan te slaan. Marlys had al genoeg zorgen, hij moest haar een beetje ontzien. 'Hoe is het met Holly? Weet ze al wat hier aan de hand is?'

'Nee, maar ik wil het liever niet voor haar verborgen houden,' zei Marlys ferm. 'Holly heeft heel wat fouten gemaakt, maar ze is een goede moeder voor Augie en P.J. en ze houdt meer van hen dan van wie of wat ook.'

'Misschien moeten we het haar maar vertellen,' zei Will peinzend. 'Zal ik met haar praten?'

Marlys zweeg een moment. 'Laten we nog even wachten. Ze verheugt zich er zo op om de kinderen morgen te zien. Dat wil ik niet voor haar bederven. Lieve hemel, Will, hoeveel kan een mens verwerken? Het moet gewoon goed aflopen,' besloot Marlys vastberaden.

'Goed, dan wachten we nog even,' beaamde Will. 'Maar hou haar bij de tv vandaan. Het zou een ramp zijn als ze het op die manier moest horen. Hoor eens, ik moet weg. Ik zie de takelwagen en de ambulance aankomen. Ik bel je straks wel terug.'

'Ik hou van je, Will.' Marlys' stem trilde van emotie en Will zou niets liever hebben gewild dan zijn vrouw in zijn armen drukken en haar beloven dat alles goed zou komen.

'Ik ook van jou,' was het enige wat hij wist te zeggen. Toen zette hij zich schrap tegen de kou, stapte uit zijn auto en zwaaide met zijn armen om de takelwagen en de ambulance aan te houden.

Holly

Meestal haat ik mijn fysiotherapeute, Gina. Ze laat me jammeren en schelden wat ik wil, maar ze accepteert geen enkel excuus. Als ik zeg dat ik moe ben, is dat mijn probleem, vindt ze. Als ik zeg dat ik te veel pijn heb, vindt ze dat ik maar op mijn tanden moet bijten. Vandaag, als ik haar zeg dat ik een infectie heb, vraagt ze: 'En wat heeft dat ermee te maken?'

Onwillekeurig moet ik lachen. 'Dat is precies wat mijn vader altijd zei toen ik een kind was.'

'Slimme man,' zegt Gina en ze tikt tegen haar hoofd.

Mijn vader was... is... een van de slimste mannen die ik ooit heb gekend, hoewel ik hem dat nooit zou zeggen. Maar hij was ook zo praktisch dat ik er gek van werd. Hij kon nooit iets doen alleen omdat het leuk was. Hij moest altijd wel een stier kopen, een koe helpen kalveren, een oogst binnenhalen, een machine repareren. Ik herinner me een keer, toen ik vijftien was en met mijn toenmalige vriendje naar een van de schuren was geslopen. We lagen wat te rotzooien en besloten toen dat het leuk was om een ritje te maken met de splinternieuwe John Deere-trekker van mijn vader. Het ding reed niet harder dan acht kilometer per uur, maar mijn vader kreeg zowat een toeval. 'Er is niks gebeurd met die trekker. Er zit geen krasje op!' protesteerde ik toen hij ons had betrapt en mij twee weken huisarrest had gegeven. 'Wat heeft dat ermee te maken?' antwoordde hij, zoals altijd.

'Probeer wat uit te rusten,' zegt Gina als ze merkt dat ik mijn grens heb bereikt tijdens deze therapiesessie. 'Morgen gaan we weer hard aan het werk. Je moet gezond en sterk zijn als die kinderen van je komen.'

Ik glimlach bij het vooruitzicht. 'Ik kan niet wachten,' zeg ik tegen haar. 'Het lijkt al zo'n eeuwigheid sinds ik ze voor het laatst gezien heb.' Ik vraag me af of mijn vader ooit zo naar mij heeft verlangd en of hij zich erop verheugt me morgen weer te zien. Ik weet dat ik het hem niet gemakkelijk heb gemaakt, dat ik overgevoelig en veel te kritisch was tegenover hem. Maar hoe kun je als kind nu concurreren met een koe? Aks hij maar één keer zou hebben gezegd: 'Holly, wil je alsjeblieft naar huis komen? Ik mis je,' dan zou ik in het eerste vliegtuig naar Broken Branch zijn gestapt. Maar dat deed hij niet. Dat is het verschil tussen ons. Als het om mijn kinderen gaat, weet ik wat echt belangrijk is.

Mevrouw Oliver

Mevrouw Olivers tong voelde dik en gezwollen, alsof er een sok in haar mond zat gepropt. De man ijsbeerde systematisch voor de klas, terwijl hij regelmatig op zijn mobiel keek en steeds geagiteerder raakte, met iedere minuut die verstreek.

Mevrouw Oliver wist dat er snel een einde moest komen aan deze hele zaak. Zo niet, dan zouden er doden vallen, misschien veel doden, en ze kon de gedachte niet verdragen dat daaronder ook kinderen zouden zijn. Ze trommelde krachtig met haar knokkels op het tafeltje en de overvaller keek geërgerd haar kant op. 'Wat is er?' vroeg hij ongeduldig.

Mevrouw Oliver probeerde de woorden te vormen die ze wilde en moest zeggen, maar haar mond gehoorzaamde nog altijd niet. Haar kaak was gebroken, misschien wel verbrijzeld, dat kon niet anders. Ze maakte een schrijfbeweging met haar hand en de man knikte. Voorzichtig tilde ze de klep van het tafeltje op en inspecteerde haastig de rommelige inhoud van het kastje: leerboeken, een schaar, gebroken krijtjes, potloden, schriften. Terwijl ze een potlood en een schrift pakte schoof ze de schaar wat dichter naar de opening toe. De man hield haar argwanend in de gaten toen ze de klep weer sloot en een lege bladzij van het schrift opsloeg. Ze probeerde haar hand stil te houden en noteerde een beetje bibberig in haar anders zo keurige handschrift: 'Ik zal hier blijven, maar het wordt nu tijd om de kinderen te laten gaan.'

De man staarde een hele tijd naar die woorden, maar knikte toen kort. Mevrouw Oliver haalde diep adem en slaakte een zucht van verlichting – met een grimas toen de koele lucht pijnlijk langs haar afgebroken tanden streek.

Meg

Het loopt tegen zessen en het begint al donker te worden. Binnen een uur zal de zon ondergaan. Ondanks het weer hebben zich achter het politielint toch twee reportagewagens opgesteld. De uitlaatpijpen braken witte wolken uit. 'Blijf liggen,' zeg ik tegen Twinkie, die zachtjes snuffelt als antwoord. Een paar verslaggevers van onduidelijke sekse in dikke parka's en met bont gevoerde capuchons staan tegenover huiverende cameramensen om hun verhaal te houden in een microfoon. Heel even kijken ze mijn kant op als ik voorbijrijd, maar als ze zien dat ik maar een nederige ambtenaar uit Broken Branch ben, zijn ze me onmiddellijk weer vergeten. De wachtposten, twee agenten van een naburig korps, wuiven me naar het parkeerterrein van de school en ik parkeer zo dicht mogelijk naast de camper die als provisorische commandopost dienstdoet. Ik trek mijn jas uit en wikkel die om Twinkie heen, in de hoop dat haar vacht en mijn jack voldoende zijn om haar warm en tevreden te houden.

De stevige wind en de ijzige atmosfeer hebben me van al mijn lichaamswarmte beroofd tegen de tijd dat ik zonder kloppen de camper binnen val. Ik sta te rillen van de kou. Chief McKinney, Aaron en een man die ik niet ken kijken op. Het gezicht van de chief staat grimmig en ik zet me al schrap voor een tirade over de manier waarop ik naar de boerderij van Cragg ben gereden zonder me aan het protocol te storen.

'Ga zitten, Meg,' zegt hij rustig. Ik kijk eerst naar de chief, dan naar Aaron en ten slotte naar de onbekende man. Ze ontwijken allemaal mijn blik.

Augie

Hoewel mijn schuilplaats onder het fonteintje niet echt gemakkelijk is en ik mijn nek moet verdraaien, val ik toch half in slaap. Of eigenlijk is het een soort verdoving, een vreemd gevoel. Soms klinkt er een hard geluid uit P.J.'s klas. Dan schrik ik wakker en stoot mijn hoofd tegen het fonteintje. Ik zit te ver weg om de gesprekken in het lokaal te kunnen volgen. Zo nu en dan hoor ik iemand huilen of roepen. Ik weet niet waarom de politie de school nog niet heeft bestormd, maar ze zullen wel weten wat ze doen.

Meg

Ik laat me op de dichtstbijzijnde stoel vallen. De camper is efficiënt veranderd van een kampeerwagen in een commandopost. Op het aanrecht staan een laptop en een radio, en op de ontbijttafel zijn plattegronden van de school uitgespreid. Chief McKinney heeft me nog niet verteld wat er aan de hand is, maar ik weiger te geloven dat Tim hierbij betrokken is.

'Meg, dit is Terry Swain, een onderhandelaar van het regionale korps, en we hebben een telefoonverbinding met Anthony Samora, de leider van het tac team. Hij kon hier niet komen vanwege het slechte weer.'

Ik hoor Samora's blikkerige stem uit de speaker. 'Ik heb mijn best gedaan, maar de wegen zijn een ramp. Goed, ter zake.' Ik slik moeizaam, bang voor wat er komen gaat. 'Veertig minuten geleden kregen we bericht dat uw ex-man, Tim Barrett, door zijn moeder als vermist was opgegeven. Hij had haar gezegd dat hij vanochtend onverwachts was opgeroepen voor een extra dienst, maar toen ze een paar uur niets van hem had gehoord, belde ze zijn werk.'

Chief McKinney buigt zich naar voren en steunt zijn armen op zijn knieën. 'Meg, niemand heeft Tim vandaag opgeroepen om naar zijn werk te komen.'

Ik probeer mijn stem rustig en neutraal te houden. 'Dan heeft mijn ex dus gelogen tegen zijn moeder. Maar wat heeft dat met mij te maken?'

'Eh, Meg,' zegt de chief wat ongemakkelijk, 'ik weet dat je een lastige scheiding achter de rug hebt met Tim – problemen over de voogdij, en zo.'

'De meeste echtscheidingen zijn lastig, chief,' zeg ik, geïrriteerd dat mijn privéleven erbij wordt gehaald. Ik sla mijn armen over elkaar. 'En meestal gaat het over de voogdij. Maar dat punt hebben we allang geregeld.'

'Agent Barrett,' zegt Terry Swain, de onderhandelaar, 'ik zal er niet omheen draaien. U had een moeilijke scheiding, met ruzie over de voogdij, uw ex heeft gelogen over waar hij vandaag naartoe ging en wij hebben een gijzeling op de school van uw dochtertje – dat toevallig vandaag afwezig is.'

'Ze is afwezig omdat ze tijdens de voorjaarsvakantie naar haar vader gaat. Het slaat nergens op dat Tim die school zou zijn binnengedrongen!' Mijn stem slaat over en ik probeer me te beheersen. 'Er moet een logische verklaring zijn.'

Swain kijkt me een moment doordringend aan, alsof hij probeert te bepalen of ik iets achterhou. 'U hebt gelijk,' zegt Anthony Samora over de telefoon. 'Dat op zichzelf leidt niet automatisch tot dit scenario.'

Ik spreid vermoeid mijn handen. 'Wat dan? Waarom denken jullie in vredesnaam dat mijn ex, Tim, hier iets mee te maken zou hebben?'

'Een kwartier geleden probeerde Terry weer contact te krijgen met de overvaller,' legt de chief uit. 'Door de megafoon vroeg hij de man wat hij wilde, wat zijn eisen waren.'

Ik krijg een droge mond en kijk door de raampjes van de camper naar de school.

'Een paar minuten later werden we gebeld door een mobieltje op naam van' – Swain raadpleegt zijn aantekeningen – 'ene Sadie Webster.'

'Sadie Webster?' vraag ik verbaasd. 'De dochter van Doug en Caroline Webster?'

Swain knikt. 'Ja. Het gesprek kwam van Sadies telefoon, maar de beller was duidelijk geen meisje van twaalf.'

'Wie was het dan wel?' vraag ik.

'Dat weten we niet,' geeft Swain toe, tot mijn grote opluchting.

'Dus dit is gissen?' vraag ik. 'Jullie hebben geen enkel bewijs dat Tim de overvaller is in de school?' Ik lach opgelucht. 'Jezus, chief, ik schrok me een ongeluk.'

'Meg,' zegt chief McKinney ernstig, 'we weten niet wie de beller was, maar alle media melden dat jouw ex-man zoek is.'

Verdomme, denk ik bij mezelf. Dus Stuart had gelijk.

'We weten ook,' gaat McKinney verder, 'dat de man in de school op dit moment maar één eis heeft.'

'En dat is?'

'Hij vroeg nadrukkelijk naar jou.'

'Naar mij?' vraag ik ongelovig. 'Waarom zou hij naar mij vragen?'

'Heb je de laatste tijd nog meningsverschillen met Tim gehad?' vraagt de chief en hij buigt zich naar me toe. Hij probeert vriendelijk te zijn. Vaderlijk.

'Nee, Norman,' antwoord ik nadrukkelijk, en ik spreek hem nu met zijn voornaam aan. 'Ik heb je al gezegd dat mijn verhouding met Tim heel goed is.' Ik sla mijn armen over elkaar en schud mijn hoofd. 'Hij heeft me zelfs nog gevraagd om deze voorjaarsvakantie bij hem te komen logeren.'

'En u zei nee,' zegt Swain. Het is geen vraag.

'Ik zei nee,' bevestig ik kort.

'Was hij daar boos om?' vraagt de onzichtbare Samora.

'Nee, hij vond het best.' Ik ben het nu zat en ik word kwaad. 'Waarom verdoen jullie je tijd hieraan? Tim zou zoiets nooit doen. Hij bezit niet eens een wapen!'

'Op dit moment is er een man in die school met een vuurwapen.' Swain wijst naar het gebouw en dan naar mij. 'En het enige wat we weten is dat hij een connectie met u heeft.'

'Oké,' zeg ik zo redelijk mogelijk. 'Als jullie echt denken dat die overvaller iets met mij te maken heeft, zoek dan verder dan Tim. Denk eens aan iemand die ik ooit gearresteerd heb, of aan mijn broer Travis, bijvoorbeeld. Die zou zoiets veel eerder doen dan Tim.' Ik had de chief verteld over mijn gecompliceerde geschiedenis met mijn broer – dat Travis' verleden als jeugdige delinquent en zijn schimmige vriendjes ons hele gezin hadden gegijzeld, als het ware. In elk geval totdat agente Demelo op het toneel verscheen en mij voor het eerst duidelijk maakte dat ik kon terugvechten met de hulp van politie en justitie. Gelukkig maar, want op dat punt in mijn jeugd voelde ik me echt in staat om Travis in zijn slaap te smoren met een kussen.

'Ik heb Travis al ruim tien jaar niet gezien en al zeven jaar niet meer gesproken. Dat laatste contact met mijn broer was bepaald niet warm en innig. Ik weet nog wat hij zei: "Waarom ben je zo'n kreng? Je vindt jezelf veel beter dan ik, hè? Ik hoop dat je geniet van je gelukkige kleine gezinnetje zolang het nog kan, want ik zal dit nooit vergeten, Meg."'

'Wat is er tussen u gebeurd?' vraagt Swain.

Ik vind het niet prettig om die oude ellende tussen Travis en mij weer op te rakelen. Eerlijk gezegd is het nogal pijnlijk voor mij, als agente. Maar er staan levens op het spel, dus zucht ik diep en ik leg uit: 'Zeven jaar geleden kreeg ik een telefoontje van de politie in Waterloo. Iemand zei dat hij Travis had aangehouden omdat hij dronken achter het stuur zat. Travis had hem mijn naam gegeven en gezegd dat ik bij de politie werkte. Ik kon voor hem instaan en zou hem wel uit de cel halen.' Ik wrijf in mijn ogen bij die herinnering. Op dat moment voelde ik helemaal niets, geen spoor van medelijden of verdriet om de situatie van mijn broer. Alleen een doffe berusting. Hij zou toch nooit veranderen. 'Ik zei tegen de collega dat ik niet voor mijn broer kon of wilde instaan.'

'En dat was het?' vraagt Swain, teleurgesteld. 'Hij heeft uw gezin bedreigd om een aanklacht wegens drank achter het stuur?'

'Nee, er is meer. Toen ik ophing en de collega tegen Travis zei dat hij pech had, ging Travis door het lint. Hij sloeg de agent in zijn gezicht, brak zijn neus, deed een greep naar zijn dienstwapen en schoot hem een kogel door zijn hand, waardoor de man een paar pezen scheurde. Daarna werd hij beschuldigd van een hele waslijst aan vergrijpen en heeft hij zeven jaar in de cel gezeten. Afgelopen november kwam hij vrij.'

Swain haalt zijn schouders op. 'Dus zeven jaar geleden heeft hij in zijn woede iets tegen u geroepen. Hij belde u uit de gevangenis omdat hij kwaad was. Dat komt vaker voor.'

'Nee, dat telefoontje was vorige week.'

'We zullen het natrekken,' zegt chief McKinney met een knikje naar Aaron, die iets in zijn notitieboekje schrijft.

'Ik denk nog steeds dat jullie een grote fout maken, maar laten we zeggen dat het Tim is, of mijn broer, of wie dan ook... Wat willen jullie dat ik doe?'

De mannen kijken elkaar aan, maar niemand zegt iets.

'Nou?' Ik spreid verslagen mijn handen. 'Moet ik hem bellen? Dat heb ik al geprobeerd, maar hij neemt niet op. Moet ik de megafoon pakken en proberen op hem in te praten? Ik wil het best doen, maar dan heb ik wel wat advies nodig, heren.'

'Hij wil je zien,' zegt de chief vermoeid.

'Goed, dan ga ik naar binnen. Geen probleem,' zeg ik, terwijl ik opsta. Maar de mannen blijven zitten. Ze weifelen nog steeds. Ik kijk vooral scherp naar Aaron, die nog geen woord heeft gezegd.

'Het is in strijd met het protocol,' zegt Samora, 'om iemand naar binnen te sturen die niet in tactische operaties is getraind.'

'Oké, dat begrijp ik,' geef ik toe, 'maar ik ben agent, ik ben begonnen aan mijn tactische opleiding, en als we zo die kinderen veilig naar buiten kunnen krijgen, zie ik het probleem niet.'

'Het probleem is dat we hier zes beschikbare agenten hebben als overvalteam, en dat hun leven op het spel staat als ze die school bestormen,' antwoordt Swain scherp. 'We moeten zeker weten dat iedere agent die het gebouw binnen gaat precies weet wat hij doet.'

'Maar als ik in mijn eentje ga om erachter te komen wat hij wil, loopt niemand anders gevaar. Wie hij ook is...' zeg ik, met een blik naar chief McKinney, 'hij zal zich niet bedreigd voelen door mij. Ik ben maar alleen.'

'Het bevalt me niet,' zegt de chief, terwijl hij opstaat om nog een kop koffie in te schenken uit een thermoskan op het aanrecht. 'Er is nog geen schot gevallen. We hebben geen berichten over gewonden. Volgens het protocol bij een gijzeling moeten we op afstand blijven en afwachten. Ik wil niet naar binnen stormen om de zaak te forceren.'

'Dus wachten we tot er iemand wordt neergeschoten of gewond raakt voordat we in actie komen?' vraag ik. 'Dat begrijp ik wel in het algemeen, maar de overvaller heeft blijkbaar een probleem met mij, niet met iemand daar op school.'

'Dat is niet zeker,' zegt chief McKinney, terwijl hij me een kop dampende koffie aanreikt. 'We weten alleen dat hij met je wil praten.'

'Ik denk dat ze gelijk heeft,' zegt Samora. 'Misschien kan zij hem tot rede brengen.'

'Of een kogel oplopen,' werpt Swain tegen. 'Het bevalt me niets.'

'Hoe heeft hij contact opgenomen?' vraag ik.

'Met een ander mobieltje,' zegt Swain, 'van een zekere Colton Finn, uit de zevende klas. Wij denken dat hij alle klassen is binnen gegaan en zo veel mogelijk telefoons heeft verzameld.'

'Dat dacht ik al.' Ik knik. 'Dat lijkt logisch. Eerst verbreekt hij alle vaste verbindingen en dan neemt hij alle mobieltjes in... Zo beperkt hij de contacten met de buitenwereld.'

Er wordt op de deur geklopt en agent Jarrow steekt zijn hoofd naar binnen. 'Hé, chief, ik heb hier een Cal Oliver, die zegt dat zijn vrouw hem heeft gebeld vanuit de school. Hij is behoorlijk van streek. Wilt u hem spreken?'

'Absoluut,' zegt de chief. 'Laat hem maar binnen.'

Mevrouw Oliver

Mevrouw Oliver steunde haar kaak in haar hand. Die lichte druk leek alles op zijn plaats te houden en de pijn te beperken tot een dof, bonzend gevoel in plaats van scherpe scheuten. Ze keek naar de man, die verbazend genoeg met een hoofdknikje had aangegeven dat alle kinderen konden gaan. Mevrouw Oliver wist niet wat dat voor haarzelf betekende, maar dat kon haar ook niet schelen, zolang haar leerlingen maar veilig mochten vertrekken. Ze vroeg zich af of ze, voordat dit alles voorbij was, de man nog zou kunnen vragen waarom hij haar lokaal was binnen gedrongen – haar tweede thuis, waar ze het grootste deel van haar dagen doorbracht. Ze had het gevoel dat het hele incident groter was dan zijzelf, groter dan de leerlingen in haar klas, maar in alle tijd die ze nu met de man had doorgebracht had ze geen enkele reden kunnen bedenken voor zijn actie. In elk geval was hij erg geïnteresseerd in zijn telefoon. Hij zat druk te sms-en en te bellen, dus iemand buiten dit lokaal moest erbij betrokken zijn, als medeplichtige of als slachtoffer, dat kon mevrouw Oliver niet bepalen.

'Het is tijd,' zei de man. Mevrouw Oliver zag de vermoeidheid in zijn blik, maar niet alleen vanwege de inspanningen van die dag. Er straalde geen leven meer uit zijn ogen, geen hoop, en dat vooral zette haar tot actie aan.

Haastig stond ze op, waardoor er een golf van duizeligmakende pijn door haar kaak en haar heup sloeg, en hinkte naar de deur. Ze klapte luid in haar handen en iedereen keek op. 'Opstaan,' wist ze met moeite uit te brengen toen ze haar mond ver genoeg open had gedwongen voor dat ene woord. De leerlingen kwamen zonder aarzelen overeind. Mevrouw Oliver wees naar haar eigen ogen en alle

kinderen in de klas keken haar aan. Ze liet haar blik over al die gezichtjes glijden om iedere sproet, ieder spleetje tussen de tanden, iedere warrige bos haar in haar geheugen te prenten. Het was jammer,
dacht ze, dat het laatste beeld dat ze van hun lerares zouden hebben
deze verfomfaaide, met bloed besmeurde vrouw zou zijn, in een denim jurk met losgeraakte kraaltjes. Haar haar zou wel een ramp zijn,
en haar gezicht… Nou ja, ze hoefde zichzelf niet in de spiegel te zien
om te weten dat ze er monsterlijk uitzag. Ze knipte een keer met haar
vingers, wees naar de deur van het lokaal, en de leerlingen liepen snel
maar ordelijk langs de man met de revolver heen, hun ogen strak op
hun lerares gericht.

'Beth,' mompelde mevrouw Oliver door haar gebroken tanden
heen, en Beth, die nog steeds zachtjes liep te huilen, kwam naar haar
toe, met de hand van haar zusje in de hare geklemd. 'Neem jij de
kinderen mee,' zei mevrouw Oliver, terwijl ze Beth zachtjes bij haar
arm pakte. Beth knikte begrijpend. 'Ga meteen naar buiten en kijk
niet om.' Mevrouw Oliver wierp een blik naar de overvaller en toen
naar de deur van de kast waar Lucy nog steeds opgesloten zat, met
de stoel onder de deurkruk geklemd.

De man schudde zijn hoofd. 'Nee.' Mevrouw Oliver wilde protesteren, maar aan de klank van zijn stem hoorde ze wel dat er niet over
te praten was.

'Ga maar.' Ze gaf Beth een zachte duw tegen haar schouder en in
een rechte, lange rij, precies zoals ze het hun geleerd had, verlieten
de kinderen de klas.

Meg

Alles aan Cal Oliver is lang. Hij is een lange man met lange armen en benen, lange vingers, een lange neus en een lang, mager gezicht, nog geaccentueerd door zijn omlaag wijzende mondhoeken. Hij moet bukken als hij de camper binnen komt. Onzeker kijkt hij om zich heen.

'Cal,' zegt chief McKinney, terwijl hij opstaat en Cal zijn hand toesteekt. Voordat hij de kans krijgt om iedereen voor te stellen, begint Cal al over het telefoongesprek.

'Wacht nou even, Cal,' valt de chief hem in de rede. 'Ga alsjeblieft eerst zitten en begin dan bij het begin.'

Cal laat zich op de rand van een metalen klapstoel zakken en haalt diep adem. 'Ik was bij Lonnie's,' begint hij, 'toen mijn mobieltje ging. Ik zag meteen dat het Evie was.' Hij ziet Swains vragende blik en voegt eraan toe: 'Mijn vrouw. Ze is lerares van de derde.' Als de man begrijpend knikt vervolgt hij: 'Ik hoorde meteen een jongen schreeuwen. Het was niet goed te verstaan wat hij zei, want alles klonk gedempt.' Meneer Oliver wrijft met een hand over de borstelige witte wenkbrauwen boven zijn waterige blauwe ogen. Ik vraag me af of ze vochtig zijn door zijn leeftijd, door de bijtende kou, of van angst en zorgen. 'Daarna hoorde ik Evie heel hard praten. Ze zei zoiets als dat ze dankbaar was dat er geen gewonden waren en dat er iemand in een kast zat die Lucy heette.'

'Dus uw vrouw vertelde u dat er niemand gewond was?' vraag ik.

'Nou, ze praatte niet rechtstreeks tegen mij, maar wel alsof het voor mij bedoeld was. Hoe dan ook, ze zei ook dat hij niets in haar klas te maken had.'

'Ze wist niet wie hij was?' vraagt chief McKinney.

Meneer Oliver schudt hulpeloos zijn hoofd. 'Ze noemde geen naam, maar ik weet het verder niet.' Meneer Oliver haalt een zorgvuldig opgevouwen zakdoek uit de zak van zijn jas en veegt ermee langs zijn neus. 'Toen hoorde ik wat schuifelende geluiden en begon Evie te gillen.' Meneer Oliver buigt zijn hoofd zo diep dat zijn neus bijna zijn knieën raakt. Zijn schouders schokken door zijn ingehouden snikken. 'Ze zei nog dat ze van me hield, en toen was ze verdwenen.'

Augie

Er gebeurt iets in de klas. Ik hoor het geluid van schrapende stoel-poten en snelle voetstappen over de vloer. Ik hou mijn adem in en probeer me zo klein mogelijk te maken, maar als de man de gang in komt zal hij me moeilijk over het hoofd kunnen zien.

Opeens wordt de deur van het lokaal opengegooid en komt Beth naar buiten. Ze houdt de hand van haar zusje in de hare en zonder zelfs maar mijn kant op te kijken loopt ze de gang uit. Ik zie de kin-deren achter haar aan komen, steeds sneller, totdat ze beginnen te rennen. Ik probeer P.J.'s voeten te herkennen tussen die wirwar van sportschoenen die galmend door de gang dreunen. Mijn hart slaat over als ik hem nergens kan ontdekken. Nog altijd rennen er kinde-ren langs me heen, maar P.J. is er niet bij. 'Hé,' roep ik vanuit mijn schuilplaats onder het fonteintje, maar niemand houdt zelfs maar zijn pas in. 'Hé, waar is mijn broertje? Waar is P.J.?'

Er gebeurt iets nu de deur van dat lokaal is opengegaan en de kinderen uit P.J.'s klas naar buiten rennen. Opeens vliegen alle deu-ren langs de gang open en kijken er hoofden om de hoek. Leraren verkennen de situatie en zodra ze de klas van mevrouw Oliver de trap af zien vluchten, is dat een uitnodiging voor iedereen. Algauw wemelt het in de gang van de leerlingen en zit ik klem op mijn plek onder het fonteintje. Ik moet P.J. over het hoofd hebben gezien, denk ik. Hij moet langs me heen zijn gerend en zich nu ergens tussen zijn klasgenoten bevinden, op het parkeerterrein. Ik wacht op een gaatje in de stroom leerlingen, zodat ik overeind kan klauteren zonder te worden vertrapt door een stel derde- en vierdeklassers. En opnieuw ben ik totaal alleen. Opeens is de gang weer verlaten. Ongelovig kijk ik om me heen. Hoe kan ik P.J. nou hebben gemist, met zijn opvallende, felrode Converse-gympen? Zonder erbij na te denken loop ik naar de klas van mevrouw Oliver. De deur zit dicht, maar ik druk mijn neus tegen de ruit om naar binnen te kijken. De schrik slaat me om het hart.

Meg

Chief McKinney draagt Cal Oliver zorgzaam over aan een hulpverlener van de slachtoffers, in dit geval pater Adam, die als vrijwilliger assisteert. 'Iedereen doet zijn best, Cal,' zegt pater Adam vriendelijk als Cal weigert te vertrekken. 'Laten we naar Lonnie's teruggaan om af te wachten. Chief McKinney zal je wel bellen zodra hij meer weet. Ja toch, chief?' Pater Adam kijkt nadrukkelijk naar McKinney, die knikt.

'Zodra we nieuws hebben over Evelyn ben je de eerste die het hoort,' belooft hij. 'We werken er allemaal hard aan om deze zaak tot een goed eind te brengen.'

Cal stapt de camper uit, de sneeuwjacht in, met een ontstelde uitdrukking op zijn gezicht, leunend op pater Adam als steun.

'Dit moet afgelopen zijn,' zegt de chief somber. Hij kijkt Swain doordringend aan. 'Is dat bedekte dreigement dat Cal via de telefoon hoorde niet genoeg reden om het tac team naar binnen te sturen?'

'Hij roept maar wat,' verklaart Swain. 'Zolang we in gesprek blijven met die man en er nog geen slachtoffers zijn gevallen, blijven we onderhandelen.'

'Maar hij vraagt naar mij. Laat mij dan naar binnen gaan om met hem te praten,' zeg ik, met meer overtuiging dan ik werkelijk voel.

Swain schudt zijn hoofd. 'Luister, we zullen u telefonisch in contact brengen met de man, maar u gaat niet dat gebouw binnen, zeker niet als u zelf het doelwit bent. We willen geen onschuldige kinderen, docenten en politiemensen in gevaar brengen alleen omdat u de held wilt uithangen.'

'Laat me dan in mijn eentje gaan. Als u denkt dat Tim daar zit, waar maakt u zich dan zorgen over? Ik ben niet bang. Tim heeft me nog nooit iets aangedaan en dat zal hij ook nooit doen, nog in geen duizend jaar. En hij zou zeker Maria geen verdriet doen op deze manier.' Ik voel dat ik rood word van woede, ook door Swains neerbuigende houding tegenover mij.

'Laten we eerst proberen telefonisch contact te krijgen,' zegt chief McKinney om onze aandacht bij het onderwerp te houden. 'Als je Tims stem herkent, weten we het zeker.'

Er klikt iets in mijn hoofd. De telefoon... Als het echt Tim is in die school, en hij zou mij willen spreken, dan had hij me wel gebeld. Waarom zou het hem iets kunnen schelen of ik zijn stem zou herkennen of niet? Dat sloeg nergens op. Nee, het kon Tim niet zijn. 'U zei dat de overvaller u had gebeld om naar mij te vragen. Zo is het toch?'

'Ja,' bevestigt Swain. 'Met een mobieltje van een van de leerlingen.'

Ik pak mijn telefoon. 'Waarom heeft hij mij dan niet gebeld?' Ik zwijg als ik naar mijn mobiel kijk. 'Zo te zien heb ik een paar sms'jes gekregen van een onbekend nummer. Wat was het nummer van het toestel van die leerling?'

Aaron bladert zijn aantekeningen door en leest het nummer op.

'Waarom hebt u die sms'jes niet gelezen?' vraagt Swain geïrriteerd.

'Omdat ik niet wist dat ik ze had ontvangen.' Ik probeer niet defensief te klinken, maar dat lukt niet echt. 'Bovendien had ik het druk, Swain,' voeg ik eraan toe, zonder me er iets van aan te trekken dat hij een meerdere is. 'De chief houdt er niet van als wij privé met onze mobieltjes in de weer zijn in kritieke situaties.'

'Wat staat er in die berichten?' vraagt McKinney. De drie mannen komen dicht om me heen staan en turen naar mijn telefoon.

Ik lees het eerste bericht hardop voor. '*Barrett. Alleen. Om 18.30 uur.*'

'Het is nu tien voor halfzeven,' zegt Swain met een blik op zijn horloge.

'Ik denk opeens aan iemand anders,' zeg ik abrupt. McKinney, Gritz en Swain kijken me vragend aan. 'Matthew Merritt.'

'De man van Greta Merritt?' klinkt Samora's stem ongelovig door de ruimte. Ik kijk naar de speaker. Ik was alweer vergeten dat Samora meeluistert.

'Ja,' zeg ik, ontdaan door die mogelijkheid. 'Ik heb het oorspronkelijke verbaal opgemaakt en het slachtoffer ervan overtuigd dat ze aangifte moest doen. Ik heb Merritt op zijn rechten gewezen terwijl Gritz hem de handboeien omlegde.' Ik zeg niets over de stukken in de krant en Stuarts interview met het meisje. Niemand weet dat hij via mij bij Jamie is uitgekomen. Als iemand er nog aan twijfelde dat Merritt een monster is, zijn die twijfels wel verdwenen na het stuk dat Stuart over hem geschreven had. 'Misschien probeert Merritt me op deze manier terug te pakken. Hij is een wanhopig man, dat staat vast. Hij is zijn vrouw kwijt, zijn gezin, zijn vrijheid en zijn kans op de ambtswoning van de gouverneur.'

De mannen kijken elkaar weifelend aan, maar denken zo te zien serieus over de mogelijkheid na.

Nog voordat ik Stuarts artikel had uitgelezen, had ik hem al aan de telefoon. 'Hoe heb je dit geflikt?' vroeg ik hem. Hij wist precies wat ik bedoelde en probeerde zich niet eens van de domme te houden.

'Ik hoorde dat je met haar zat te bellen.'

Het duizelde me. Haastig probeerde ik me de dag en de plaats van dat telefoontje te herinneren. Toen het tot me doordrong kon ik niets anders zeggen dan: 'O.' Sinds we elkaar kenden, had Stuart maar één keer een hele nacht bij me geslapen. Maria was naar een logeerfeestje bij een vriendin en zou pas de volgende dag terugkomen. Het was al laat toen Jamie me belde. Stuart en ik lagen te slapen, verstrengeld alsof we dat al jaren deden, met zijn armen strak om me heen, zijn kin op mijn schouder en zijn handen op mijn buik. Het paste zo goed. Dat dacht ik, tenminste. Toen mijn mobiel ging schoof ik voorzichtig uit bed om Stuart niet wakker te maken. Sinds ik haar naar het opvangcentrum voor verkrachtingsslachtoffers had gebracht, haar uitvoerig had uitgelegd hoe ze een aanklacht tegen Matthew Merritt kon indienen en haar had beloofd dat alles goed zou komen, vertrouwde ze me. Tijdens dat telefoontje vertelde ze me in tranen dat ze voortdurend nachtmerries had en wist dat Matthew Merritt wraak zou nemen. Hij had haar gedreigd dat hij haar en haar familie zou weten te vinden als ze het ooit aan iemand zou vertellen.

'Matthew Merritt zal jou nooit meer kwaad kunnen doen,' stelde ik haar gerust. 'Dat laat ik niet toe. Je kunt het, Jamie, en je hebt een heleboel mensen die je hier doorheen zullen helpen, hoewel ik weet dat het niet makkelijk zal zijn.'

Ik luisterde een paar minuten naar haar zachte gesnik en vroeg toen: 'Zal ik naar je toe komen?'

'Zou je dat willen doen?' vroeg ze hoopvol. 'Alsjeblieft?'

Ik liet een briefje voor Stuart achter waarin ik alleen schreef dat ik voor politiezaken was weggeroepen en snel weer terug zou zijn.

Dat was de nacht waarin Stuart ontdekte dat Jamie Crosby was verkracht door Matthew Merritt. Hij had zijn verhaal. De grootste primeur van zijn carrière.

'We zullen nagaan of het Merritt kan zijn,' belooft Swain, 'maar ik geloof niet dat hij zo ver zou gaan.'

Mijn mobieltje gaat. We schrikken allemaal. Er volgen nog twee hoge pieptonen. 'Nog drie sms'jes,' zeg ik en een kille angst stroomt door mijn aderen. *Pang!*, luidt het tweede bericht. Met bevende hand druk ik nog eens op de toets. *Pang! Pang!*

Augie

Als ik door de ruit van de deur kijk, zie ik een man die terug staart. De blik in zijn blauwe ogen bezorgt me de rillingen. Mijn hart bonst in mijn keel en ik probeer weg te rennen, maar ik glij uit op mijn sokken en voordat ik het weet vliegt de deur open en word ik de klas binnen getrokken.

'Wie ben jij?' vraagt de man, terwijl hij me bij mijn arm vasthoudt en me van top tot teen opneemt.

Ik zie P.J., die met zijn rug tegen het bord staat. Zijn juf, mevrouw Oliver, die eruitziet alsof ze met een honkbalknuppel is bewerkt, staat met haar armen om twee andere kinderen heen: een meisje met zwart, warrig haar en een kleine jongen met een bloempotkapsel en een beugel.

Ze staren me allemaal met open mond aan en ik besef dat ik er krankzinnig bij loop. Ik heb geen schoenen aan, ik draag een sweatshirt dat me tien maten te groot is en ik loer door de ruit van een klaslokaal waar een man met een revolver staat. 'Wie ben jij?' vraagt de man nog eens.

'Augie,' stamel ik. 'En dat is mijn broertje.' Ik wijs naar P.J.

'Denk jij soms ook dat ik je vader ben?' vraagt de man, en ik probeer te begrijpen wat hij zegt. Ik kijk naar P.J., die naar zijn rode Converse-gympen staart.

P.J. Waarschijnlijk dacht hij echt dat deze psychopaat zijn vader is. Op straat kijkt hij ook altijd naar mannen en let op hun gezichten. Een hele tijd heeft hij mama bestookt met vragen. *Wat voor kleur haar had mijn vader? Wat voor kleur ogen? Was hij groot of klein?* Maar het enige wat ze hem vertelde was dat hij marinier was toen ze elkaar ontmoetten en dat hij naar Afghanistan moest.

Ten slotte gaf P.J. de moed maar op toen mama boos werd, begon te huilen en tegen P.J. zei dat ze hem de naam van zijn vader zou vertellen als hij achttien was en dat hij in de tussentijd moest bedenken hoe goed hij het had, ook al waren we maar met ons drieën. 'Je had ook op een boerderij in Iowa kunnen zitten, waar je drie uur per dag stomme klusjes moest doen, zoals koeienpoep scheppen!' riep ze, voordat ze zich in de badkamer opsloot. Ik vraag me af wat ze op P.J.'s achttiende verjaardag zal doen, als hij zijn hand ophoudt voor dat stukje papier met de volledige naam, het adres en het telefoonnummer van zijn vader. P.J. heeft een geheugen als een olifant. Hij vergeet nooit iets. Hoewel mijn moeder dat nooit met zoveel woorden heeft gezegd, denk ik niet dat ze weet wie P.J.'s vader is.

De man kijkt me achterdochtig aan, maar ziet ook wel dat ik te jong en te klein ben om een undercoveragent te zijn of zoiets. 'Mogen we nu weg?' vraag ik en P.J. doet een stap naar me toe.

'Nee, nog niet.' De man schudt zijn hoofd. 'Maar u hebt het gezegd,' begint de juf van P.J. Haar gezicht is bont en blauw en gezwollen, en ze is nauwelijks te verstaan.

De man heft zijn hand op, alsof hij haar het zwijgen wil opleggen. 'Geduld,' zegt hij. 'Ik heb jullie nog even nodig. Als ze doen wat ik zeg, mogen jullie daarna vertrekken.'

Ik wil hem vragen wie er moeten doen wat hij zegt en wat er zal gebeuren als ze dat niet doen. Het meisje begint te snikken, met schokkende schouders, terwijl de jongen met de beugel op zijn lip bijt en probeert niet te huilen. Hij kijkt afwachtend naar zijn juf wat hij moet doen.

'Ga zitten,' zegt de man. Ik let scherp op P.J. Hij kijkt kwaad. Ik ken die blik. Zo kijkt hij ook als ik hem te veel treiter of te ver ga. P.J. wordt niet gauw boos, maar als hij kwaad is, pas dan op. Ik schud nadrukkelijk mijn hoofd en werp hem een waarschuwende blik toe. We lopen allemaal naar de voorste rij en gaan zitten. 'Ze kan nu elk moment komen,' zegt de man. Hij gaat op de stoel van de juf zitten en sluit zijn ogen.

Misschien zou ik hem te grazen kunnen nemen. Ik kan behoorlijk snel zijn als ik wil en ik hoef alleen maar van mijn stoel te springen, me boven op hem te storten en die revolver uit zijn hand te slaan. Snel kijk ik naar mevrouw Oliver, die mij net zo'n waarschuwende blik toewerpt als ik P.J.

'Wie komt er dan?' vraagt mevrouw Oliver. De gekneusde kant van haar gezicht zwelt steeds erger op. Ze lijkt net zo misvormd als het Spook van de Opera en ze praat alsof ze een dikke klont kauwgom in haar mond heeft.

'Degene voor wie dit allemaal bedoeld is,' zegt de man en hij spreidt zijn armen.

'En als ze niet komt?' vraagt mevrouw Oliver. 'De politie laat echt niemand naar binnen gaan. Dit is een gijzeling.'

'Ze is zelf de politie,' zegt de man met een gemeen lachje.

Meg

Ik kijk naar de sms'jes. Elke *pang!* op de display valt me als een steen op de maag. 'Ik zal hem bellen,' zeg ik. 'Ik ken Tims stem, of die van Travis. Dan weten we het zeker.'

De drie mannen kijken elkaar aan. 'Doe het maar,' zegt Samora en ik bel. Het toestel gaat vier keer over, dan is het stil. GESPREK BEËINDIGD, knippert er op mijn schermpje. Een paar seconden later komt er weer een sms'je binnen.

Ik wacht, luidt de tekst.

Laat de kinderen gaan, dan kom ik binnen, typ ik.

Je hebt 5 min.

Wie ben je?

4 min.

'Hij heeft nog steeds leerlingen bij zich,' zeg ik met een blik naar Aaron, Swain en de chief. 'Ik moet erheen.'

'Vergeet het maar,' zegt chief McKinney. Zijn anders zo verzorgde snor hangt nu over zijn lippen, voor zijn mond.

'Ik ga naar binnen,' zeg ik scherp en ik sta op. 'Ik heb een vest nodig,' voeg ik eraan toe, wijzend naar een kogelvrij vest dat in een hoek van de camper ligt.

'Wacht nou even,' zegt Swain, die ook overeind komt. Hij is net zo lang als hij breed is en torent hoog boven me uit. Hij heeft een kalme, geruststellende stem, die hem goed van pas moet komen als onderhandelaar bij een gijzeling. 'Zodra hij daar iemand neerschiet is het afgelopen voor hem. Dan zijn we in een paar seconden binnen. Dat beseft hij ook wel.'

'Dat risico kunnen we niet nemen,' zeg ik, terwijl ik het vest pak en mijn armen door de mouwgaten steek. Het gewicht geeft vertrouwen. 'Als het Tim is – en dat lijkt me de vraag – zal ik hem wel kalmeren. Dan breng ik iedereen veilig naar buiten.'

'Ik kan dit niet goedvinden,' zegt Swain.

Ik kijk hem aan. 'Wat voor keus hebben we? Als ik niet naar binnen ga en er wordt iemand doodgeschoten? Dat is ook geen optie.'

'Meg,' waarschuwt de chief. 'Er komt niets van in.'

Opeens kijken we allemaal naar het raam als er een laag, roffelend geluid opklinkt, als de nadering van een kudde geschrokken vee. We lopen naar de raampjes van de camper, met hun mosterdgele gordijntjes, en zien met een mengeling van schrik en opluchting dat een zee van kinderen het parkeerterrein op stroomt.

'Jezus,' zegt chief McKinney en we rennen allemaal naar de deur van de camper.

Dit is mijn kans. Terwijl iedereen in de richting van de ontsnapte kinderen stormt ren ik naar de school. Ik hoor Aaron nog iets roepen, maar ik luister niet. Hier moet een eind aan komen. Nu.

Mevrouw Oliver

Mevrouw Oliver had moeite haar ogen open te houden. Niet uit vermoeidheid, hoewel ze zo uitgeput was dat ze een week zou kunnen slapen; en dat zou ze ook doen zodra ze thuis was. Nee, ze had zo'n hoofdpijn dat ze alleen verlossing vond als ze haar ogen sloot. Maar ze durfde de man niet uit het oog te verliezen. Hij zat bijna te trillen van opwinding – uit verwachting of uit angst, dat kon mevrouw Oliver niet bepalen. Misschien wel allebei. Volgens de overvaller zou er een agente op weg zijn naar dit lokaal. Maar het vreemde was dat de man daar zelf om had gevraagd. Dat sloeg echt nergens op. De enige vrouwelijke politieagent die ze kende was Meg Barrett, de moeder van Maria.

Met haar ene oog, dat niet dichtzat, probeerde mevrouw Oliver de kinderen in de gaten te houden. Ze hadden de grootste moeite het vol te houden en mevrouw Oliver voelde haar hart zwellen van mededogen. Die arme Charlotte zat wanhopig achter haar handen te huilen. Haar enige fout was dat ze zich op weg naar de deur had gebukt om een handvol kraaltjes op te rapen die van mevrouw Olivers overgooier waren gerukt. En Ethan was zo klein voor zijn leeftijd dat hij met zijn korte beentjes gewoon niet op tijd bij de deur had kunnen zijn vanaf zijn tafeltje in de verste hoek van het lokaal. Daarom was hij hier nog. P.J., aan de andere kant, had gemakkelijk als een van de eersten de klas kunnen ontvluchten, maar om een of andere reden had hij op zijn juf gewacht. Nu zaten P.J. en zijn zus Augie allebei in dit lokaal gevangen met die psychopaat.

Ze vroeg zich af wat Will Thwaite op dit moment moest denken. Waarschijnlijk waren alle andere kinderen inmiddels herenigd met hun familie. Mevrouw Oliver stelde zich voor dat Will nog buiten in de ijzige wind op zijn kleinkinderen stond te wachten. Ze dacht aan Holly Thwaite, die ze zich herinnerde als een levendig kind, heel ondeugend, altijd gespannen, op zoek naar de kansen die het leven had te bieden. Vanaf het eerste begin had mevrouw Oliver geweten dat Holly uit Broken Branch zou vertrekken en ze vroeg zich af of Holly, in het ziekenhuis in Arizona, wist wat er nu met haar kinderen gebeurde in het stadje waar ze was opgegroeid, in dezelfde klas waar zij ooit van een ander leven had gedroomd.

Holly's dochter keek naar de deur en mevrouw Oliver wist wat ze dacht. Ze probeerde Augie te waarschuwen om te blijven zitten, maar haar mond deed te veel pijn en het enige wat ze wist uit te brengen was een zacht gerochel.

Met een vastberaden trek om haar mond sprong Augie overeind en ze probeerde de revolver uit de hand van de overvaller te slaan, maar hij hief het wapen boven zijn hoofd en stapte behendig opzij. Augie struikelde. De man greep haar bij haar nek en sleurde haar het lokaal door.

'Hé!' protesteerde Augie en P.J. probeerde zijn zus te bevrijden, maar de overvaller smeet de jongen ongeduldig tegen de grond en trok Augie mee naar de kast.

Mevrouw Oliver hinkte naar de man toe. Nu was het gebeurd. Hij zou haar vermoorden. Maar ze kon niet werkeloos toezien hoe hij die kinderen mishandelde.

'Blijf daar!' beval de man, op zo'n toon dat mevrouw Oliver verstijfde en hulpeloos toekeek hoe er voor de tweede keer die dag een kind in de kast werd opgesloten.

Meg

Zonder naar Aaron te luisteren of om te kijken steek ik het besneeuwde parkeerterrein over. De hemel kleurt donkerblauw en het wordt snel donker. Het sneeuwt niet meer en de wind is gaan liggen, alsof de wereld zijn adem inhoudt om te zien wat er gaat gebeuren. Ik voel mijn hart bonzen als ik naar de school loop, over de platgetreden sporen die de vluchtende leerlingen hebben achtergelaten toen ze naar buiten renden. Even later sta ik voor de ingang van de gymzaal waar ik eerder op de dag Augie Thwaite opving. Met mijn zaklantaarn sla ik de ruit van de deur in om binnen te komen.

Ik denk aan Maria en wat ik allemaal anders zou hebben gedaan als zij vandaag nog op school zou zijn geweest. Chief McKinney zou me waarschijnlijk naar huis hebben gestuurd met het argument dat ik zelf slachtoffer was en dus niet objectief en professioneel zou kunnen functioneren in de wetenschap dat mijn dochter werd gegijzeld door een gewapende overvaller. Ik vraag me af of ik zijn orders zou hebben opgevolgd of in de wind geslagen. In stilte zeg ik een dankgebedje dat Maria kilometers hiervandaan is, gezond en veilig bij Tims ouders. Totdat er een golf van twijfel door me heen slaat en ik heel even de mogelijkheid overweeg dat Tim hierboven is, in Maria's klas, en met een vuurwapen de kinderen en hun juf in gijzeling houdt en mij wil zien om me te confronteren met een of andere zonde waarvan ik me niet bewust ben. Omdat ik zijn uitnodiging heb afgeslagen om deze voorjaarsvakantie met Maria bij hem te komen logeren? Dat kan toch niet? Tim en ik hebben goede tijden gehad, en onze problemen, maar we zijn altijd op elkaar gesteld gebleven, op onze eigen manier. Ik zet die gedachte uit mijn hoofd en bereid me voor op vier mogelijke scenario's. De eerste mogelijkheid is dat de man daarboven een voormalige arrestant is, iemand die een wrok koestert. Misschien heb ik hem laten insluiten wegens drugs, huiselijk geweld of rijden onder invloed. Of het is mijn broer, de ex-crimineel. Of het is Matthew Merritt, de verkrachter. En dan is er nog een vierde optie, de meest onwaarschijnlijke, dat het mijn ex-man is, die altijd een geweldige vader voor mijn dochter is geweest en met wie ik diep in mijn hart nog altijd hoop samen oud te worden.

Ik weet dat mijn vier minuten om het klaslokaal te bereiken al zijn verstreken, dus loop ik nog sneller, terwijl ik van links naar rechts kijk, bijgelicht door mijn zaklantaarn. In elke hoek lijkt zich iets lugubers te verbergen. Ik kom bij de trap, die ik zo vaak heb beklommen met Maria op school- of ouderavonden, of het winterprogramma. Onwillekeurig vraag ik me af of ik op een brancard dat lokaal weer zal verlaten als ik naar binnen durf te gaan.

'Is het veilig?' hoor ik iemand angstig fluisteren als ik mijn voet op de onderste tree zet.

Ik draai me haastig om, mijn pistool in de hand, en richt het naar de stem, samen met mijn zaklantaarn. Het is een jonge vrouw, die haar hoofd om de deur van een lokaal steekt. 'Politie,' zeg ik met gezag. 'Geen verdachte bewegingen!' Ze verstijft, maar ik zie de opluchting op haar gezicht. 'Ga terug naar uw klas,' zeg ik. 'Doe de deur op slot en het licht uit. Dit duurt niet lang meer.'

'Ik ben Jessica Bliss, de juf van de eerste,' zegt ze, struikelend over haar woorden. 'Zeg alstublieft tegen mijn man dat ik van hem hou.'

'Dat kunt u hem zelf wel vertellen,' antwoord ik vriendelijk, terwijl ik me afvraag of ik die woorden ooit nog tegen iemand zal kunnen zeggen.

Augie

Het is aardedonker in de kast, dus gebruik ik het schijnsel van een van de mobiele telefoons die ik van de grond heb gegrist toen ze uit de zak van de overvaller vielen. Mijn handen beven als ik me het nummer van mijn moeder probeer te herinneren. Ik wil niets anders dan haar stem horen en haar zeggen hoe het me spijt van de brand en dat het allemaal mijn schuld was.

Met moeite toets ik haar nummer in en hoor het toestel overgaan terwijl ik wacht tot ze zal opnemen. 'Hallo?' Eindelijk hoor ik haar stem, klein en vermoeid. 'Mam,' zeg ik, happend naar adem alsof ik nog rook in mijn longen heb.

Holly

Ik zweef in dat heerlijke gebied tussen waken en slapen. Pijn heb ik niet, dankzij de morfinepomp, en ik kan bijna geloven dat de spieren, pezen en huid van mijn linkerarm weer keurig zijn aangegroeid tot een bleek, glad velletje. Mijn krullende bruine haar valt weer losjes over mijn rug, mijn favoriete oorbellen bungelen aan mijn oren en ik kan allebei mijn mondhoeken optrekken tot een brede lach, zonder veel pijn, bij de gedachte aan mijn kinderen. Ja, medicijnen zijn een geweldige uitvinding. Maar hoewel deze verantwoord voorgeschreven en door de zusters zorgvuldig toegediende narcotica de scherpe randjes van de nachtmerrie verzachten, weet ik dat dit heerlijke, soezerige gevoel niet lang kan duren. Straks zal ik weer moeten vechten tegen de pijn en de wetenschap dat Augie en P.J. duizenden kilometers bij me vandaan zijn, terug naar de plek waar ik zelf ben opgegroeid, de stad waar ik nooit meer naar wilde terugkeren, het huis waar ik nooit meer een voet zou willen zetten, de man die ze nooit hadden mogen ontmoeten.

Het blikkerige melodietje dat Augie, mijn dochter van dertien, in mijn mobiel heeft geprogrammeerd, wekt me uit mijn slaap. Ik open het oog dat niet onder de dikke zalf zit en niet met een korst is dichtgeplakt en roep mijn moeder, die even de kamer uit is. Dan steek ik mijn hand uit naar de telefoon op het tafeltje naast mijn bed. De zenuwen in mijn verbonden linkerarm krijsen van verontwaardiging. Voorzichtig beweeg ik mijn bovenlichaam om met mijn goede hand de telefoon te pakken en ik druk het toestel tegen mijn overgebleven oor.

'Hallo?' Het klinkt vervormd, hijgend en hees, alsof mijn longen nog vol zitten met rook.

'Mam?' Augies stem, bevend en onzeker, heel anders dan ik gewend ben van mijn dochter. Augie is een slimme, zelfverzekerde meid, vol initiatief, iemand die niet over zich heen laat lopen.

'Augie? Wat is er?' Ik knipper met mijn ogen om het waas van de morfine kwijt te raken. Mijn tong voelt droog en plakt tegen mijn gehemelte. Ik wil een slok water nemen uit het glas op mijn blad, maar mijn enige functionerende hand houdt de telefoon al vast. De andere ligt hulpeloos op de deken. 'Alles oké? Waar ben je?'

Het blijft een paar seconden stil. 'Ik hou van je, mam,' fluistert Augie dan, en plotseling begint ze zacht te snikken.

Ik schiet overeind in bed, opeens klaarwakker. Een felle pijn slaat door mijn verbonden arm naar mijn hals en mijn gezicht. 'Augie, wat is er aan de hand?'

'Ik ben op school.' Ze huilt zoals ze doet wanneer ze zich daar uit alle macht tegen verzet. Ik zie haar voor me, met gebogen hoofd, de lange haren rond haar gezicht gevallen, ogen stijf dichtgeknepen tegen de tranen. Ik hoor haar hijgende, oppervlakkige ademhaling in mijn oor. 'Hij heeft een revolver. Hij heeft P.J. en hij heeft een revolver.'

'Wie heeft P.J.?' Angst knijpt mijn keel bijna dicht. 'Augie, waar zit je? En wie heeft er een revolver?'

'Ik zit in een kast. Hij heeft me in een kast opgesloten.'

De gedachten tollen door mijn hoofd. Wie kan ze bedoelen? Wie zou mijn kinderen zoiets aandoen? 'Hang nu op,' zeg ik tegen haar. 'Hang op en bel de politie. Nu meteen, Augie! En bel me dan terug. Kun je dat doen?' Ik hoor haar snotteren. 'Augie,' zeg ik nog eens, wat scherper nu. 'Kun je dat?'

'Ja,' zegt ze eindelijk. 'Ik hou van je, mam,' voegt ze er zachtjes aan toe.

'Ik hou ook van jou.' Mijn ogen vullen zich met tranen en ik voel dat het vocht zich verzamelt onder het verband over mijn gewonde oog.

Ik wacht tot Augie de verbinding verbreekt als ik drie snelle schoten hoor, gevolgd door nog twee en Augies doordringende gil.

Het verband over de linkerkant van mijn gezicht begint weg te glijden; door mijn eigen geschreeuw raken de pleisters los die het op zijn plaats houden. De kwetsbare, pas aangebrachte huid dreigt los te laten. Ik ben me nauwelijks bewust van de verpleegsters en mijn moeder, die naar mijn bed komen rennen en de telefoon uit mijn hand rukken.

Will

Toen de verkeerspolitie, de takelwagen en de ambulance waren verdwenen, kon Will eindelijk gaan. Maar hij kon de gedachte aan thuis niet verdragen, niet voordat hij zijn kleinkinderen weer veilig bij zich had, dus reed hij met de pick-uptruck terug naar Lonnie's. Het sneeuwde niet meer en de wegen waren veel beter, maar toen hij bij het café aankwam was Verna nergens te bekennen, en de dienstdoende politieman wist niet of ze al op de hoogte was gebracht van de zelfmoord van haar schoonzoon. Het zou waarschijnlijk een schrale troost zijn, maar Will veronderstelde dat Verna en haar familie dit minder tragisch vonden dan wanneer Ray de overvaller op de school zou zijn geweest.

Dus zat hij weer aan een kleverige, gekraste tafel achter een kop koffie en probeerde de tijd te doden. Nog ontdaan door alles wat er was gebeurd staarde hij naar de krant die opengeslagen voor hem lag, maar hij kon zijn aandacht er niet bij houden. Buiten klonk het geluid van denderende wielen en iedereen keek naar het raam. Er stopte weer een schoolbus voor het café. 'Nog meer kinderen!' riep iemand, gevolgd door de bekende wedren naar de deur om de kinderen te begroeten.

Will schoof net zijn stoel naar achteren om zich bij de groep aan te sluiten toen hij zijn telefoon voelde trillen. Het was Marlys. Hij wist dat hij moest opnemen, maar eerst wilde hij zien of Augie en P.J. in de bus zaten. Het liefst van alles wilde hij Marlys het blije nieuws kunnen melden dat haar kleinkinderen veilig terug waren. Zijn telefoon zweeg weer en Will voegde zich bij de meute achter het raam. Zijn hart maakte een sprongetje toen hij Beth en Natalie Cragg uit de bus zag komen, en hij zocht tussen alle gezichten naar Augie en

P.J., maar ze waren nergens te ontdekken. Gefrustreerd wrong hij zich naar Beth en Natalie toe, in de hoop dat zij iets wisten. Bovendien wilde hij niet dat ze het nieuws over de dood van hun vader van iemand anders zouden horen dan van Verna of Darlene.

'Beth, Natalie,' riep hij en hun ogen lichtten op toen ze een bekend gezicht zagen.

'Meneer Thwaite,' riep Beth. Ze rende naar hem toe, met de hand van haar zusje in de hare geklemd. 'Hebt u mijn moeder of vader gezien?'

Will schudde zijn hoofd. Hij wilde niet liegen, maar ook niet te veel vertellen. 'Jullie oma was net nog hier. Blijf maar bij mij, dan wachten we tot ze terugkomt. Ze weet dat de kinderen hiernaartoe worden gebracht.' Will nam hen mee naar zijn tafeltje. 'Hebben jullie P.J. en Augie gezien?' vroeg hij, niet in staat die vraag nog langer voor zich te houden.

Beth en Natalie knikten allebei. 'Hij heeft ze nog bij zich, in de klas.' Beth ontweek Wills blik en begon te huilen. Natalie sloeg haar armen om haar zus heen en begroef haar gezicht tegen haar buik.

De kamer begon te draaien en Will greep een stoel om op de been te blijven. 'Mankeerden ze niets?' vroeg hij, terwijl het bloed uit zijn gezicht week.

'Dat weet ik niet.' Beth schudde haar hoofd en veegde met haar mouw langs haar ogen. 'Hij heeft iedereen laten gaan, op een paar kinderen na. Hij zei iets over iemand die nog moest komen. Daar wachtte hij op. En dan mochten zij ook gaan.'

'Hij heeft mevrouw Oliver geslagen,' zei Natalie bevend, 'en Lucy in een kast opgesloten.'

Will keek om zich heen om de aandacht van agent Braun te trekken. Maar een ander kind stond druk met hem te praten en Will besefte dat het nog wel even kon duren voordat Braun de zusjes Cragg zou ondervragen. 'Ga zitten, dan krijgen jullie wat te eten.' Will stak een vinger op en de serveerster kwam naar hen toe. 'Bestel maar wat je wilt, dan zal ik proberen jullie oma te bellen.' Will liep bij de tafel vandaan naar een wat rustiger hoek van het café waar hij kon bellen en tegelijk een oogje op de kinderen kon houden. Verna's mobiel schakelde meteen naar de voicemail en Will sprak een kort bericht in: 'Verna, met Will Thwaite. Beth en Natalie zitten bij Lonnie's. Ze zijn veilig en gezond. Ze weten nog niet wat er bij hun vader thuis is gebeurd. Bel me terug.'

Onzeker zigzagde hij tussen de gezinnen door die met hun kinderen waren herenigd en andere die nog nerveus op nieuws wachtten. Hij ging weer bij de meisjes zitten, die bekers warme chocola hadden gekregen. Natalie blies in haar dampende mok. Beth zat onderuitgezakt op haar stoel en staarde met lege ogen uit het raam.

'Gaat het?' vroeg Will toen hij ging zitten. De meisjes knikten zwijgend. 'Kenden jullie de man die jullie klas binnen kwam? Hadden jullie hem al eerder gezien? Zouden jullie hem kunnen beschrijven?' Hij boog zich zo dicht naar Natalie toe dat hij de sproetjes op haar neus kon tellen. Natalie kromp ineen. Beth kneep haar ogen tot spleetjes en legde een beschermende arm om haar zus heen. Will deinsde terug. Zijn spervuur van vragen had hen van streek gemaakt, begreep hij. 'Het spijt me,' zei hij verontschuldigend, 'maar ik maak me zo veel zorgen om Augie en P.J.'

Ze bleven een tijdje zwijgend zitten. Natalie nam kleine slokjes van haar warme chocolademelk, Beth knabbelde op de frietjes die Lonnie naar hun tafel had gebracht.

'Hij was lang,' zei Beth ten slotte. 'En hij had bruinig haar. Ik had hem nooit eerder gezien.' Ze slikte moeizaam en keek naar haar zus. 'Ik was gewoon zo blij dat het mijn eigen vader niet was, dat ik eigenlijk niet zo goed naar hem gekeken heb.'

Will roerde een zakje suiker door zijn koffie, die koud geworden was. Hij was niet in staat hen aan te kijken. Over een paar uur, of misschien een paar minuten, zouden ze te horen krijgen dat hun vader niet de kracht, of de zorgzaamheid – of hoe je het ook wilde noemen – had bezeten om voor hen op deze aarde te blijven.

'Hij droeg een bruine broek,' herinnerde Natalie zich. 'En mooie schoenen.'

'Nou, als agent Braun een minuutje de tijd heeft, moeten jullie hem dat maar vertellen. Dat zal de politie zeker helpen.' Will wilde hiervandaan. Hij wilde terug naar de school, dwars door de afzetting rijden die het verkeer moest tegenhouden en op de deur van de camper bonzen waar chief McKinney zat te wachten. *Waarop?* vroeg hij zich af. Tot er iemand zou worden neergeschoten? Maar hij kon de zusjes Cragg niet alleen laten totdat Verna of Darlene hier was. Hij keek zoekend naar Lonnie, in de hoop op een kop verse koffie, toen hij Natalie naar de krant zag staren die hij onverschillig opzij had gegooid op het moment dat de bus was aangekomen.

'Wat?' vroeg Will. 'Wat is er?'

'Dat is hem!' zei Natalie opgewonden. 'Dat is de man.' Will volgde de richting van haar kleine, slanke vinger met de helderblauwe nagellak. Ze wees naar een zwart-witfoto van een goed geklede man met felle ogen en de suggestie van een glimlach. 'Weet je het zeker?' fluisterde hij.

'O ja.' Ze knikte plechtig. 'Ik weet het zeker.'

Mevrouw Oliver

Mevrouw Oliver zag geen goede afloop van deze ellendige situatie, hoe ze het ook bekeek. De man met de revolver had een maniakale glinstering in zijn ogen en zat voortdurend in zichzelf te mompelen. Zo nu en dan zei hij hardop: 'Het is nu bijna voorbij.'

Haar kaak bonsde pijnlijk, er zaten twee kinderen in de voorraadkast opgesloten en de drie anderen waren doodsbang, zo erg zelfs dat Charlotte in de afvalemmer had gekotst. Mevrouw Oliver was altijd een daadkrachtige vrouw geweest. Ze had haar eerste baby gekregen toen ze nog studeerde en binnen zes jaar tijd nog drie kinderen op de wereld gezet. Ze kon een band verwisselen en ze had ooit een groep pubers op skateboards achtervolgd die de oude meneer Figg bij de supermarkt ondersteboven hadden gereden. Dus moest ze deze gestoorde indringer de baas kunnen, maar op een of andere manier wilde dat niet lukken. *Niet doen*, hoorde ze Cal in haar oor fluisteren. *Hij heeft een revolver, Evelyn. Probeer je voor één keer te schikken.*

Mevrouw Oliver was niet iemand die zich gemakkelijk schikte. Volgens haar berekeningen had ze nog één laatste kans om in te grijpen. Langzaam schoof ze in de richting van haar bureau. De man was weer druk bezig met zijn mobieltje, tikte zenuwachtig met zijn voet op de grond en wreef over zijn voorhoofd. *Evelyn*, hoorde ze Cals vermoeide stem toen haar vingers naar de nietmachine gingen. Het was niet zo'n goedkoop model van nog geen tien dollar uit de schoolartikelencatalogus waaruit de docenten elk jaar hun bestellingen deden, maar een zwaar, industrieel, stalen MegaSnap-nietapparaat van rond 1972, dat mevrouw Oliver speciaal had gekocht. Haar hand, die zich om de koele metalen hals van de nietmachine sloot, aarzelde maar heel even voordat ze hem naar achteren bracht om toe te slaan. Met voldoening zag ze de verrassende kracht waarmee haar vijfenzestigjarige arm door de lucht zwaaide. Als de man een fractie van een seconde later had opgekeken, zou hij bijna zeker zijn geveld. Mevrouw Oliver hoorde het haar leerlingen in gedachten al zeggen, over twintig jaar: *Ja, een nietmachine. Ze sloeg die man neer met een nietmachine. Stel je voor!* Maar zo ver kwam het niet. De man keek op, kneep zijn ogen half dicht toen hij het apparaat op zich af zag komen, richtte zonder aarzelen zijn revolver en haalde drie keer de trekker over. De kogels sloegen in de muur vlak bij de voorraadkast. Mevrouw Oliver kreunde bij het zien van de schade, hevig geschrokken bij de gedachte hoe dicht de kogels bij Lucy en Augie terecht waren gekomen.

De overvaller keek mevrouw Oliver woedend aan. Zijn vuist trof haar bliksemsnel tegen de borst en ze zakte in elkaar.

'Dwing me niet je te vermoorden,' gromde hij en hij richtte zijn wapen op haar hoofd.

Meg

Boven mijn hoofd hoor ik het onmiskenbare geluid van pistoolscho-
ten. 'Shit,' mompel ik en ik ren de trap op, terwijl ik het microfoon-
tje op mijn kraag inschakel. 'Er wordt geschoten hier. Ik herhaal: er
wordt geschoten.'

Er klinkt wat statisch geruis, gevolgd door de stem van chief Mc-
Kinney in mijn oor: 'We komen zo snel mogelijk. Blijf waar je bent.
Hulp is onderweg. En, Meg...' voegt de chief er haastig aan toe, 'het
is niet Tim, in de school.'

Ik aarzel. Het duizelt me. Hoewel ik in mijn hart ook wel wist
dat het Tim niet kon zijn, heb ik geen idee wie me dan wél naar dat
lokaal wil krijgen en zelfs bereid is een hele klas met kinderen te
gijzelen om me daartoe te dwingen. Ik wil McKinney vragen hoe hij
dat weet en waar Tim al die tijd heeft gezeten, maar daar is nu geen
tijd voor.

'Begrepen,' antwoord ik. Natuurlijk zou ik moeten wachten op
versterking, maar ik loop toch door naar boven. Het moet mijn broer
wel zijn, de klootzak. Het enige waar ik aan kan denken zijn die arme
kinderen en hun juf in die klas. Ondanks de bittere kou buiten voel
ik het zweet over mijn rug lopen. Ik veeg een paar druppels van mijn
voorhoofd. Mijn ademhaling is onregelmatig en ik concentreer me
om rustig in en uit te ademen. Met lange passen loop ik de gang door
en kijk door de ramen van ieder lokaal.

Deze vleugel van de school lijkt verlaten. Ik weet dat de klas van
mevrouw Oliver het laatste lokaal links moet zijn. Als ik dichterbij
kom, hoor ik een kind ontroostbaar huilen – het geluid van een geweldige angst, maar niet van pijn. Dit kind is in elk geval niet lichamelijk gewond. Twintig passen van het lokaal blijf ik staan, druk mijn

rug tegen de muur en kijk om in de richting waaruit ik gekomen ben. Ik mis de geruststelling van assistentie. Eigenlijk zou ik op het tac team moeten wachten, maar ik zet door.

'Ik ben hier!' roep ik. Mijn stem klinkt te hoog, te aarzelend. 'Is alles in orde daar? Ik dacht dat ik hoorde schieten.' Geen antwoord. 'Is er iemand gewond?'

'Nee!' brult een mannenstem die ik niet herken. Ik wil hem aan de praat houden om erachter te komen wie hij is, voordat ik het lokaal binnen ga.

'Ik ben gekomen, zoals je had gevraagd. Hoeveel kinderen heb je daar nog?'

Geen reactie.

'Hoor eens,' zeg ik en ik probeer het ongeduld uit mijn stem te houden, 'ik wil met je praten, maar alleen als ik zeker weet dat je me niet zult neerschieten zodra ik binnenkom.'

Weer stilte. Dan een kinderstem. 'Er zijn hier drie kinderen en een juf in de klas. En de man. Niemand is geraakt. Het was een ongelukje.'

Ik meld het via de portofoon aan chief McKinney. 'Loos alarm. Stand-by.' En tegen de man in het lokaal: 'Oké, ik kom nu binnen. Ik ben alleen en ongewapend,' lieg ik, terwijl ik mijn pistool in de verborgen schouderholster onder mijn jasje steek en nog een blik over mijn schouder werp door de donkere, verlaten gang. Ik denk aan Maria en heb spijt dat ik vandaag geen kans meer heb gehad nog eens met haar te praten. Dan haal ik diep adem, recht mijn schouders en stap zelfverzekerd het lokaal in.

Will

Will bestudeerde de foto van de man in de krant, die volgens Natalie de overvaller moest zijn, toen zijn telefoon ging.

'Ja?' zei hij afwezig, terwijl hij zich probeerde te herinneren waar hij de man eerder had gezien. De naam onder de foto zei hem niet veel.

'Will,' hoorde hij de stem van Marlys, duidelijk in paniek.

'Marlys? Wat is er? Alles in orde met Holly?' vroeg Will.

'Wat gebeurt daar? Holly heeft met Augie gesproken. Ze zegt dat er geschoten werd.' Will moest zich concentreren om te begrijpen wat zijn vrouw zei. Holly, Augie, geschoten? 'Ze is hysterisch,' ging Marlys verder, zelf ook op de rand van hysterie. 'De dokters moesten haar een kalmerend middel geven. Will, wat is daar aan de hand?'

Will wist niet wat hij moest antwoorden. Hij keek op en zag dat agent Braun ook stond te bellen. Hun blikken kruisten elkaar. Braun keek Will aan met een mengeling van medelijden en berusting en kwam toen naar hem toe. Op dat moment wist Will dat Marlys de waarheid sprak. 'Ik zal uitzoeken hoe het zit, dan bel ik je terug,' zei Will hakkelend tegen zijn vrouw en hij verbrak de verbinding.

'Blijf hier, meiden,' zei hij tegen Beth en Natalie. 'Jullie oma komt eraan.' Hij liep over de plakkerige vloer naar agent Braun, midden in het restaurant, maakte zijn vingers van de krant los en probeerde de kreukels glad te strijken toen hij hem aan de politieman liet zien.

'Dit is de overvaller,' zei Will schor, wijzend naar de gekreukte foto.

'Wie is dat?' vroeg Braun fronsend.

'Geen idee,' zei Will, 'maar daar kom ik wel achter.'

Holly

Ik probeer me te bevrijden uit de mist van morfine die een verpleeg-ster in mijn infuus heeft gespoten. 'Sst, rustig aan,' hoor ik haar zeg-gen. 'Kalm nou, Holly. Als je niet voorzichtig bent, kan de nieuwe huid loslaten. En dat wil je allemaal niet nog eens meemaken, toch? Je bent al zo ver gekomen.'

Ik sla slapjes naar haar handen en probeer haar weg te duwen, zodat ik uit bed kan komen, naar mijn kinderen kan gaan. Ik had hen nooit zo ver weg mogen sturen. Ik wil Augie bij haar schouders grijpen, haar door elkaar schudden en zeggen dat ongelukken nu eenmaal gebeuren – dat ik haar natuurlijk niet de schuld geef van de brand of mijn verwondingen, dat ik alleen maar dankbaar ben dat zij en P.J. er ongedeerd van af zijn gekomen. Mijn hoofd voelt licht en ik zie het gezicht van mijn moeder voor me zweven. 'Mama,' zeg ik, zoals ik haar niet meer genoemd heb sinds ik vijf was.

'Ik weet het,' zegt ze met trillende kin. 'Ik weet het.'

Augie

Als we de schoten horen, begint het kleine meisje dat samen met me in de kast zit opgesloten met haar vuisten op de deur te bonzen. Dan gooit ze zich er met haar hele lichaam tegenaan om hem open te krijgen. 'Sst,' zeg ik tegen haar. 'Het komt wel goed.' Maar ik weet dat het niet goed komt. Ze jammert nu zo hard dat ze moeite krijgt met ademhalen.

'Sst, ik moet het alarmnummer bellen,' zeg ik tegen haar. 'Mijn moeder zei dat ik het alarmnummer moest bellen.' Ik bibber zo dat ik begin te klappertanden. Ik toets de drie cijfers in. Een man neemt op, maar ik kan hem nauwelijks verstaan door het gekrijs van het meisje. 'Ik zit in de school,' roep ik ten slotte maar. 'In de klas van mevrouw Oliver. En hij begint te schieten. Ik zit in de kast met een ander meisje. Stuur hulp, alstublieft.' Dan hang ik weer op. Hopelijk heeft hij er wat informatie uitgehaald waar ze iets aan hebben.

Eindelijk wordt het meisje wat rustiger. Ze rolt zich op in een hoek. Ik richt het schijnsel van de telefoon op mijn gezicht, zodat ze me kan zien. 'Ik ben Augie.' Ik ga naast haar zitten en laat het licht nu over haar heen vallen. Haar gezicht is rood en wit gevlekt. Ze maakt zachte hikkende geluidjes en ze zuigt op haar duim.

Dan haalt ze haar duim uit haar mond. 'Ik ben Lucy,' zegt ze, en ze gaat weer verder met duimzuigen.

Ik hoor iemand huilen aan de andere kant van de kastdeur, maar het is niet P.J. 'P.J.!' roep ik door de deur heen. 'Ben je gewond?'

'Nee, hoor. Gewoon een misser,' roept hij terug en ik laat me opgelucht op de grond zakken. *Gewoon een misser*, denk ik bij mezelf. *Het is P.J. maar.*

'De politie komt er aan,' zeg ik tegen Lucy en ik hoop dat het waar is.

Lucy begint te snotteren. 'En als hij weer begint te schieten?' vraagt ze luid.

'Nog even volhouden. Over een paar minuten zijn we hier vandaan,' beloof ik haar. Ik kijk op de telefoon en zie dat de batterij leeg raakt. Haastig bel ik mijn moeder. Het toestel gaat vier keer over, dan krijg ik de voicemail. 'Mam,' zeg ik, 'met Augie. Met P.J. is het goed. Ik bel straks terug.' Ik zwijg. Eigenlijk wil ik nog meer zeggen, maar ik weet niet wat. 'Het spijt me,' fluister ik ten slotte. 'Het spijt me zo.'

Vanuit de klas klinkt een nieuwe stem. Een vrouw. 'Dus jij bent het?' zegt ze luid, alsof ze het niet echt kan geloven. 'Waarom?'

Will

Het is weer gaan sneeuwen, maar lichter nu, alsof de storm is uitgeraasd, als een kind aan het einde van een driftbui. Toen Holly nog klein was kon ze vreselijk tekeergaan. Will moest er vaak om lachen, ondanks zijn frustratie, hoe Holly haar mond zo ver mogelijk opende en begon te loeien, als een pasgeboren kalf dat om zijn moeder schreeuwde. Maar Holly werd nog kwader als hij lachte. Dan hield ze haar adem in totdat haar rug zich kromde en haar gezicht angstig blauw aanliep. Marlys nam haar in haar armen en smeekte haar om adem te halen. 'Niet op reageren,' zei Will dan bestraffend. 'Hoe meer aandacht ze krijgt, des vaker ze het probeert.' Nu vroeg Will zich af of dat wel zo was. Als hij Holly zorgzaam op schoot had genomen, dicht tegen zich aan, en een halfvergeten slaapliedje uit zijn eigen jeugd voor haar had gezongen terwijl hij haar wiegde, zou het misschien heel anders zijn gegaan tussen hen tweeën.

'Jezus,' klaagde Will tegen de Zeven Smarten-rozenkrans van zilver en granaten die aan het spiegeltje hing. De kraaltjes tikten zachtjes tegen elkaar. Het was dezelfde rozenkrans die zijn moeder hem in zijn hand had gedrukt toen hij voor zijn militaire training vertrok. Hij herinnerde zich nog dat hij voor pasgeboren kalfjes zong die het moeilijk hadden door een verzakte of verdraaide baarmoeder van hun moeders. Had hij niet net zo zorgzaam kunnen zijn tegenover zijn dochter?

Roekeloos reed hij door de besneeuwde straten, donker en verlaten, terug naar de school. Het kon hem niet schelen of hij dwars door versperringen zou moeten rijden of moeten inbreken in de school. Hij zou zijn kleinkinderen veilig thuisbrengen. Terug naar zijn dochter.

Mevrouw Oliver

Mevrouw Oliver hield zich dood. Ze bleef languit op de grond liggen nadat de man haar had neergeslagen en de revolver op haar hoofd had gericht. Ze probeerde haar ademhaling onder controle te houden en haar spieren te ontspannen. *Evelyn*, hoorde ze Cals vermanende stem. *Wat bezielde je?*

Ik weet het niet, antwoordde ze haar man in gedachten. *Nu weet ik het echt niet meer.* Ze herinnerde zich dat ze een keer voor de tv had gezeten met Cal, bij nieuws over een natuurramp ergens ver weg. Toch hadden de tranen over haar wangen gelopen. *Evie, niet huilen*, had Cal haar gezegd. *We zijn altijd één ademtocht verwijderd van iets, leven of dood. Daar is soms niets aan te doen.* Ze vroeg zich af wat haar kinderen zouden zeggen op de begrafenis. Zouden ze verbitterd zijn over al die uren die ze aan de kinderen van andere mensen had besteed, over haar slapeloze nachten uit bezorgdheid om de onverschillige vader of gewelddadige moeder van een kind van acht, de leesproblemen of het sociale onvermogen van een leerling? Zouden ze iets zeggen over al die klassenfoto's die met zo veel zorg waren opgehangen in het huis van hun jeugd, zo veel foto's waarop hun moeder met onbekende kinderen poseerde, tegenover het veel geringere aantal familiekiekjes met haar eigen vlees en bloed?

Opeens klonk er een vrouwenstem en onmiddellijk verstomde het gejammer van die arme Charlotte. 'Dus jij bent het?' vroeg de vrouw ongelovig. Mevrouw Oliver waagde het één oog te openen om te zien wat er gebeurde. De man had zich van haar afgewend. Hij had het wapen nog steeds krampachtig in zijn hand, maar nu op de slaap van P.J. Thwaite gericht, terwijl hij zijn elleboog om de nek van de jongen hield geklemd. Mevrouw Oliver bracht pijnlijk haar hoofd omhoog om de nieuwkomer beter te kunnen zien. Het was agent Barrett, zag ze nu, de moeder van Maria. Was zij degene op wie de man steeds had gewacht? Dat sloeg toch nergens op? Aan de andere kant, deze hele, ellendige dag was één groot raadsel.

Charlotte en Ethan keken naar hun juf, wachtend tot zij iets zou doen. Mevrouw Oliver wilde haar schouders ophalen, als om te zeggen: *ik weet het ook niet*. Maar haar lichaam deed te veel pijn. Toch keken ze haar nog altijd aan, met een strakke blik, vol verwachting. Hun juf zou toch wel iets doen – hoe dan ook, wat dan ook?

Meg

'Stuart?' zeg ik ongelovig tegen de man. 'Wat doe jij hier? Leg die revolver neer. Ben je gek geworden?'

'Gek?' De man lacht vreugdeloos. 'Misschien wel, ja. En voor een deel dankzij jou, Meg.'

'Wat bedoel je? Ik begrijp er niets van.' De confrontatie met Stuart in dit lokaal, die een wapen op het hoofd van een kleine jongen gericht houdt, doet me naar adem happen.

'Heb je het niet gehoord? Heb je vandaag de krant nog niet gelezen?' vraagt Stuart luchtig, alsof we gezellig zitten te praten bij een biertje en een hapje.

'Nee, ik heb niets gehoord. Vertel het me maar. Ik ben totaal de kluts kwijt.' Zonder Stuart uit het oog te verliezen probeer ik de situatie in te schatten. Mevrouw Oliver ligt gewond op de vloer. Links van me zie ik een jongen en een meisje, kennelijk ongedeerd, en een ander jongetje wordt als gijzelaar vastgehouden.

'Binnen een paar maanden ben ik mijn vrouw, mijn kinderen en mijn baan kwijtgeraakt, en allemaal dankzij jou, Meg.' Stuart grijpt de nek van de jongen nog steviger vast en wringt de loop van de revolver tegen zijn slaap.

'Stuart,' zeg ik zo rustig mogelijk, 'laat die kinderen nou gaan en vertel me het hele verhaal. Alsjeblieft. Zij hebben er niets mee te maken.'

'Ik had je mooi te pakken, hè?' Stuart grijnst agressief. 'Je dacht echt een tijdje dat je ex de overvaller was.'

'Nee,' antwoord ik. 'Ik heb geen seconde gedacht dat Tim zoiets zou doen. Waarom zei je tegen mij dat hij verdacht werd?'

'Dat was ook zo. Een minuut of vijf. Mijn bron...' Hij ziet de twijfel op mijn gezicht. 'Ja, ik heb een bron op het bureau van de sheriff. Die zei me dat jouw schoonmoeder had gebeld omdat je ex opeens verdwenen was. Mijn bron suggereerde toen dat Tim de overvaller zou kunnen zijn. Ik vond het wel grappig.'

'Tim zou dit nooit doen,' zeg ik nog eens en ik voeg eraan toe: 'En dat had ik van jou ook nooit verwacht.'

'Mijn vrouw heeft me de deur uit gezet. Omdat ze onze affaire ontdekte,' gaat Stuart verder, alsof hij me niet heeft gehoord.

Ik wil hem corrigeren. Ik wil hem zeggen: *jíj had een affaire, Stuart, ik niet. Ik wist helemaal niet dat je getrouwd was, met drie kinderen thuis. Nietwaar?* Maar ik zeg niets. Ik moet hem kalmeren en aan de praat houden totdat het tac team in positie is of totdat ik mijn wapen kan pakken om een schot te lossen.

'Ik heb je vrouw echt niet over ons verteld, Stuart, geloof me. Ik heb geen woord gezegd.'

Stuart maakt een snuivend geluid en grinnikt kort. 'Niemand anders wist het, Meg. Jij moet het wel geweest zijn. Na tweeëntwintig jaar huwelijk heeft ze me gewoon de straat op geschopt.'

Jammer dan, wil ik zeggen, maar in plaats daarvan hef ik verzoenend mijn handen. 'Het spijt me verschrikkelijk, Stuart, maar ik heb nooit contact gezocht met je vrouw. Ze is zelf naar me toe gekomen.'

'Mijn kinderen willen niet meer met me praten en ik woon in een goedkoop hotel. Mijn vrouw had een advocaat die mijn ballen heeft afgehakt om een gunstige regeling voor haar te krijgen.'

Iets in de manier waarop hij over zijn vrouw praat, in de verleden tijd, bezorgt me de rillingen. 'Stuart,' vraag ik, bang voor het antwoord, 'wat heb je gedaan? Hoe bedoel je, dat je vrouw een advocaat hád? Heeft ze de scheiding niet doorgezet?' Stuart glimlacht smalend en maakt een vaag gebaar.

'En toen ik gisteren op de redactie kwam zat de hoofdredacteur op me te wachten. Blijkbaar was iemand op eigen houtje op onderzoek uitgegaan.'

'Stuart, ik heb nooit –'

'Ach, hou toch je kop, Meg,' schreeuwt hij, waardoor de jongen in zijn greep begint te jammeren. 'Iemand heeft rondgebeld met vragen over mijn werk. Ze vonden dat ik de waarheid had gemanipuleerd in mijn stuk over dat verkrachte meisje en nu denken ze dat mijn verhaal over Afghanistan ook verzonnen was.'

Al die tijd dat Stuart en ik staan te praten staart de gijzelaar – een jongen die ik herken van Maria's winterconcert op school – me strak aan. Zijn bril zit scheef en zijn haar staat alle kanten op, maar hij houdt zijn ogen niet van me af. 'Stuart, waarom laat je P.J. niet gaan?' zeg ik. Ik gok erop dat deze jongen de kleinzoon van Will Thwaite is. 'Je weet dat zijn moeder zwaargewond is geraakt, bij een brand? Ze heeft al genoeg moeten doorstaan, zou ik denken. Laat die kinderen gaan. Ik ben hier nu, dat wilde je toch? Jij denkt dat ik die telefoontjes heb gepleegd waardoor jij ontslagen bent.' Terwijl ik met Stuart discussieer zie ik P.J. naar de grond kijken, waar zijn lerares is gevloerd. Langzaam, centimeter voor centimeter, probeert ze naar Stuart toe te kruipen. Jezus, denk ik bij mezelf, als ze maar geen domme dingen doet.

Mevrouw Oliver

Mevrouw Oliver voelde zich totaal geradbraakt. Bij iedere ademtocht ging er een scheut van pijn door haar kaak en haar geblesseerde heup was een kwelling. Maar wat nog meer pijn deed was het besef dat ze haar leerlingen niet had kunnen beschermen.

Die afschuwelijke man, die nu een wapen tegen P.J.'s hoofd drukte, was duidelijk niet van plan dit lokaal nog levend te verlaten en het scheen hem niet uit te maken wie hij in de dood met zich meesleurde. Jammer dat ze niet nog een kans had gekregen om met haar kinderen en Cal te praten. Ze wilde hun zeggen hoe gelukkig ze was geweest, hoe bemind ze zich had gevoeld. Haar kinderen moesten weten dat ze weliswaar een kamer vol herinneringen aan haar leven als lerares had gehad – foto's, zelfgemaakte versieringen, zorgvuldig opgestelde brieven en gedetailleerde tekeningen van haar leerlingen uit haar veertigjarige loopbaan voor de klas – maar dat de liefde van haar eigen kinderen toch het belangrijkst voor haar was geweest.

Vastberaden, hoe pijnlijk ook, gleed ze met haar hand over de vloer totdat een van haar vingertoppen het koele metaal van de MegaSnap-nietmachine raakte.

Augie

Ik tast met mijn hand door de kast, op zoek naar een lichtknopje, maar het enige wat ik vind zijn stapels knutselpapier en mandjes met viltstiften en krijtjes. Er kruipt iets over mijn rug en ik steek mijn hand naar achteren om de spin weg te slaan. Het blijkt geen spin te zijn, maar een touwtje dat aan het plafond hangt. Ik trek eraan en we hebben licht. Lucy slaat haar handen voor haar ogen tegen het onverwachte, felle schijnsel. Ik kijk om me heen, speurend naar iets om ons hieruit te helpen, maar ik kan niets vinden.

De stemmen vanuit de klas klinken luider en luider. 'Het is allemaal jouw schuld!' roept de man. 'Mijn baan, mijn vrouw, mijn kinderen, alles weg!'

Het antwoord van de vrouw kan ik niet verstaan, maar blijkbaar maakt het de man nog kwader, want hij schreeuwt: 'Een voor een, Meg. En allemaal jouw schuld!'

'Wat bedoelt hij?' vraagt het meisje aan me. 'Wat wil hij doen?'

'Ik zou het niet weten,' zeg ik. Wat ik wel weet, maar niet hardop zeg, is dat wij nergens naartoe kunnen als de man besluit de kastdeur open te doen. Ik kijk omhoog en zie een groot ventilatiegat. 'Misschien heb ik een idee,' zeg ik.

Will

Toen Will het parkeerterrein van de school op draaide, was het zo stil en rustig dat hij een moment dacht dat iedereen naar huis was en de hele zaak voorbij moest zijn. Maar toen hij dichterbij kwam, zag hij dat de politie nog altijd nadrukkelijk aanwezig was, evenals de ambulances, gedeeltelijk bedekt met sneeuw. Will stopte naast de camper, stapte uit met de krant nog in zijn hand, en klopte op de deur. Geen antwoord. Will keek over zijn schouder naar de school. Het parkeerterrein lag er onheilspellend stil en roerloos bij. Alleen de rookwolkjes uit de uitlaatpijpen van de ziekenwagens bewezen dat er nog mensen waren.

Er moest iets gaande zijn in de school. Will draaide zich om, pakte zijn geweer van de achterbank en rende naar de ingang van de school. Op slot. Hij liep om het gebouw heen en probeerde de andere deuren, maar ze zaten allemaal dicht. Totdat hij bij een raam op de begane grond kwam dat openstond. Voorzichtig legde hij het geweer op de lage vensterbank, hees zich met trillende armen omhoog en probeerde naar binnen te klimmen. Zijn laars gleed uit op de glibberige baksteen en hij verloor zijn evenwicht. Hij wilde het net opnieuw proberen toen hij de verontrustende klik hoorde van een wapen dat werd doorgeladen.

Meg

'Stuart,' zeg ik zacht, om hem rustig te houden, 'ik begrijp dat je boos bent. Maar alsjeblieft, alsjeblieft, daar mogen deze kinderen en hun juf niet het slachtoffer van worden. Laat ze gaan.'

'Je weet dat ze hebben besloten me de Pritchard-Say Prize af te nemen? Ik moet die honderdduizend dollar terugbetalen.' Hij schudt zijn hoofd. 'Dat geld heb ik allang niet meer. Dat heb ik uitgegeven aan een huis voor mijn vrouw, godverdomme.'

'Stuart, toe nou...'

'Ik had gehoopt dat Maria hier vandaag zou zijn,' zegt Stuart bitter. 'Als zij hier was geweest, zou jij meteen gekomen zijn.'

Ik voel een steek in mijn hart als hij haar naam noemt. 'Ik bén toch gekomen,' zeg ik met een klein stemmetje. 'Kijk dan! Hier ben ik.' Ik hoop dat ons kleine tac team klaarstaat en al in beweging is.

'Ja, maar als Maria hier zou zijn en ik hield een revolver tegen haar hoofd, wat zou je dan doen, Meg?' vraagt Stuart.

Ik kijk hem ongelovig aan, maar kies mijn woorden met zorg. 'Dan zou ik hetzelfde doen als nu, Stuart: proberen met je te praten en je te helpen,' zeg ik. Eigenlijk zou ik willen zeggen: *als je mijn dochter met een revolver bedreigde, zou ik je kop eraf knallen, gestoorde klootzak.*

Stuart snuift en schudt zijn hoofd. 'Welnee, Meg.' Hij tikt even met de loop van zijn wapen tegen P.J.'s hoofd.

'Als je hem iets doet, ga je de rest van je leven de gevangenis in,' zeg ik. 'En kindermoordenaars zijn daar niet populair, Stuart.'

'Jij en ik weten allebei dat ik hier niet levend uit kom, Meg. Het enige positieve is dat jij verder moet leven met de gedachte dat je schuldig bent aan de dood van deze kinderen en hun lerares.' De groteske betekenis van zijn woorden dringt nu pas tot me door. Hij heeft me naar dit lokaal gelokt en zal zo veel mogelijk gijzelaars proberen te doden voordat ik mijn pistool kan grijpen.

'Waarom?' vraag ik weer hulpeloos, terwijl ik een manier probeer te bedenken om hem uit te schakelen voordat hij zijn eerste schot kan lossen.

'Omdat ik het kan,' antwoordt hij ijzig.

Augie

Met de planken aan de muur als treden klim ik naar het ventilatie-rooster bij het plafond. 'Geef me een schaar,' zeg ik tegen Lucy. Ze zoekt in een doos op een van de planken totdat ze een schaar gevonden heeft en reikt me die aan. Ik probeer een van de vier schroeven los te draaien die het rooster op zijn plaats houden als ik de man iets hoor zeggen over het doden van de kinderen. Meteen laat ik de schaar vallen. Lucy raapt hem haastig op en geeft hem terug.

'Wat doe je?' vraagt ze.

'We gaan jou hier verstoppen,' zeg ik tegen haar. Ze kijkt scep-tisch. 'Hoor eens, als hij die deur openmaakt en zijn revolver richt, zit je liever hoog en droog.' Ze knikt en ik begin weer aan de schroef te prutsen met de punt van de schaar. De schroeven geven gemak-kelijker mee dan ik had verwacht en binnen een paar minuten heb ik ze alle vier los. 'Ik haal nu het rooster eraf en geef het aan jou. Kun jij het aanpakken?' vraag ik.

Ze knikt en ik laat het rooster zakken. 'Klim maar omhoog, Lucy, naar me toe.' Ze kijkt weifelend, maar gebruikt dan voorzichtig de planken als trap, totdat ze naast me staat. 'Ik zal je een zetje geven. Wat er ook gebeurt, je komt er niet meer uit totdat ik zeg dat het veilig is.'

'Kom jij dan niet mee?' vraagt ze. 'Alsjeblieft, ga nou mee,' zegt ze op smekende toon.

'Er is geen plaats voor ons allebei,' zeg ik. 'Jij zit daar veilig, dat beloof ik je. Hij zal geen tijd verspillen door hierboven naar je te zoe-ken.' Lucy kijkt me lang en verdrietig aan, maar doet wat ik vraag en hijst zich in de donkere, stoffige ventilatiekoker totdat ik alleen nog de zolen van haar gympen zie. 'Ik schroef het rooster er niet meer op, Lucy. Ik schuif alleen deze stapel papieren ervoor, zodat hij je niet kan zien. Oké?'

'Oké,' antwoordt ze angstig.

'En denk eraan, blijf daar tot je weet dat de kust veilig is.' Ik schuif een stapel kleurig knutselpapier voor de ventilatieopening en klim weer omlaag om te luisteren naar wat er in de klas gebeurt. Het is stil. Te stil. Op een of andere manier moet ik P.J. zien te bereiken. Ik probeer de kruk en gooi mijn lichaam tegen de deur. De stoel beweegt een beetje.

'Wat gebeurt er?' roept Lucy vanuit de ventilatiekoker boven mijn hoofd.

'Het is oké. Maak je niet druk,' zeg ik tegen haar, terwijl ik plat op de grond ga liggen om door de smalle kier onder de deur door te kijken. Veel kan ik niet zien, alleen de poten van de stoel. Weer kijk ik speurend door de kast. Er moet toch iets zijn wat ik kan gebruiken om hieruit te komen. In de hoek zie ik een lange, dunne liniaal. Ik pak de lat, schuif hem onder de deur door en probeer een van de stoelpoten te raken. De stoel glijdt naar voren, een klein eindje, bij de deur vandaan. Ik doe hetzelfde met de andere poot, die ook een centimeter verschuift. Ik ga net zo lang door totdat ik de stoel bijna zie omvallen. Op het laatste moment komt hij weer op zijn poten terecht, vlak bij de deur. Voorzichtig probeer ik de kruk, die meegeeft. De deur raakt de stoel, maar wordt niet meer geblokkeerd. Ik hoef hem alleen nog open te duwen om mezelf uit de kast te bevrijden en het lokaal in te stappen, naar P.J.

Will

'Beweeg je niet,' klonk een stem achter Will. 'Laat dat geweer vallen, leg je handen op je hoofd en draai je om. Langzaam.'

'Ik probeer alleen mijn kleinkinderen te vinden,' legde Will uit, maar hij gehoorzaamde toch.

'Jezus,' zei de agent nu hij Wills gezicht kon zien. 'Meneer Thwaite, wat doet u in godsnaam hier?' Het was Kevin Jarrow, een van de parttime-politiemensen van het bureau in Broken Branch. Will wilde zijn armen laten zakken, maar Jarrow hield zijn pistool gericht. 'Hou uw handen omhoog,' beval hij.

'Ik probeer alleen Augie en P.J. te vinden,' verklaarde Will nog eens. 'Augie had mijn dochter gebeld, vanuit de school. Ze hoorde dat er geschoten werd.' Will keek Jarrow smekend aan. 'Ik hield het niet meer uit. Ik moest weten wat er aan de hand was.'

'Dat is precies wat wij ook proberen en daar hebben we geen pottenkijkers bij nodig. Jezus, ik had u wel kunnen neerschieten.' Jarrow bukte zich, raapte Wills geweer op, haalde de patronen uit de loop en liet ze in zijn zak glijden.

'Heus, Kevin, ik had geen verkeerde bedoelingen, maar ik wil mijn kleinkinderen uit die school halen,' zei Will en hij liet zich fouilleren. Toen agent Jarrow zich ervan had overtuigd dat hij geen andere wapens bij zich had, nam hij Will mee naar een patrouillewagen, zette hem op de achterbank en gaf hem bevel daar te blijven. 'Ik wil u geen handboeien omdoen, meneer Thwaite, maar als het niet anders kan... Ik moet al mijn aandacht op de school concentreren en ik heb geen tijd om op u te passen. Begrepen?' vroeg hij streng.

Will knikte terneergeslagen. 'Het spijt me.'

'Maak nou geen moeilijkheden,' zei Jarrow wat milder. 'We doen alles wat we kunnen om iedereen veilig uit die school te krijgen.' Hij sloeg het portier met een klap weer dicht. Will bleef in zijn eentje achter en probeerde hulpeloos uit de raampjes te kijken, bedekt door een dikke laag sneeuw, die zijn zicht op de school belemmerde.

Wills telefoon trilde. Hij zag dat het Marlys was en kwam in de verleiding niet op te nemen, maar dat kon hij niet maken tegenover zijn vrouw. Ze was net zo bang en net zo hongerig naar nieuws als hij. Hij wist alleen niet hoe hij haar moest vertellen dat hij bijna was gearresteerd omdat hij had geprobeerd de school binnen te komen met een geweer, maar nog altijd niets wist over haar kleinkinderen. 'Hallo,' zei hij, zo zelfverzekerd mogelijk.

'Papa?' hoorde hij een snikkende stem en hij voelde zijn maag samenkrimpen. 'Zeg me alsjeblieft dat alles goed is met Augie en P.J.'

Mevrouw Oliver

Mevrouw Oliver trok het zware nietapparaat langzaam naar zich toe. Het voelde geruststellend onder haar hand. Dit was haar laatste kans, dacht ze. Als ze zijn aandacht maar heel even kon afleiden, zou agent Barrett wel haar pistool trekken en een eind maken aan deze afschuwelijke dag – en misschien zelfs aan deze afschuwelijke man.

Met moeite hees mevrouw Oliver zich eerst op haar ellebogen en daarna op haar knieën. Haar eerste gedachte was zo hard mogelijk uit te halen met de nietmachine, om de revolver uit de hand van de overvaller te slaan, maar ze wist niet of ze de kracht bezat om hem te ontwapenen.

'Stuart,' vroeg agent Barrett nog eens dringend, 'laat P.J. gaan. Je hoeft toch geen onschuldige mensen te doden om te krijgen wat je wilt? Als je zelfmoord wilt plegen, richt de loop dan op je eigen hoofd. Je hebt mij niet nodig om je dood te schieten.'

Het ging zo snel dat mevrouw Oliver niet eens de tijd had om ineen te krimpen. De man draaide zich om en haalde zonder aarzelen de trekker over. De nietmachine vloog uit haar vingers en ze werd door de klap naar achteren gesmeten. Liggend op haar rug staarde mevrouw Oliver verbaasd naar haar hand, die opeens nutteloos was geworden, en naar het bloed dat uit haar arm golfde. Even abrupt draaide de man zich weer bij haar vandaan en richtte de revolver op P.J.'s hoofd. *Nee!* probeerde ze te roepen, maar haar kaak werkte nu helemaal niet meer, alsof hij ter plekke was vastgevroren. Ze sloot haar ogen tegen het dreigende schot. Het speet haar zo verschrikkelijk; haar enige troost was dat ze in de dood bij de kinderen zou kunnen zijn om hen naar het licht te leiden, of waar ze dan ook heen gingen.

Het geluid klonk niet zo hard als ze had verwacht, maar eerder gedempt en ver weg. Ze hoopte, een beetje absurd, dat de kogel daarom voor P.J. niet zo pijnlijk zou zijn als voor haar.

Augie

Ik struikel als ik de deur openduw. Terwijl ik val zie ik dat de man een revolver tegen P.J.'s hoofd gedrukt houdt. Ik probeer te roepen, maar mijn stem hapert als ik voorover stort. Ik hoor Lucy schreeuwen vanuit de ventilatiekoker. De man draait zich om en richt het wapen nu op mij. Ik zie de verbazing in zijn ogen en sla mij handen voor mijn gezicht. Op hetzelfde moment klinkt er nog een schot, vlakbij. Opeens hoor ik niets anders meer dan het suizen in mijn oren en als ik weer om me heen durf te kijken, zoekend naar P.J., zie ik overal bloed.

Holly

Ik ben voldoende gekalmeerd, de verpleegsters zijn vertrokken en ik heb mijn moeder eindelijk zo ver gekregen dat ze mij haar telefoon geeft. 'Papa?' zeg ik weer, en zijn zwijgen vertelt me dat het allesbehalve goed gaat daar. 'Alsjeblieft,' smeek ik hem.

Mijn vader schraapt zijn keel voordat hij antwoord geeft. 'Ik weet verder ook niets, Holly. Ik heb geprobeerd erachter te komen wat er gebeurt, maar niemand wil me iets vertellen. Het spijt me vreselijk.' Ik krimp ineen als ik zijn stem hoor breken.

We barsten allebei in snikken uit en zeggen een hele tijd geen woord. Ik geloof niet dat ik mijn vader ooit heb horen huilen, hem ooit zo hulpeloos heb meegemaakt. 'Vertel me over hen,' fluister ik ten slotte. 'Vertel me wat ik allemaal heb gemist.'

Mijn vader snottert nog even en zijn stem klinkt verstikt door emotie. 'O, Hol, je hebt zulke geweldige kinderen,' begint hij. Ik leun naar achteren in mijn kussen en knik tegen de telefoon als hij dat zegt. Ja, denk ik, die heb ik zeker.

Meg

Zodra Stuart zich bij me vandaan draait gaat mijn hand naar mijn holster om mijn Glock te trekken. Ik zie dat Maria's lerares naar achteren wordt geworpen door een kogel in haar schouder. Tegen de tijd dat Stuart zich weer omdraait naar P.J. roep ik tegen de kinderen om weg te duiken. P.J. laat zich instinctief vallen en kruipt achter de tafel van zijn juf. Achter Stuart hoor ik iets vreemds en Stuart aarzelt een moment. Hij draait zijn hoofd naar het geluid en ik zie Augie Baker uit de kast struikelen. Stuart heeft het meisje in zijn vizier en zonder aarzelen halen we allebei de trekker over.

Will

'Je had P.J.'s ogen moeten zien toen dat kalf geboren werd,' zei Will tegen Holly, nog steeds op de achterbank van de politiewagen, grinnikend bij de herinnering. 'Dat joch zou best eens veearts kunnen worden.'

'Of boer,' zei Holly zacht.

'Wie weet,' beaamde Will, niet in staat zijn vreugde te verbergen bij de gedachte dat P.J. ooit veehouder zou worden. 'En die Augie,' ging hij verder. 'Ze heeft geen hap vlees gegeten sinds ze hier is, maar ze is zo scherp als een mes. Haar leraar zei me vorige week dat hij nog nooit iemand in de klas heeft gehad met zo veel schrijftalent als Augie.'

'Heus?' vroeg Holly. 'Zei hij dat?'

'Ja, hij...' Will aarzelde. 'Wacht even, Hol. Er gebeurt iets.'

'Niet ophangen, alsjeblieft. Niet ophangen,' smeekte Holly. 'Wat is er aan de hand?'

'Ik weet het niet zeker. Ik kan het niet zien. Wacht even.' Will sloeg tegen het raampje om de sneeuw van het glas te krijgen.

'Wat gebeurt er?' hoorde hij Holly roepen door de telefoon. 'Alsjeblieft, pap, zeg het me nou,' jammerde ze.

Door die paar klappen gleed de sneeuw van de ruit en Will zag een grote drukte aan de voorkant van de school. Agenten renden het gebouw binnen met getrokken wapens. 'Lieve God,' fluisterde hij.

'Papa!' riep Holly. 'Papa, alsjeblieft!'

Will bracht de telefoon weer naar zijn oor. 'Het is niets, Holly. Loos alarm.' Het bleef stil, afgezien van Holly's zachte snikken. 'Ja, en meneer Ellery zei ook dat Augie naar de gevorderde groep moet overstappen,' vervolgde Will rustig, terwijl hij een brancard met

Evelyn Oliver naar buiten zag komen. 'O, en ik dacht, als je zin zou hebben om van de zomer te komen logeren, dat P.J. misschien een kalf zou willen showen op de jaarmarkt. Hij heeft al een geweldige kandidaat op het oog, een prachtige hereford.'

Holly snotterde. 'Misschien. Dat zou P.J. wel leuk vinden.'

'Ja, dat denk ik ook,' zei Will toen er twee kinderen uit de school stapten in de grijze avondschemer. Niet P.J. Hij hield zijn adem in. 'Augie zou zich ook wel amuseren op die jaarmarkt. Misschien wil ze wel konijnen fokken.' De deur ging weer open en drie politiemensen kwamen naar buiten. Ze hielden een tegenstribbelende jongen tussen zich in.

'P.J.,' zei Will en hij slaakte een zucht van opluchting. 'Het is P.J.'

'Goddank,' zei Holly huilend. En toen, na een paar seconden: 'Waar is Augie?'

Augie

Ik tast naar mijn gezicht en zie dat mijn vingers onder het bloed zitten. Veel bloed, maar ik voel geen pijn. Daar heb ik weleens iets over gehoord: het komt door de shock. Ik vraag me af of ik nu dood zal gaan. Ik knijp mijn ogen dicht en denk aan mijn moeder. Wat zal ze verdrietig zijn. Nu heeft ze niemand meer, behalve mijn grootouders, en opeens hoop ik, meer dan wat ook, dat ze mijn opa zal vergeven. Opeens duikt er iemand naast me op, maar ik besluit niet zonder slag of stoot te sterven. Ik begin te schoppen en te schreeuwen. 'Het is oké! Het is oké!' roept een man. 'Ik ben van de politie.' Ik hou op met krijsen en worstelen en durf mijn ogen weer open te doen. Een politieman met de grootste snor die ik ooit heb gezien staat over me heen gebogen. 'Het is voorbij. Je bent veilig. Blijf rustig liggen, want we willen je onderzoeken.'

Ik luister niet en spring overeind. 'P.J.?' Ik kan zijn naam nauwelijks over mijn lippen krijgen, zo duizelig ben ik. Ik zie hem nergens. De politieman grijpt me bij mijn arm om te voorkomen dat ik val.

'P.J. is veilig, hij is al naar buiten. We brengen je meteen naar hem toe zodra we je hebben onderzocht. Ga nu maar weer liggen.'

Ik kijk de klas rond. Overal ligt bloed. 'Kijk nou maar niet,' zegt de politieman en hij probeert me het zicht te belemmeren. Ik kan het niet helpen. Ik ga weer op mijn kont zitten en begin te huilen. Hard.

Will

Will moest hulpeloos door het raampje van de patrouillewagen toezien hoe P.J. zich bleef verzetten tegen de agenten die hem naar buiten brachten. 'Holly, ik bel je zo terug,' zei hij tegen zijn dochter.

'Waag het niet om op te hangen, papa,' riep Holly. 'Als je ooit van me gehouden hebt, hang je nu niet op.'

Will knipperde verbaasd met zijn ogen. Hij had nooit geloofd dat zijn dochter zou hebben getwijfeld aan zijn liefde voor haar. Het was altijd andersom geweest. Will kon nooit bedenken wat hij moest doen om het respect en de liefde van zijn dochter te verdienen. 'Ik hang niet op, Hol,' beloofde hij haar. 'Maar wacht even. Ik leg de telefoon op de achterbank, dan probeer ik iemand te spreken te krijgen.' Will legde het mobieltje voorzichtig neer en begon weer op het ruitje van de auto te bonzen. 'Hé,' riep hij naar een hulpsheriff die voorbijkwam. 'Dat is mijn kleinzoon!' De deputy keek hem vragend aan. 'Mijn kleinzoon,' herhaalde Will, wijzend naar P.J., die nog steeds naar de school terug wilde.

De hulpsheriff overlegde met agent Jarrow, die naar de afgesloten auto kwam en Will bevrijdde. 'P.J.!' Will rende naar zijn kleinzoon toe, die zijn gezicht tegen de buik van zijn grootvader begroef. 'Met P.J. is alles goed,' zei Will tegen Holly. 'Ik heb hem hier bij me.'

'Goddank!' Holly huilde. 'Kan ik hem spreken?'

Will gaf de telefoon aan P.J. en greep een passerende agent bij de arm.

'Ik zoek mijn kleindochter. Kunt u me helpen?'

'Sorry, meneer.' De agent schudde zijn hoofd. 'We hebben honderden kinderen die met hun ouders moeten worden herenigd. U zult geduld moeten hebben.'

Over de schouder van de man zag Will de voordeur van de school weer opengaan en even later verscheen Augies betraande gezicht met het felrode haar. Naast haar liep een even angstig, klein meisje. Wills hart brak bijna toen hij de bebloede doek zag die ze tegen haar hoofd gedrukt hield, en de bloedvlekken op haar gezicht, haar handen en haar kleren. Augies ogen gingen koortsachtig heen en weer totdat ze bleven rusten op haar grootvader en toen op P.J.

Will pakte de telefoon uit P.J.'s hand en zei met trillende stem tegen zijn dochter: 'Augie is veilig, Hol. Ze komt nu naar ons toe.'

Will stak zijn armen uit naar zijn kleindochter. 'Het is in orde, Augie,' zei hij zacht en hij klemde haar tegen zich aan. 'Tijd om je naar huis te brengen.'

Meg

Goddank was Stuart geen trefzekere jager. Hij miste Augie, maar de kogel raakte wel de vloer, waardoor ze een paar scherpe splinters in haar gezicht kreeg. Ze had hechtingen nodig, maar mankeerde verder niets.

Hoewel ik het haar niet zou hebben aangeraden, was Augies ontsnapping uit de kast precies de manoeuvre die Stuarts aandacht afleidde, zodat ik hem kon neerschieten. Niet dodelijk, maar aan zijn gekerm en gekronkel te oordelen moest het behoorlijk pijnlijk zijn. Zijn verdiende loon.

Naar mijn idee waren er die dag heel wat helden, maar ik hoorde daar niet bij. De leerlingen van mevrouw Oliver toonden meer moed dan je van kinderen zou mogen verwachten. Augie Baker was vastbesloten haar broertje te redden, ondanks de risico's voor haarzelf. Bovendien had ze de tegenwoordigheid van geest om het kleine meisje dat samen met haar in de kast zat opgesloten naar de ventilatiekoker te laten klimmen, waar ze veilig was. Afgezien van het feit dat ze zich niets van haar orders aantrok zou Augie ooit een geweldige politievrouw kunnen zijn. Maar wie ben ik om haar de les te lezen over het opvolgen van orders?

Er waren drie agenten voor nodig om P.J. Thwaite uit het lokaal te krijgen, de trap af en naar buiten. Hij bleef brullen om zijn zus, maar we moesten eerst haar verwondingen inspecteren voordat we haar konden verplaatsen. De agenten beloofden hem dat ze snel de school uit zou komen, maar P.J. bleef protesteren. Het was een grote opluchting om hen allebei herenigd te zien met hun grootvader. Ik kon zelfs Twinkie, de hond van de Craggs, die zolang op de achterbank van mijn patrouillewagen had gekampeerd, aan meneer Thwaite meegeven. Hij zou haar naar de zusjes Cragg brengen – een kleine troost na de zelfmoord van hun vader, maar toch.

De verwondingen van mevrouw Oliver waren veel ernstiger. Tegen de tijd dat de verplegers haar hadden bereikt had ze veel bloed verloren en ademde ze nog oppervlakkig. Aan haar doodsbleke gezicht was te zien dat het een wonder zou zijn als ze het overleefde.

De leraar van de achtste klas, Jason Ellery, werd teruggevonden in een voorraadkast met een grote snee in zijn hoofd. De conciërge Harlan Jones, lag vastgebonden in het ketelhok. Heel wat kinderen hadden een trauma, maar behalve Evelyn Oliver waren er geen zwaargewonden bij.

Toen Tim op het nieuws over het alarm op de school hoorde, zei hij tegen zijn moeder en Maria dat hij naar zijn werk was geroepen, om hen niet ongerust te maken. Zonder zich iets van het slechte weer aan te trekken reed hij in plaats daarvan naar Broken Branch om te zien wat er op de school gebeurde en misschien de andere verplegers te kunnen helpen. Maar onderweg slipte hij over het ijs, sloeg over de kop en kwam in een greppel terecht. Gelukkig kwamen Will Thwaite en Daniel Tucker voorbij, die hem vonden. Hij moest enkele dagen in het ziekenhuis in Conway blijven, met een paar gebroken botten en een hersenschudding, maar hij komt er wel bovenop. Hij mag bij mij en Maria logeren totdat hij voldoende is hersteld.

Hoewel we ervan overtuigd waren dat Stuart in zijn eentje opereerde, kostte het toch uren om het hele gebouw te doorzoeken om zeker te weten dat er geen andere overvallers waren en dat alle kinderen en docenten waren gered. Tegen de tijd dat Stuarts schotwonden waren behandeld en hij naar het huis van bewaring was gebracht, wisten we veel meer over zijn snelle ondergang. Uiteindelijk bleek Stuart een bedrieger, een leugenaar en een moordenaar te zijn. Verdomme, ik weet ze wel uit te kiezen! Ik zal nooit weten of Stuart mij opzettelijk had versierd om vertrouwelijke informatie over de zaak-Merritt te krijgen en de naam van het verkrachte meisje – Jamie Crosby – te ontdekken, maar het zou me niet verbazen. Toen ik zijn artikel las over de verkrachting en zijn gesprek met Jamie kwam ik allerlei fouten en leugens tegen. Ik belde een paar mensen en ontdekte dat veel van Stuarts verhalen na grondig onderzoek niets anders waren dan producten van zijn verbeelding en ambitie. Een goed voorbeeld was zijn artikel uit Afghanistan, toen hij als embedded journalist was meegereisd met de Iowa Army National Guard Unit. Bij navraag bleek dat niemand kon verifiëren dat hij was geweest waar hij zei dat hij was geweest, en niemand zich ook iets kon herinneren over een zogenaamd verboden liefde tussen Rory Denison, een Amerikaanse militair, en een jong meisje uit Afghanistan. Er was zelfs geen enkel bewijs dat het meisje bestond.

De ochtend van het alarm op school verscheen er in de *Des Moines Observer* een volledig artikel, met een foto van Stuart tijdens de toekenning van de Pritchard-Say Prize, waarin uitvoerig werd ingegaan op zijn verzonnen verhalen en zijn ontslag. Dat moet de laatste druppel zijn geweest. Kort na zijn arrestatie werd het lijk van zijn vrouw ontdekt. Ze was niet de trouwe echtgenote die altijd achter haar man bleef staan, dus had hij haar vermoord voordat hij naar de school ging. Ik had een streep getrokken door zijn bijna perfect uitgevoerde plannen voor nog meer verzonnen artikelen, een nog glanzender carrière, meer geld en een groter ego. Toen alles ineenstortte besloot hij mij te treffen op mijn zwakste plek. Hij reed naar Maria's school en lokte mij daarheen in de hoop dat hij haar zou kunnen bedreigen waar ik bij was. Hij zou eerst Maria doden, daarna zichzelf en mij gebroken en eenzaam achterlaten. Als het allemaal was gegaan zoals hij dacht, zou hij zelfs na zijn dood voor de grootste nieuwssensatie uit de recente geschiedenis van Iowa hebben gezorgd. In plaats daarvan zit hij nu in de gevangenis, minus een oor, in afwachting van zijn proces. Ergens onderweg had Stuart zijn ziel verloren. Ik hoop dat ik nog een kans krijg om met hem te praten en erachter te komen waarom hij dit alles heeft gedaan; hoe hij van een aardige, zelfs beminnelijke man kon veranderen in een leugenaar, een bedrieger, een moordenaar.

Zelf hoop ik dat ik nog een baan zal hebben nadat ik de orders van chief McKinney in de wind heb geslagen door in mijn eentje de school binnen te gaan. Toen de kinderen veilig naar buiten waren gebracht en de ziekenwagens waren vertrokken, de ene met mevrouw

Oliver, de andere met Stuart, zei de chief me dat dit het stomste was dat hij ooit van een van zijn mensen had meegemaakt. Daarna kreeg ik een stevige omhelzing en volgden nog uren van verhoren en stapels papieren om te worden ingevuld. Een geringe prijs. Maar ik denk dat het wel goed zal komen. Per slot van rekening heb ik de boef te pakken gekregen.

Mevrouw Oliver

Mevrouw Oliver was in verwarring en dat vond ze niet eerlijk, omdat haar vader en moeder – trouwe kerkgangers – haar hadden beloofd dat bij de hemelpoort alles zou worden opgehelderd en alle mysteries van het leven zouden worden verklaard. Om te beginnen had ze gedacht dat het veel warmer zou zijn en dat haar omgeving in een gouden schijnsel zou baden. Maar ze rilde van de kou en toen ze haar ogen opende zag ze niet haar overleden vader en moeder, George of zelfs maar P.J., van wie ze overtuigd was dat hij dood moest zijn. Nee, mevrouw Oliver zag dat Cal over haar heen gebogen stond. 'O, dus hij heeft jou ook vermoord,' probeerde ze te zeggen, maar ze merkte dat ze geen stem had.

'Je kaak is dichtgenaaid,' zei Cal tegen haar, terwijl hij teder haar wang streelde. 'Je ligt in het ziekenhuis en je hebt bijna twee dagen geslapen. Hij heeft je ook in je schouder geschoten, maar je komt er wel bovenop.' Toen hij de zorgelijke blik in haar ogen zag kneep Cal haar even in haar ongedeerde arm. 'Met de kinderen is alles goed. De agente heeft hem neergeschoten voordat hij nog meer slachtoffers kon maken. Georgiana is hier en de jongens zijn onderweg.'

Georgiana boog zich naar haar gezichtsveld. 'Hé, mevrouw Oliver,' zei ze en ze lachte haar moeder toe met George' ogen. 'Je kon weer niet rustig met pensioen gaan, zoals iedereen? Je moest er weer een knalfuif van maken?' Mevrouw Oliver glimlachte bleek en haalde pijnlijk haar schouders op.

'Je bent goed voor die kinderen opgekomen, Evie,' zei Cal, terwijl hij een stoel bij haar bed trok. 'Alle ouders sturen bloemen en ballonnen. Kijk maar.' Cal wees naar een hoek van de kamer, waar bossen zonnige narcissen, sprieterige blauwe hyacinten en roze rozen een kleine tafel in beslag namen, terwijl daarboven zilveren folieballonnen, bedrukt met beterschapswensen, lui aan een touwtje deinden.

'Het ziet ernaar uit dat papa zijn hok moet opgeven om ruimte te maken voor alle ingelijste foto's en brieven die je van je leerlingen krijgt,' zei Georgiana en ze hield een stapel papier omhoog. Mevrouw Oliver schudde nadrukkelijk haar hoofd en kreunde even van pijn, door haar dichtgenaaide kaken heen. Ze had Georgiana zo veel te vertellen, maar het ging niet. 'Ik weet het, mam,' zei Georgiana met een lachje. 'Ik weet het.'

Ze was zo moe dat ze alleen maar met haar ogen kon knipperen naar haar dochter.

'Je moet rusten, Evie,' fluisterde Cal in haar oor en hij beroerde heel even haar lippen met de zijne. 'Ga maar slapen. Wij wachten hier tot je weer wakker wordt.'

Mevrouw Oliver voelde haar oogleden zwaarder en zwaarder worden, en ze wilde niets liever dan wegzinken in een diepe, droomloze slaap, maar eerst tilde ze met haar goede hand nog het laken op, keek eronder en fronste om de ziekenhuispyjama die ze droeg.

'Geen zorg. Ik heb ze gezegd dat ze hem niet mochten weggooien,' stelde Cal haar gerust. 'De verpleegsters moesten hem van je losknippen. Georgiana heeft hem zo goed mogelijk gewassen, maar je zult hem nooit meer kunnen dragen.' Mevrouw Oliver knikte, één keer maar, uit waardering.

'Ga nu slapen, mam,' fluisterde Georgiana en ze drukte haar moeder een snelle kus op haar voorhoofd.

Van buiten het ziekenhuisraam meende mevrouw Oliver het zachte gedruppel te horen van de vlijmscherpe ijspegels die de afgelopen vier maanden aan alle goten van Broken Branch hadden gehangen. Ze zag dat het eindelijk was opgehouden met sneeuwen en dat een waterig zonnetje door de grimmige sneeuwwolken probeerde heen te breken waarvan de kleur tot duifgrijs was verbleekt. Mevrouw Oliver glimlachte toen de zoete geur van de hyacinten haar neus binnen drong, en bijna voelde ze de zachte streling van de warme zuidenwind op haar huid voordat ze haar ogen sloot en sliep.

Dankwoord

Zoals altijd gaat er veel dank naar mijn agent, Marianne Merola, voor haar wijsheid en adviezen, haar aandacht voor detail en haar vriendschap. Dank ook aan Henry Thayer voor zijn steun achter de schermen.

Duizendmaal dank aan mijn redacteur, Miranda Indrigo, die met haar inzichten en suggesties altijd precies de kern raakte. En ik dank iedereen bij MIRA Books, met name Margaret O'Neil Marbury en Valerie Gray. Ik ben er trots op dat ik MIRA mijn thuis mag noemen.

Dank jullie, John en Cathy Conway en Howard en Shirley Bohr dat jullie je huis en boerderij voor me openstelden toen ik research deed voor mijn boek. Ik geniet altijd zo van onze tijd samen.

Ook Mark Dalsing ben ik erg erkentelijk. Zijn adviezen over politieprocedures en zijn opmerkingen over de eerste versies van het manuscript waren bijzonder waardevol.

Mijn grote dank gaat ook naar mijn ouders, Milton en Patricia Schmida, en mijn broers en zussen en hun gezinnen, voor hun gulle steun en enthousiasme.

Veel liefde en dank aan Scott, Alex, Anna en Grace – zonder jullie zou ik dit niet kunnen.